Żyć do końca życia i być młodym do starości

FILOZOFIA ŻYCIA

Właściwe odżywianie będzie medycyną jutra.

Linus Paulin
(*laureat Nagrody Nobla*)

Żyć do końca życia i być młodym do starości

FILOZOFIA ŻYCIA

Anna Ciesielska

Projekt okładki i rysunki
Katarzyna Bajerowicz

Redakcja
Jagoda Wawrzyniak

Copyright © by Anna Ciesielska

Wydawnictwo ANNA
ul. Kochanowskiego 31
62-040 Puszczykowo

ISBN 978-83-909614-1-5

Zamówienia

Wydawnictwo „Anna" prowadzi sprzedaż wysyłkową.
Zamówienia prosimy kierować pod adresem:

Centrum Zdrowego Żywienia ANNA
61-806 Poznań, Święty Marcin 29/6
tel. /fax (061) 855 32 94, tel. kom. 0 604 215 386
www.centrumanna.pl

Przedmowa

Minęły już trzy lata od ukazania się pierwszej edycji książki Anny Ciesielskiej „Filozofia zdrowia". Jest to czas wystarczający, by przekonać się, czy sprawdza się zawarta w książce filozofia odżywiania zgodnie z regułą równowagi pięciu elementów. Jestem przekonany, że wszyscy Czytelnicy, którzy zaufali zawartym w niej wskazówkom, nie pożałowali tej decyzji. Czas najwyższy na ciąg dalszy.

„Filozofia życia" napisana jest prostym, klarownym językiem i będzie zrozumiała dla Czytelników. Proponowałbym nawet osobom, które po raz pierwszy zetkną się z tą metodą, rozpoczęcie lektury właśnie od tej książki, a potem cofnięcie się do „Filozofii zdrowia".

Poszukiwania sposobów właściwego odżywiania idą wieloma drogami. Któż by nie chciał być zdrowym? Efektem jest zalanie rynku niezliczoną ilością książek, poradników, których autorzy przekonują do najróżniejszych diet. Wybór jest bardzo trudny ze względu na skrajne różnice pomiędzy nimi. Jedni proponują przejść wyłącznie na odżywianie się surówkami i warzywami (dr Dąbrowska), inni polecają w swojej diecie jako podstawę tłuszcze (dr Kwaśniewski), jeszcze inni propagują znaczne ograniczenie węglowodanów z odpowiednio dobranymi proporcjami białka i tłuszczu (dr Atkins) itd. Wbrew pozorom, w każdej z tych diet jest jedynie cząstka prawdy.

Książka Anny Ciesielskiej, pomijając nowatorskie podejście do odżywiania, zawiera właściwie wybrane elementy z wielu tych sposobów. Chociażby rozdział poświęcony tłuszczom. Bardzo się cieszę, że nareszcie przestaje się straszyć tłuszczami jako pewnym źródłem wszelkich chorób, z miażdżycą na czele. Oczywiście pod warunkiem, że będziemy je odpowiednio przyprawiać i łączyć z innymi właściwie dobranymi składnikami. Możemy wówczas cieszyć się nie tylko dobrym smakiem przyrządzanych potraw, lecz również jak najlepszym zdrowiem.

Podoba mi się filozoficzne podejście autorki do procesu przygotowywania potraw. Produkty to nie wszystko, potrzebna jest jeszcze radość tworzenia. Jest to niezwykle rzadko podkreślany element. Jeśli jesteśmy spokojni, zadowoleni, to przekazujemy potrawom pewne korzystne wibracje. O tym w żadnej książce poświęconej żywieniu nie znajdziemy najmniejszej nawet wzmianki. Wibracje te w sposób scjentystyczny są jeszcze niemierzalne, dlatego naukowcy nie będą o nich pewnie jeszcze długo wspominać. A przecież dobór i zestawienie pożywienia według pięciu elementów, to też nic innego jak wytwarzanie optymalnej dla nas wibracji. Możemy w to wierzyć lub nie, lecz harmonia musi być zachowana. Jeżeli chcemy być zdrowi, to musimy do niej dążyć. Innej drogi po prostu nie ma.

Leczenie oparte o rządzenie energią na Dalekim Wschodzie znane jest od tysięcy lat. Takie metody jak: akupunktura, masaż chiński czy ćwiczenia taj tchi, opierają się na regulacji energii życiowej tchi. Sposób odżywiania z uwzględnieniem roli smaków i energii należy do zaleceń, które pomagają utrzymać równowagę jin-jang. W tamtejszych ekskluzywnych restauracjach można zamówić posiłki dobierane według zaburzeń energetycznych. Od trzech lat, dzięki książce Anny Ciesielskiej, możemy to robić we własnych domach.

Przyszłością każdego narodu są zdrowe dzieci. Z prowadzonych statystyk wynika, że szerzy się wśród nich coraz więcej alergii i innych schorzeń związanych z rozwojem cywilizacji. Moda na słodycze (batonik zamiast kanapki), fast foody i gotowe produkty żywności, z terminem ważności paru miesięcy, doprowadza nasze zdrowie do ruiny. Zdrowe odżywianie zaczyna się już od wczesnych miesięcy ciąży i o tym w bardzo rozsądny sposób pisze Autorka. Warto, by przyszłe matki zapoznały się z tym rozdziałem. Jeżeli przekonają się o skuteczności właściwego odżywiania, o tym, ilu chorób można w ten sposób uniknąć, pozostaną wierne odżywianiu zrównoważonemu na zawsze. Zaowocuje to dobrym zdrowiem i w dalekiej przyszłości pogodną starością.

Rozbudowany, w porównaniu do poprzedniego wydania, rozdział dotyczący chorób, bardzo ułatwi Czytelnikowi szybkie zorientowanie się w popełnianych błędach dietetycznych.

Podsumowując, gorąco polecam zapoznanie się z następną książką Anny Ciesielskiej, której wprowadzenie w życie zaprocentuje tym, co mamy najcenniejsze – dobrym zdrowiem.

A. Frydrychowski

Dr n. med. Andrzej Frydrychowski

Podziękowania

Książkę napisałam i czas na podziękowania. Jej treść stanowi część moich przemyśleń, które zawdzięczam Okolicznościom i stworzonej przez nie rzeczywistości. Pojawiały się w niej postaci, dzięki którym działo się w moim życiu wszystko, co dziać się powinno. Przeżycia osób mi najbliższych były i są dla mnie największą inspiracją i cennym doświadczeniem woli i chęci przemieniania. Muszę również przyznać, że kręciły się wokół mnie w ostatnich czasach osoby niepospolite, często bardzo młode, o świadomości, która zwala z nóg.

Podziwiam ich wszystkich i wiem, że dzięki nim napełniam się ufnością i optymizmem. Mam ochotę powiedzieć: „trzymajcie tak dalej, a świat nie pójdzie na manowce".

Będę dziękować po kolei: Kazikowi za anielską cierpliwość i chronienie mnie, Magdzie za intuicję i odwagę, Piotrusiowi, bo jest najpiękniejszym wnukiem pod słońcem, Tomkowi za wrażliwość i dzielność, Pawłowi za bycie najmłodszym nauczycielem i pilnowanie mojego pionu, Jagodzie za to, że to rozumie i jest przy mnie, Kasi za kreskę i czuja, Marylce za wymianę myśli i cenne uwagi, Karolinie, Krysi, Wandzie i Mironie za przyjaźń i serce oraz wszystkim, którzy wkroczyli w moje życie, by przekazać mi coś ważnego.

Przepustka do Życia

„Aby dziecko pojęło, na czym polega równowaga, musi najpierw ją stracić”. (Mike Yaconelli)

Utraciliśmy Raj, a tym samym równowagę. Sami tak zdecydowaliśmy. Utraciliśmy Raj, ale w konsekwencji staliśmy się Stwórcami – ludźmi. Możemy własną wolą decydować o swych wyborach, życiu, zaczęliśmy stwarzać siebie i swoją rzeczywistość. Od tej chwili życie zaczęło toczyć się według naszych własnych wyobrażeń.

Odrzuciliśmy wzorzec Boskiej szczęśliwości i ruszyliśmy własną drogą. I tak od setek pokoleń idziemy w cierpieniu i trudzie, skamląc o miłość, akceptację, czułość, wątpiąc, czy aby na pewno Bóg istnieje, a jeśli istnieje, to czy jest Miłością. Byliśmy pełni dumy i niepokory, przekonani, że na Ziemi człowiek jest panem i może ustalać nowe reguły, kierując się prawem silniejszego (patriarchat, brak szacunku dla Natury).

A przecież na Ziemi mamy wszystko, co jest niezbędne dla wyborów i życia w równowadze, szczęściu i zdrowiu. Jest to przeogromna obfitość Boskiego Stworzenia, pulsująca w istniejącym odwiecznym rytmie – jin i jang, wydechu i wdechu, skurczu i rozkurczu, nocy i dnia – jest to Porządek, Tao.

Bóg pozwolił nam odejść, tak jak mądry rodzic pozwala odejść dziecku. Przygląda się nam – jak i my przyglądamy się swoim dzieciom – miłując i wiedząc, że przyjdzie czas, a staniemy mocno na ziemi i zaczniemy kroczyć pełni wewnętrznej siły, wiary w siebie i ufności w Porządek. Wie, że siniaki są niezbędnym życiowym doświadczeniem. Przypowieści mówią, że ten, kto nie boi się nowego, kto odrzuca stare wzorce, idzie swoją drogą, ma odwagę przeciwstawić się rodzicom, tłumowi, jest szczególnie przez Boga ceniony. Dlatego nie bójmy się nowego, nie bójmy się wykorzystywać wolnej woli, wybierać, decydować, pomnażajmy doświadczenia, pomnażajmy swoje talenty.

Nasz człowieczy bunt przeciwko Porządkowi jest powielany w ciągłym „konflikcie" pokoleń, który w rzeczywistości jest uwalnianiem się młodego człowieka z wzorców i wejściem na drogę samookreślania. Pozwólmy na to! To nasze *katharsis.* Ci, którym nie było dane tego doświadczyć, idą przez życie zgorzkniali, sfrustrowani, niepotrafiący zrozumieć ani praw rządzących życiem, ani drugiego człowieka.

Tak jak dziecko po uwolnieniu wraca bogate w swą własną mądrość, podobnie my – dorośli – musimy uwolnić się ze stereotypów, odrzucić wzorce powielane przez naszych pradziadów, dziadów i rodziców i wejść na drogę równowagi. Bez odrzucenia starego nie można wejść w nowe, bez odrzucenia nierównowagi nie można wejść w równowagę.

Szczypta filozofii

Kamień Filozoficzny

„Alchemia jest znojną pracą, nie można opuścić żadnego stopnia wtajemniczenia (...)"[1]. Alchemia jako pojęcie kojarzy nam się z odwiecznym poszukiwaniem Kamienia Filozoficznego i Eliksiru Długowieczności, a upraszczając – z oczyszczaniem metali dla pozyskania złota. Jednakże intuicja podpowiada, że alchemia to przede wszystkim nasz własny proces wewnętrznych przemian.

O alchemii wspomniałam już w „Filozofii zdrowia" – nasze Centrum to kocioł alchemiczny, w którym przetwarza się energia w materię i materia w energię, rodząc życiodajną esencję. Esencja ta mogłaby stać się Eliksirem Długowieczności, gdyby człowiek odnalazł w sobie Kamień Filozoficzny, czyli oczyścił się z pychy, która nie pozwala mu uznać i uszanować Porządku.

Nie oczyszczaj swego ciała, lecz świadomość. Nie chełp się swoim cierpieniem. Jeśli cierpisz, to znak, że nie szanujesz Porządku. Proszę mnie dobrze zrozumieć: chodzi o to, aby cierpienie zawsze wywoływało w nas zrozumienie jego przyczyn i przesłania oraz mądrości, w jaką nas ubogaca. Cierpienie powinno nas oczyszczać z pychy i uczyć pokory, a nie wzmacniać Ego.

Od kartoflanki do duchowości

„Kobieta jest największą potęgą na ziemi, tylko ona może prowadzić mężczyznę tam, gdzie Bóg mu być przeznaczył:

Henryk Ibsen

Dlaczego takie ważne jest dbanie o nasze ciało, o energetyzowanie go? To proste! Pod wpływem coraz wyższej wibracji zmienią się nasze relacje. Człowiek człowiekowi przestanie być wilkiem. Zaczniemy się rozumieć i akceptować. I to właśnie jest owa Miłość, której wszyscy szukamy. Stwarza ją nasza świadomość, a świadomość to odpowiednia wibracja. Miłość jako Wyższa Energia przychodzi do nas, gdy jesteśmy gotowi.

Nie znajdziesz Miłości na zewnątrz, znajdziesz ją w sobie, gdy rozpoczniesz swą wewnętrzną przemianę. Zacznij od siebie. Od gotowania, od poznawania energii smaków.

Właściwie tekst ten kieruję do matek, żon i kochanek, bo one dają życie, rodzą, karmią, hołubią, dają radość. Jeśli jesteś kobietą, bądź odpowiedzialna. To ty wybrałaś taką rolę, nie jesteś kobietą za karę. Nie wypieraj się więc swojej kobiecości, obowiązków. Nie wypada! Moda modą, trendy trendami, jednak zawsze najważniejszy jest zdrowy rozsądek i kobieca intuicja. Nie sprzeciwiaj się Naturze, jeszcze nikt na tym dobrze nie wyszedł.

Nie wiem, czy zdajecie sobie, dziewczyny, sprawę z tego, że życie na Ziemi leży w naszych rękach. Nie jest zależne od polityków, ich debat, zbrojenia, lecz od tego, czy my, kobiety, zreflektujemy się i opamiętamy.

Jeśli kobieta nie stworzy tego wyśmianego i lekceważonego ogniska domowego, jeśli nie będzie głaskać, pieścić, przytulać, gotować, karmić, to ci, którzy wyjdą z jej domu, zawsze będą pełni lęków, stresów, kompleksów, odrzucenia, poczucia winy, będą – jak do tej pory – zaklęci w energii psychoseksualnej, która kręci się wokół Ego, pozwala tylko na strach, agresję, walkę i seks. Jest to zamknięty krąg bardzo niskiej wibracji, która od pradziejów dławi i przytłacza tych, których bardzo kochamy, którzy są nam bliscy, ale z którymi żyjemy oddzieleni niewidzialnym murem, stworzonym właśnie odmiennymi wibracjami naszych świadomości.

Kobieta jako ta, która daje życie i je chroni, powinna zrozumieć, że odbiera rzeczywistość odmienną świadomością. Musi dać sobie przyzwolenie na otwartość, tylko wtedy odmieni obecny układ i odczaruje czas. W czasach, w których żyjemy, nie ma miejsca na emancypację, feminizm, lecz na dawanie z jednoczesną absolutną ochroną swojej tożsamości, indywidualności, odrębności, szacunkiem dla siebie i poczuciem własnej wartości.

Czy można porozumieć się z drugim człowiekiem, który wibruje inną energią, czyli ma inną świadomość, obojętnie, czy to będzie sąsiad, znajomy, mąż czy dziecko? Tak, jeśli narzucimy sobie dyscyplinę „ułożoności" i zrozumienia dla odmienności. Ale będzie nam bardzo trudno porozumieć się w sprawach subtelnych, bezpośrednio nas dotyczących, naszego przebóstwiania, wybarwiania. A nam przecież chodzi o porozumienie z osobami dla nas najbliższymi.

Jak można dawać więcej niż daję? – spyta niejedna z nas. Dawaj inaczej i dawaj co innego. Dawaj z pełną akceptacją. I nigdy nie oczekuj wdzięczności. Dawaj dobre słowo, uśmiech, ale nie oczekuj natychmiastowej zmiany u twoich bliskich. Rób, cokolwiek chcesz robić, ale bez oczekiwań, rób dla samej radości tworzenia, a wszystko się zmieni. Rób, jeśli tego chcesz, jeśli nie – nie rób. Masz prawo. Możesz decydować.

Spytasz, gdzie jest klucz do porozumienia z bliskimi? No i właśnie rzecz jest w wibracji, w energii Miłości, która z czasem będzie na nas spływać. To przez gotowanie pożywienia zrównoważonego, na żywym ogniu, dostarczamy do organizmu energię, która jest w stanie podnieść naszą wibrację, pociągając za sobą całą lawinę bardzo pozytywnych zmian zdrowotnych, emocjonalnych i w świadomości. Wówczas porozumienie, akceptacja, otwartość, miłość, odpowiedzialność same będą przez nas płynęły. O nic nie musimy się martwić.

Swych problemów i rozterek nie załatwisz nadmierną aktywnością na zewnątrz. To tylko ułuda, że jesteś wyzwolona, choć doskonale znasz i czujesz swą wewnętrzną pustkę. Czy nie masz poczucia, że jesteś jak wypalony pień? A jednocześnie jest w tobie ogromna potrzeba wypełnienia tej pustki czułością, pojednaniem, zrozumieniem, akceptacją, bliskością, dawaniem. To dziwne, jestem jednak pewna, że masz w sobie tyle czułości, że mogłabyś obdarzyć nią cały świat. Ale wiem też, że nie chcesz być ofiarą. Jak to pogodzić?

Najpierw musisz zrozumieć, że za wiele masz w sobie bólu i cierpienia z przejętego wzorca kobiety-ofiary, który powielamy od wielu pokoleń, nie mając mocy, aby się z niego uwolnić. Jednak czas, w którym żyjemy, sprzyja i ty to zrobisz, bo jesteś silna, bo masz w ręku Tajemnicę Wszechświata. Gotuj, podnoś wibrację, przemieniaj swe emocje na właściwą energię uczuć i obserwuj, co się będzie działo. Stanie się cud: będziesz wolną, radosną kobietą! Będziesz stwarzać i chronić życie, będziesz dawać, a twa moc będzie cię wypełniać i nigdy już cię nie opuści. Musisz to zrozumieć! Nie bój się, masz zapewnioną duchowość z racji tego, że jesteś kobietą. Niczego nie stracisz gotując zupę dla najbliższych, nic ci nie ucieknie, wszystko masz w sobie.

W domu masz najbliższe osoby, to one cię inspirują, drażnią, złoszczą, kochają i to ich zachowanie pobudza cię do uwalniania się i przemieniania. Uświadom sobie, jaką rolę w twoim życiu pełnią rodzice. Pamiętaj, obojętnie, kim oni są i jak się zachowują, wszystko to jest absolutnie niezbędne! Ich jedyną, może nawet nieuświadomioną, rolą jest inspirowanie i dawanie ci wskazówek, kim chcesz być w swej Istocie, co musisz odrzucić, a co w sobie zostawić. To nie zewnętrze cię zniewala, ale wzorzec, w którym tkwisz i twoje Ego.

Jeśli będziesz o czymkolwiek decydowała, sięgnij w głąb siebie i przyjrzyj się swej pierwotnej intencji, czy nie był nią przypadkiem strach lub poczucie winy: muszę, powinnam, należy, wypada – to nasze małe, wścibskie Ego, które nie wiadomo dlaczego nam miesza i miesza. Spróbuj chcieć wybierać, lubić, mieć ochotę, radować się, mieć przeświadczenie, że zasłużyłaś, że ci się należy, że potrafisz, a przede wszystkim miej odwagę mówić, że nie chcesz.

A więc co dzisiaj ugotujemy? Od kartoflanki już naprawdę bardzo blisko do duchowości.

Porządek dotyczy wszystkich

Porządek jest i w Naturze, i w nas. Jest zarządzony odgórnie. Człowiek nie ma takiej mocy, aby go zmienić i nie jest możliwe, by znaleźć na ziemi skrawek, na którym ten Porządek nie działa.

Porządek jest i wtedy, gdy jesteśmy świadomi, i wtedy, gdy nie zdajemy sobie z niego sprawy. I wtedy, gdy go akceptujemy i stosujemy się do jego reguł i praw, i wówczas, gdy mówimy, że nie wierzymy w takie bzdury i herezje, że nie mamy na to czasu, jesteśmy już starzy lub zbyt chorzy. W każdej chwili naszego życia Porządek działa.

Człowiek może i powinien wykorzystywać Porządek dla nabierania mocy, aby umieć chronić się przed żywiołami, zmagać z losem i przeznaczeniem. Lecz jest to wybór dla odważnych; światłych, szlachetnych i silnych. Potrzebna jest do niego kontemplacja swych ograniczeń i przepełnienie energią woli, energią działania (ja chcę).

Takie postępowanie niesie stały rozwój, zmianę. Zapowiada też wolne od uwikłań wznoszenie, bez cyklicznych przypływów i odpływów, zwycięstw i klęsk, z szerszym widzeniem życia. Nasza rzeczywistość bowiem układa się stosownie do naszego wnętrza, potrzeb, a problemy, które musimy przeżywać – bo nas czegoś uczą – będą z pewnością lżejsze i szybciej przeminą, gdy nasza świadomość pozwoli na dystans, a emocje (Ego) nie będą nad nami górować.

Co dalej?

Jeżeli jesteś zagubiony, cierpisz, czujesz, że jesteś w zamkniętym kręgu niemożności i nie wiesz, od czego zacząć, ugotuj kartoflankę. Zjedz i nakarm domowników. Potem znów coś ugotuj i znowu razem zjedzcie. A potem zacznie się zmieniać twoja energia; twoja świadomość. Rzeczywistość będzie ta sama – tylko ty ujrzysz wszystko inaczej. Zaufaj!

Nie wegetuj. Żyj aktywnie, codziennie zrób coś lepiej, coś przemyśl; usprawnij, naucz się czegoś, wzmocnij się, zadbaj o siebie. Pomyśl wieczorem o całym przeżytym dniu – co ci przyniósł, co dała ci rozmowa z koleżanką, z synem, z mężem, co ci przekazali, czego się nauczyłaś. Jedząc obiad, delektuj się nim i ciesz, że potrafisz tak wspaniale gotować. Oglądając film pomyśl, co ważnego wniósł w twoją świadomość. Podejmuj decyzje. Masz prawo wybierać ludzi, z którymi chcesz przebywać, sytuacje, książki, filmy. Musisz wiedzieć, co cię wzmacnia, mobilizuje, raduje, co daje relaks i odpoczynek.

Obserwuj i analizuj wszystko, co cię otacza. Zastanów się, czy chcesz tak żyć dalej. Skoncentruj się – to bardzo ważne. Nie pozwalaj sobie na bylejakość. Sami wybieramy swoje otoczenie, zastanów się, czy twoje ci odpowiada. Może chcesz je zmienić? Masz prawo.

Pomyśl więc, co chcesz zmienić. Dokładnie to określ. Powiedz sobie głośno wiele razy. Napisz, żeby nie zapomnieć i puść w ruch machinę sprawczą twych intencji. Pamiętaj jednak, że twoje wybory od tego momentu muszą temu sprzyjać, nie mogą być sprzeczne. Pamiętaj również, że jeżeli za pół roku będziesz dalej mieszkać w tym samym domu, nie oznacza, że nic się nie zmieniło. Na pewno zmieniła się twoja świadomość i wiele rzeczy wokół ciebie – dostrzeż to! Wszystko się dzieje w swoim czasie, po drodze trzeba wiele zrozumieć, każda chwila temu służy i to właśnie jest przeobrażanie – nas samych i naszego otoczenia. Musimy wiedzieć, kim chcemy być. W swoim czasie dostajesz wszystko, czego potrzebujesz, ale musisz tego chcieć.

Negatyw na pozytyw

Wielu ludzi żywi przekonanie, że cierpienia i choroby są zafiksowane w matrycy naszej podświadomości, że wyłącznie praca nad zmianą wzorców myślowych (zmiana negatywu na pozytyw) może przynieść uzdrowienie. Niby tak, ale dla większości jest to niezrozumiałe i nieskuteczne z bardzo prozaicznych powodów Zostały tu bowiem pominięte bardzo istotne szczegóły ważące o tym, czy nasze myśli i działanie będą miały moc stwórczą.

Znamy powiedzenie: „Jak cię widzą, tak cię piszą". Ma ono rzetelne przesłanie, lecz my, będący w wygodnych wzorcach myślowych, uważamy, że jest to nieprawda, że nieważne jest, jak wyglądamy, tylko co robimy lub co mamy wewnątrz. Kochani, sami siebie oszukujemy, bo nie jest ważne, co robimy, lecz jakie mamy intencje, no i postrzegani jesteśmy zawsze jako całość. Czyli odbierany jest nasz strój, schludność, postawa, zachowanie, sposób wypowiadania się, jak również – w głównej mierze – nasz wyraz twarzy, oczu. Właśnie z twarzy i oczu bije blask wewnętrzny lub czarna otchłań naszego wewnętrznego wibrowania i tego nie przykryjemy ani makijażem, ani wyszukanym strojem, ani workiem pokutnym. Często osoby lubiące oceniać – a tego robić nie powinniśmy – odbierają człowieka zbyt powierzchownie.

Wewnętrzna matryca naszej podświadomości (dusza) stwarza ciało – to jasne. Ono wibruje zgodnie z naszymi wewnętrznymi wzorcami. Jednak przyszliśmy na ziemię, aby się z nich uwalniać i podnosić swą wibrację. Czy możemy tego dokonać wyłącznie za pomocą myśli? Przecież nasze myśli to nasza świadomość, a ona jest wypadkową wibrowania ciała i stanu narządów. A więc koło się zamyka. Czy mając zewnętrze (ciało) na poziomie niskich wibracji i stale je ugruntowując (pożywienie kwaśne, surowe, zimne), możemy coś zdziałać myślą? Mając dziurawy, gliniany kubek i napełniając go eliksirem, spowodujemy przetworzenie go w wytworną porcelanę?

W tych rozważaniach niezbędne jest uświadamianie sobie rzeczy najważniejszej: tylko pracując bezpośrednio z materią możemy zmienić swą świadomość, aby ona dała przyzwolenie na zmianę wzorców w podświadomości, na nasze wyzwalanie. Praca z materią to podnoszenie wibracji ciała poprzez właściwe odżywianie i styl życia, dopiero potem można zająć się skuteczną zmianą negatywnych wzorców myślowych na pozytywne.

Miłość i strach

Miłość i strach to dwie energie, które rządzą całym światem i życiem człowieka. To Światło i Ciemność. Niebo i Piekło. Czy można powiedzieć, że w naszym życiu któraś z tych energii jest bardziej wartościowa? Nie. Podobnie, jak nie możemy powiedzieć, że jin jest bardziej wartościowe od jang, a jang od jin. Bez energii strachu nie byłoby miłości. Podobnie jak bez energii jin nie byłoby energii jang. Energia jin zakorzenia energię jang na Ziemi.

Miłość		Strach
Światło		Ciemność
Duch		Ciało
Niebo		Piekło
Ja	Ziemia	Ego
jang		jin

Niszczą nas nadmiary. Na Ziemi od niepamiętnych czasów dominuje energia strachu i cierpienia. Funkcjonujemy w świecie irracjonalnym, bez możliwości właściwej oceny otaczającej nas rzeczywistości. Nie jesteśmy jednością.

Wiemy, jak trudno znaleźć granicę pomiędzy dobrem a złem, miłością a nienawiścią, jang a jin. Każda ocena jest oceną względną, subiektywną, ponieważ każdy ma swój własny sposób postrzegania, analizowania. Te energie nawzajem się tworzą, inspirują i zlewają w jedną Boską energię. I właśnie Tao to droga pomiędzy tymi skrajnościami. Trzeba zrozumieć, że jedynie utrata równowagi powoduje wszelkie zaburzenia, uruchomienie żywiołów, kataklizmy, cierpienie.

Podobnie bardzo trudno odróżnić Ja od Ego. Trzeba wiele wstrząsów wewnętrznych, upadków, zmagań z sobą samym, aby dotrzeć do swych wewnętrznych źródeł i zrozumieć, które nasze reakcje, emocje są wybujałym Ego, a które szlachetnym Ja.

Bardzo często zatracamy się w dawaniu, niszcząc przy tym swoje życie i zdrowie, tylko dlatego, iż uważamy, że tak należy. Mam tu na myśli roztrwanianie, rozdawanie siebie, z absolutnym przeświadczeniem, że to jest dobre. Lecz gdy usiądziemy i pomyślimy nad tym, ile w nas jest poczucia winy, strachu przed odrzuceniem, przed brakiem akceptacji, jak małe mamy poczucie własnej wartości, to wszystko zrozumiemy. Zrozumiemy, że dajemy, ponieważ jesteśmy przekonani, że będziemy bardziej akceptowani, bardziej lubiani, a może nawet kochani. Mamy przeświadczenie, że jesteśmy dobrzy i to nam daje poczucie pewności siebie. Jednakże jesteśmy wówczas bardzo interesowni – oczekujemy przecież w zamian nagrody! Chociażby tej właśnie akceptacji.

Nieważne, co robisz, lecz jakie masz intencje, jakie motywy tobą kierują.

Nie wpadaj w panikę, niezależnie, do jakich dojdziesz wniosków grzebiąc w swoim wnętrzu. Nie wolno wzbudzać w sobie poczucia winy. Cokolwiek czyniłeś kiedyś, robiłeś najlepiej jak potrafiłeś – na miarę swojej świadomości. Wszystko dzieje się według twojej woli, twego pierwotnego zamysłu. Teraz masz inną świadomość, więc się zmieniaj.

Dziwne, jak wszystko w naszym życiu jest absolutną jednością. Równowaga jin-jang przejawia się w Kosmosie, w Naturze, w naszym ciele i nawet w takich problemach, jak wskazałam wyżej. Nasze zmagania emocjonalne to zwykła nierównowaga między jin a jang, między Ego (jin) a Ja (jang), to głównie dominujący strach.

Minione epoki i czas, w którym przyszło nam żyć, charakteryzują się dominacją Ego z wszystkimi tego konsekwencjami, a więc z cierpieniem, samotnością, strachem, agresją, wyalienowaniem, depresją, wszechogarniającą beznadziejnością, brakiem bezpieczeństwa, przyszłości. Jednakże zaczyna się to zmieniać, i zmienia się świadomość ludzi. Obserwujcie!

Czy można z życia człowieka wyeliminować całkowicie Ego? Nie, absolutnie nie. Ego jest naszym zakorzenieniem, kontaktem z ziemią, naszą fizycznością, zwierzęcością (energia psychoseksualna). Ego chroni nas przed niebezpieczeństwem. Ale czy może dominować? Przecież my wiemy, że każdy nadmiar jest niszczący, że zabija. Czy można przeżyć godnie życie, stale się bojąc, martwiąc, nikomu i niczemu nie ufając. To jest wegetacja, to prowadzi do szaleństwa.

Ego jest zawsze przyczajone, przybiera różne postaci, zmienia się jak kameleon w zależności od sytuacji, od tego, co w danej chwili chce wywalczyć. Raz jest dzieckiem potrzebującym ciągłego przytulania i czułości, innym razem rozhisteryzowaną kobietą lub władczym i okrutnym macho. Ale niezależnie, jaką rolę przyjmie, zawsze się martwi, kombinuje, zabiega o względy, lęka. Nie możemy więc sobie pozwolić na to, by hołubić którąś z nich i pozwalać na jej stałą obecność w naszej świadomości, np. w roli dziecka, gdyż grozi nam infantylizm. Jesteśmy wszak dorosłymi, świadomymi ludźmi i czas na samodzielne decydowanie o naszych emocjach i lękach.

Ale czy człowiek będący w gęstej energii Ego, czyli strachu, jest w stanie sam sobie pomóc, by się z tego wyrwać? Jest to bardzo trudne. Zdarzają się jednak takie przypadki, ludzie się otwierają, chcą zmiany, czują to wewnętrznie. Lecz czy można samą tylko świadomością doprowadzić do zrównoważenia emocjonalnego? Absolutnie nie. Nasze ciało musi zmienić wibrację – musi ją podnieść. Jak? Nie ma innego sposobu niż dostarczać energię, która będzie od wewnątrz równoważyła każdą komórkę, każdy narząd. Jest nią – jak łatwo się domyśleć – energia pożywienia zrównoważonego, rozgrzewającego.

Czymże jest energia przeciwna, czyli nasze wspaniałe Ja (jang)? Jest to światło, które nas otacza, blask naszego spojrzenia, nasza otwartość, ufność, radość, spokój, akceptacja wszystkiego i wszystkich, całego Boskiego Stworzenia. Ja nigdy się nie boi, zawsze ufa. Wie, że cokolwiek się zdarza, jest potrzebne. Ja jest pokorne wobec Porządku.

Chcąc doprowadzić do równowagi między dwoma tak potężnymi energiami w naszym życiu i świadomości, musimy pamiętać, że Ego to skupienie, skurczanie (strach), a Ja to rozprzestrzenianie i rozkurczanie (akceptacja). Zatem za wszelką cenę musimy zrozumieć, czego się boimy, aby wyjść z tego ubezwłasnowolniającego skurczu.

Czy nasz lęk jest uzasadniony? Czy banie się jest nam narzucone jako wzorzec w dzieciństwie? Czy gdy boisz się, możesz coś zmienić? Czy twój lęk w czymś ci kiedyś pomógł? Ty pomóż sobie i zamieniaj go na odwagę i akceptację wszystkiego, czego się boisz. Jeśli boisz się jechać samochodem, wsiądź do niego, przestań myśleć o swoim strachu i po prostu jedź. Jeśli boisz się swego szefa, odezwij się do niego i strach pierzchnie. Aby przełamać strach, zrób to, czego obawiasz się najbardziej.

Pamiętaj, Ego zawsze się boi, zawsze jest pełne pychy, pretensji, obrażania, agresji, płaczliwe, niedopieszczone, nienasycone. Ale czy pozwolisz, aby ono zdominowało twoje życie? Wszystkie swoje emocje musisz wziąć krótko, nie one tu rządzą, lecz ty i twoje Ja. Przywołuj swoje Ego do porządku, rozmawiaj z nim, tłumacz, ale akceptuj zewnętrze. Zewnętrze zawsze jest dobre, a jeśli chcesz i możesz je zmienić, to zmień. I nie narzekaj.

Rozpoznawaj swoje emocje i akceptuj z pełnym zrozumieniem przyczyn ich powstawania. Poskramianie emocji (Ego) polega na rozumieniu ich, a nie na wtłaczaniu w podświadomość. Tłumacz swemu Ego, że jesteś dorosłą, mądrą, spokojną, zrównoważoną osobą, akceptującą wszystko i wszystkich, wypełnioną miłością. Jeśli ono wyje, bo potrzebuje czułości, tłumacz, że przecież czułość jest w tobie, trzeba tylko jej poszukać. Zacznij dawać właśnie wtedy, gdy wydaje ci się, że nic nie masz. Tu nie chodzi o zatracanie siebie, lecz o intencje – spojrzenie, gest, telefon, drobiazg. Nie skupiaj się na tym, czego tak bardzo ci brakuje, lecz na tym, co stwarzasz. Zamień „chciejstwo" Ego na hojność Ja.

Dlaczego strach tak bardzo zapanował nad naszą świadomością? Pamiętajmy, że strach jest potężnym narzędziem w rękach osób zdolnych manipulować ludzkim życiem i często jest w tym celu wykorzystywany.

Strach towarzyszy ludziom od zarania dziejów i zawsze był związany z wierzeniami religijnymi. Obawa przed gniewem bóstwa czy Boga bywała motorem ludzkich wyborów i decyzji. Jest także prawo, jednak nie ma ono takiej siły oddziaływania jak religia. Skoro lęk będący konsekwencją wierzeń zrósł się z nami od początku naszego istnienia, nie dziwmy się, że wziął górę również w naszym bardzo intymnym wewnętrznym jestestwie.

Strach jest motorem absolutnie wszystkich wojen i tragedii wynikających z użycia przemocy. Potrafi zrobić z człowieka potwora. Każde zło ma oczy strachu. Ironią strachu jest fakt, że ten, kto się boi, zabija tego, który się bał, że go ktoś zabije. Strach napędza strach. Strach przyciąga strach.

Zawsze bardziej się boimy, gdy jesteśmy słabi. Czymże pomożemy sobie i najbliższym w momentach strachu, w lękach? Przytul, ugotuj zupę, poświęć czas na chwilę rozmowy. Patrz w oczy z miłością i akceptacją. Nie pouczaj.

Chciałam wspomnieć jeszcze o czymś bardzo ważnym – o wybaczaniu. Drogi Czytelniku, wybaczanie to pułapka twojego kochanego Ego. Czy wiesz, kto wybacza? Wybacza mądrzejszy i lepszy, prawda? Toż to totalne Ego. Ty nie masz wybaczać, lecz zrozumieć tego, kto zadał ci ból. Dlaczego do tego doszło? Czego się dzięki temu nauczyłeś? Co ci dała ta lekcja cierpienia? A wtedy nie musisz wybaczać, tylko akceptujesz! A więc nigdy nie wybaczaj, lecz zrozum, a później zaakceptuj. Nie wolno ci wybaczać, jeśli nie rozumiesz, dlaczego cierpiałeś. Poprzez wybaczanie wciskasz drugą osobę w poczucie winy, a tego ci robić nie wolno! Wiedz, że nikt nie zadaje cierpienia świadomie.

Nie oceniaj, tego też ci robić nie wolno. Nie jest naszą sprawą oceniać kogokolwiek w jakimkolwiek aspekcie. Bo ani nie wiemy, co jest we wnętrzu tego człowieka, jakie są przyczyny jego zachowania, ani też nie wiemy, jaką rolę ma do wypełnienia w swoim życiu. Może to jego bardzo dziwne, drażniące zachowanie jest potrzebne komuś (może tobie) jako inspiracja do przebudzenia, walki o siebie, do wyzwalania się. Można analizować, ale nie oceniać, bo wszystko dzieje się za jakąś przyczyną.

Bądź Aniołem

Czy wiesz, że „przyczyną tego, iż Aniołowie potrafią latać, jest to, że traktują siebie tak lekko?" Ty też możesz latać. Nie pozwól, aby twoje Ego ściągało cię swoim ciężarem do ziemi, aby cię w nią wbijało. Ego to niska, gęsta wibracja twoich emocji, strachów, obaw, braku ufności.

Umiejętność traktowania siebie z humorem to cecha bogów. Bądź taki! Śmiej się ze swoich reakcji, śmiej się ze swojego Ego. Neutralizuj swoje emocje śmiechem, lekkością, luzem. Będzie ci lżej. Naprawdę.

Jesteś stwórcą, więc stwarzaj siebie radosnego. To ważna umiejętność, którą nabywa się, gdy świadomie podchodzimy do życia. Nie pozwól sobą manipulować poczuciu winy. Masz przecież w sobie moc, która może przenosić góry i kształtować twoją rzeczywistość.

Bądź Aniołem! Życzę ci tego z całego serca. Poczuj bluesa...

Postawa kundelka

Stań przed dużym lustrem bokiem i spójrz na swoją sylwetkę – czy przypadkiem plecy nie są zgarbione, głowa pochylona, a pośladki schowane?

Stań zatem prosto, wypnij pośladki, a wówczas plecy same pięknie się wyprostują, a głowa uniesie. Początkowo może to być trudne, bo mięśnie nie są do tego przygotowane. Gdy pośladki masz wypięte, twoja postawa jest stabilna, a środek ciężkości znajdzie się na właściwym miejscu.

Nie da się wtedy mieć zgarbionych pleców, pochylonej głowy i smutku na twarzy. Twój chód będzie lekki, swobodny, nogi same będą cię wyprzedzać. Czy pamiętasz, jak do tej pory chodziłeś – głowa w przodzie, tułów również, a pośladki daleko za tobą. Teraz będziesz szedł cały jednocześnie. To naprawdę duża przyjemność – spróbuj.

Uświadomienie sobie tej tak błahej może kwestii jest niezbędne szczególnie dla kobiety, bo przecież która z nas nie pragnie być chodzącą gracją?

Chowanie pośladków – ogona – pod siebie jest typową postawą kundelka i oprócz tego, że jest bardzo nieestetyczna, świadczy, że boisz się razów otoczenia, że nosisz w sobie niepewność, smutek, żal, boisz się stawić czoła rzeczywistości i najchętniej uciekłbyś do budy.

Zmień swoją postawę! Bądź odważnym, radosnym człowiekiem, pełnym walorów, doskonałości, boskości. Ufaj!

Cierpienie niepotrzebne?

Pisząc „Filozofię zdrowia", wiedziałam, że cierpienie jest niezbędne dla naszego ewoluowania, przemieniania, jednakże byłam pewna, że jest go za wiele i często jest zupełnie niepotrzebne.

Teraz widzę to inaczej. Przeżywszy kilka kolejnych lat i mając ciągły kontakt z ludzkim cierpieniem, wiem już, że tylko ono może nami wstrząsnąć, obudzić, zawrócić ze „złej drogi". Jest niczym elektryczny pastuch przywołujący do porządku, gdy wpadamy w gęstą wibrację energii pychy, emocji, smaków, otoczenia, które zamykają nas w kręgu cierpienia, agresji, braku tolerancji i niemocy.

Każde cierpienie ma przyczynę i uczy nas porządku Wszechświata, każde mówi o błędach żywieniowych i potrzebie uwalniania się z wzorców emocjonalnych, w których przyszło nam żyć. Odkrywanie nowych pokładów świadomości, wkraczanie w nowy świat wibracji, „rodzenie samego siebie" zawsze połączone jest z bólem fizycznym i „dołem" psychicznym. Wszystko, co nowe, rodzi się w bólu, ciemności, samotności (maksymalne jin). Nie odrzucaj tego, nie wpadaj w panikę, to jest potrzebne. Zaakceptuj i szukaj nowego. Miej wolę zrozumienia przyczyny i wolę znalezienia perły mądrości, która leży na dnie cierpienia.

Usunięcie samego bólu nie pozwala na ewolucję, dojrzewanie mądrości. Natomiast akceptacja Porządku, przejście na pożywienie zrównoważone, usuwa nie tylko cierpienie fizyczne, ale jednocześnie zmienia naszą świadomość, daje zrozumienie i mądrość. To jest fantastyczne!

Bywają sytuacje przedziwne, związane z tym, iż całe nasze życie jest jednym, niekończącym się procesem przemieniania i mądrzenia. Otóż w najmniej spodziewanym momencie, kiedy wydaje się, że już jesteśmy tacy zdrowi i tacy mądrzy, gdy wszystko układa się w miarę dobrze – nagle popełniamy beznadziejnie głupi błąd (przypadek?): lekceważenie posiłków, snu, odpoczynku, ruchu, zjedzenie dużej ilości ciasta, owoców, wybuch emocji. Rozpoczyna ciąg wydarzeń, którymi jesteśmy zaskoczeni. „Zasysa" nas czarna, ubezwłasnowolniająca dziura. Zaczyna się cierpienie, zakleszczamy się w nim i cała reszta zależy od błysku świadomości. Albo szukamy ratunku na zewnątrz i wówczas udaremniamy nasze przemienianie (brak ufności), albo siadamy w kącie, cierpimy i prosimy o zrozumienie, o co chodzi. Jeśli jesteśmy cierpliwi, zrozumienie i euforia z odkrycia w swoim czasie przychodzi.

Pamiętaj: twoje cierpienie nie jest za karę. Odczytaj jego przesłanie jak najprędzej, abyś nie cierpiał zbyt długo. Nie zamykaj się w sobie, nie obrażaj. Jeśli włączysz w życie Porządek, łatwiej będziesz się wyzwalać i kształtować, z pełną radości wdzięcznością, że możesz to robić świadomie.

Nie porównuj siebie z nikim, bo stracisz spokój wewnętrzny. Inni mają to samo do zrobienia. Jeśli uważasz, że oni niczego nie muszą zrozumieć, nie cierpią, a mają wszystko, to jedynie twój punkt widzenia. Może już to przerobili albo... jeszcze nie zaczęli?

Zapytacie o dzieci. Jak zrozumieć ich cierpienia? Z pewnością cierpienia naszych pociech możemy w większości przypadków całkowicie zniwelować. Potrzeba jednak pokory wobec Porządku, aby móc z niego korzystać w życiu codziennym. Mam tu na myśli żywienie zrównoważone. Lecz pamiętajmy, spotykamy się z naszymi dziećmi na ziemi po to, aby dać im możliwość przeobrażania i uwalniania. Zatem cokolwiek będzie się z nimi działo, nawet wbrew naszym oczekiwaniom, powinniśmy przyjąć to ze zrozumieniem prawdziwych przyczyn. Nie zapominajmy, czego się uczymy przez cierpienie dziecka, co w sobie zmieniamy, co doskonalimy.

Czy wolność jest złudzeniem koniecznym?

Aby osiągnąć prawdziwą wolność i korzystać z wolnej woli, trzeba sobie uświadomić, że istnieje taka wspaniała możliwość i jest alternatywą dla naszych pełnych zniewolenia i przymusu czasów:

Czymże jest wolność? Wolność przez duże „W" to wolność wyboru, wolność wewnętrzna, wolność myśli, wolna wola, to samodzielne wyzwalanie się. Nie analizuję tu na pewno wolności w aspekcie politycznym czy społecznym. Wolność to możliwość samodecydowania o jakości swojego życia, czyli o zdrowiu i radościach. Wolność wyboru rodzi odpowiedzialność, współczucie, miłość. Bez nich nie jest możliwy rozwój duchowy.

Wolność jest głównym materiałem budulcowym całej egzystencji i ewolucji człowieka na ziemi. Jakąż wartość ma życie człowieka i jego ewolucja, gdy jest on osaczony przez zewnętrzne i wewnętrzne czynniki, których nie rozumie, dające w efekcie zaskakujące go uczucia (ból, strach, radość i smutek), bez możliwości decydowania o nich. Czy archetyp Hioba ma być dla nas wzorcem? Jakąż wartością jest zbliżenie się do Boga, kiedy na drodze stoi prawo, ścisłe nakazy decydujące o jakości naszego życia? Gdzież nasze własne poszukiwania, odpowiedzialność i współczucie rodzące się ze spontaniczności i własnych wyborów? Jakąż wartość ma czyn, gdy jest sprowokowany strachem?

Wiemy, że nie każdy chce skorzystać z wolności. Są ludzie, którzy uciekają od odpowiedzialności, którzy wolą, aby za nich decydował lekarz, pracodawca, rząd, ksiądz. Z pewnością wolności nie sprzyja strach, fanatyczna wiara i głupota. Silna potrzeba wolności i wolnej woli wynika ze świadomości i braku pokory wobec narzuconego prawa i ładu oraz doświadczanego cierpienia. Jest też cała rzesza ludzi, którzy bardzo chcą zmienić swoje życie. Czynią mnóstwo zabiegów dla poprawy jakości życia, dla ochrony zdrowia czy też jego przywrócenia. Jednak niewiele z tego wynika. Czują, że gdzieś popełniają błąd. Nie wiedzą.

Właśnie świadomemu, odpowiedzialnemu życiu służą moje książki. Wyjaśniam w nich determinizm dotyczący naszego życia, zdrowia i emocji, czyli zasadę stwórczą, której skutek zachodzi tylko wtedy, jeżeli spełnione są określone warunki. Determinizm jako sposób analizy i określania ludzkiego życia dominuje w nauce i filozofii od starożytności. Jednakże pierwotny determinizm związany był najczęściej z istotą Boga jako Praprzyczyną, natomiast od czasów Newtona panuje determinizm materialistyczny.

Nauka ukierunkowała się na analizę budowy świata, a nie na poznanie zasad jego funkcjonowania. I wnioski najczęściej owej analizie służą. Nie zdaje sobie sprawy, jak blisko jest tego, czego poszukuje, czyli określenia zasady funkcjonowania świata z uwzględnieniem miejsca i roli człowieka.

Jednak by dostrzec prostotę zależności, trzeba wyzbyć się naukowej bufonady i pracy dla sztuki. Trzeba uznać, że właściwe postrzeganie rzeczywistości, procesów i zjawisk nie może odbywać się wyłącznie za pomocą rozumu i zmysłów, lecz również za pomocą wrażliwości i intuicji. Należy zaakceptować świat fizyczny, postrzegany zmysłami, i energetyczny, pozazmysłowy. Istnienie dwóch światów uzmysławia nam podstawowa zasada funkcjonowania świata fizycznego, mówiąca o równowadze materii i energii. Ta zasada porządkuje również życie człowieka i wytycza jego główny cel, czyli dążność do równowagi pomiędzy ciałem (materia) a duchem (energia). Nie na miejscu są tu ironiczne rozważania naukowe, czy duch również podlega procesom neurologicznym zachodzącym w mózgu. Z pewnością bardzo by to było naukowcom na rękę.

Tak, nasze ciało to majstersztyk, o który potykają się najtęższe mózgi. Ale czyż dociekania powinny polegać jedynie na zgłębianiu tajemnic budowy i zmian w niej zachodzących, z coraz bardziej szczegółową molekularną analizą? Czyż nie powinniśmy uznać narzędzi, które zostały nam dane, a które pozwalają nam być odpowiedzialnymi za optymalne funkcjonowanie tegoż ciała, z korzyścią dla wszystkich i dla siebie samych.

Nauka, a szczególnie medycyna molekularna, doszły do miejsca, w którym tracą grunt pod nogami. Z jednej strony bowiem zadowolenie z odkryć i potwierdzenie założenia, iż nasze życie jest wyłącznie wypadkową układu i zmian w genach, co jawi się pierwotną przyczyną, a w sumie jest dziełem przypadku lub rozkapryszonego Stwórcy, a myśli zaś neuronalną funkcją mózgu. Z drugiej konsternacja – skoro jesteśmy sterowani przez własne geny lub stoimy pod pręgierzem boskich decyzji – to gdzie odrobina wolności na własne decyzje i czyny? Całkowita utrata wolności i wolnej woli jawi się nauce brzemieniem nie do udźwignięcia, gdyż wniosek nasuwa się jeden: bezsens ludzkiego istnienia. Ludzie jawią się jako materialne maszyny, programowane ewentualnie przez Wyższą Istotę. Naukowcy wiedzą, że życie z taką świadomością nie jest możliwe, a więc dla pokrzepienia serc stwierdzają, że poczucie wolności i wolnej woli to złudzenie konieczne. Naukowcy przekonują o absurdalności ludzkiego losu, w którym różnice wynikające z niepowtarzalności ludzi i ich talentów dają wyłącznie złudzenie wolności. Człowiek może załapać się na wolność wyłącznie poprzez doskonalenie darów i cech lub ich całkowite zaniedbanie.

Nauka twierdząca, że człowiek jest istotą zdeterminowaną i neuronalną, zapomina, że to, co przed wiekami było niemożliwe do pojęcia dla ludzkiej świadomości, teraz jest osiągalne. Jest możliwe nie tylko dzięki ewolucji polegającej na doborze naturalnym i zmianach w kodzie genetycznym, ale też na zmianach na poziomie subtelnoenergetycznym. Człowiek jest jedyną istotą żywą, która ma możliwość regulowania swojej częstotliwości (energii) poprzez dobór zewnętrznych czynników energetycznych (kolory, smaki, temperatura) oraz świadomą selekcję swoich myśli i emocji. Różnimy się od zwierząt nie tylko kodem genetycznym i budową mózgu, ale i promieniowaniem – energią naszego ciała. Wiemy, że każdy przedmiot, roślina, zwierzę mają swoją aurę. Również człowiek promieniuje subtelną energią – wypadkową kondycji swego ciała i myśli. Inna jest wibracja strachu, inna miłości, inna choroby i inna zdrowia.

Nauka uznająca determinizm materialny jako zasadę regulującą całe stworzenie daje priorytet postrzeganiu zmysłowemu, co staje się automatycznym brakiem równowagi na drodze ewolucji człowieka. Analizując hierarchię Wszechświata, nauka powinna uznać istniejące zasady. W przeciwnym razie wzbudzi jeszcze większe zniecierpliwienie ludzi i samej Natury.

Determinizm absolutny to praprzyczyna wszystkiego i nasze perpetuum mobile. Zasada ta porządkuje Wszechświat i stworzenie.

Zasadą porządkującą świat fizyczny jest reguła przeciwstawieństw, dwubiegunowość (jin-jang). Natomiast porządek w Naturze, w życiu na ziemi, daje reguła Pięciu Przemian, oczywiście wespół z poprzednimi. Niezbędne jest więc sięganie w głąb dla analizy różnorodności czynników determinujących życie na ziemi. Muszą być w tym uwzględnione zasady jin-jang i reguła Pięciu Przemian. Ale aby w ten sposób dokonywać analizy dla ochrony zdrowia i życia, musi być zachowana równowaga w postrzeganiu, czyli pomiędzy prawą a lewą półkulą mózgową, musi być myślenie racjonalne i intuicyjne, dopuszczające zarówno widzialne, jak i niewidzialne. Zatem jeśli trzymamy się determinizmu, to rzetelnie. Jeżeli istnieje ścisła, stwierdzona naukowo zależność czynników fizyko-chemicznych (temperatura, środowisko, pożywienie) z wszelkimi procesami biofizycznymi w organizmie, a więc i kształtowaniem zmian w kodzie genetycznym, to jasne jest, że takie choroby jak łuszczyca, zapalenie stawów, astma, alergia, cukrzyca również będą zależały od tych samych czynników. Nie można twierdzić w naukowych wywodach, że od temperatury i składu chemicznego pożywienia zależą wszystkie subtelne przemiany wewnątrz organizmu, a w kontakcie z pacjentem twierdzić, że pochodzenie choroby jest nieznane, a pożywienie nie ma żadnego znaczenia. Skąd się więc biorą choroby? Nie można i nie należy zależności przyczynowo-skutkowych traktować jak prywatnego narzędzia służącego pewnej grupie nacisku dla zaspokajania ambicjonalnych potrzeb czy też zwykłych przepychanek o to, kto jest ważniejszy i komu należy się większy szacunek.

Najprostszym jest upatrywanie przyczyn chorób w braku witamin, piciu alkoholu, paleniu tytoniu, rozwiązłości seksualnej, nadmiernym objadaniu się, infekcjach czy stresie. Ale to są już skutki braku równowagi, a nie jej przyczyny! Przyczynami są nadmiary lub niedobory czynników fizykochemicznych i energetycznych, o których nauka wie i których bezpośrednią moc oddziaływania na człowieka zna ze swych badań. Są to przecież te same czynniki, które kształtują dobór naturalny i zmiany w genach, choć wówczas są to procesy wielopokoleniowe.

Nauka – mając na uwadze swój cel główny, jakim jest poznanie fizjologii człowieka – powinna zająć się naturą (energią) bodźców oddziałujących na organizmy wielu pokoleń i na ludzi obecnie żyjących, a więc naturę klimatów, smaków, emocji, kolorów. Stanowiłoby to początek właściwej profilaktyki i zapobiegania chorobom i cierpieniu, a nie zabawę dla wybranych w medycynę molekularną, grożącą ludzkości niewyobrażalnymi konsekwencjami. Byłoby to świadome, wynikające z wolnego wyboru selekcjonowanie czynników, które nam służą, dają zdrowie i rozwój. Ludzie wówczas byliby wolni i mogliby ponosić odpowiedzialność za swoje wybory – byłaby to autentyczna wolność duchowa.

Świat nauki powinien przyznać, że szacunek należny jest wszystkim aspektom życia, wszystkim poziomom energetycznym oraz wszystkim czynnikom biorącym udział w jego kształtowaniu. Determinizm nie może działać selektywnie. Akceptacja dla pewnych czynników nie może zależeć od zastosowanego szablonu naukowego postrzegania.

Czym jest fanatyzm? Czy kojarzyć go należy tylko z religią? Czy nie istnieje fanatyzm naukowy? Przecież w każdym z tych przypadków nie dopuszcza się innego myślenia, innego czucia, innego widzenia.

Powinniśmy zdawać sobie sprawę z wagi czasu, w którym żyjemy, z odpowiedzialności za to, co po nas zostaje i za życie, któremu dajemy początek. Czyż nasze doświadczanie nie daje odczuć, że jakość życia zależy od myślenia i wyobraźni? A więc, czy wolna wola i samodzielne dokonywanie wyborów, umożliwiające kierowanie swoim życiem i bycie za nie odpowiedzialnym, to złudzenie konieczne? Czy wolną wolę wymyślił człowiek dla podkreślenia swej boskości w wierzeniach religijnych? Czy też po prostu istotą życia człowieka na ziemi jest jego bezwarunkowe i bezgraniczne samookreślanie i wyzwalanie się oraz determinizm absolutnie indywidualny, zapoczątkowany już w zaświatach?

Wolność i wybory dotyczące jakości naszego ziemskiego życia istnieją, rzecz w tym, aby zdecydować, czy chcemy je zauważyć, czy je zaakceptujemy, zrozumiemy i wykorzystamy.

Dwa światy

Czy to, co piszę, jest negacją świata nauki i medycyny konwencjonalnej? Nie, choć niektórzy mogą w ten sposób odbierać moje przekazy. Intencją moją jest uświadomienie, że moc tego, co robimy, tkwi w zrozumieniu istniejącego Porządku, czyli równowagi pomiędzy dwiema odwiecznymi energiami: jin i jang, Naturą i nauką, kobietą i mężczyzną, niepoznawalnym i poznawalnym.

Usiłuję wytłumaczyć najprościej, jak to możliwe, że dopóty medycyna będzie mało skuteczna w leczeniu chorób, dopóki nie uzna niezbędności pracy prawej półkuli mózgowej, a tym samym otwarcia na energie wszystkiego, co nas otacza, na przyrodę, na wrażliwość i intuicję.

Nauce brakuje zespolenia z niepoznawalnym i niezmierzalnym. W tym, co robi, w ważkich odkryciach ratujących życie ludzkie, brakuje kropki nad i. Na cóż nam się bowiem zda stwierdzenie, że chorobę X wywołuje gen Y? To tylko skutek, a gdzie przyczyna? Coś przecież spowodowało uszkodzenie genu, przewartościowanie jego cech. Aby odnaleźć przyczynę tej zmiany, musi zostać wykorzystana prawa półkula, czyli intuicja, wyobraźnia, otwarcie na wszystko, co otacza człowieka, umiejętność kojarzenia, porównywania, spokój i wyciszenie. Gdyby nasza percepcja świata zewnętrznego była pełna (za pomocą obu półkul), umielibyśmy wykorzystać fakt, że geny ulegają zmutowaniu pod wpływem czynników zewnętrznych (np. przemarzanie, stres, niewłaściwe pożywienie). Czy zatem fascynacja medycyną genetyczną jest najwłaściwszą drogą? Musimy zdawać sobie sprawę z jednostronności tych odkryć i zagrożenia, jakie one niosą.

Ideałem byłoby połączenie świata nauki i Natury, obu energii, aby nawzajem stwarzały się i inspirowały, dając w efekcie świat porządku, zrozumienia, tolerancji i wspólnego rozwiązywania problemów. Teraz – istnieją obok siebie, pełne wzajemnej nieufności, obaw, walki, odtrącenia, poczucia winy, niepewności, cierpienia.

Czy medycyna może dalej istnieć bez połączenia z Naturą i jej Porządkiem? Czy powinna się ich dłużej zapierać i wyrzekać?

10 perełek mądrości

1. Gotuj i smakuj
2. Bądź Aniołem i traktuj siebie lekko
3. Bądź świadomy swojej boskiej mocy
4. Myśl tylko o tym, jakim chcesz być
5. Odrzuć stare i zaakceptuj nowe
6. Kochaj i akceptuj siebie
7. Ważne są twoje intencje, a nie to, co robisz
8. Nie wybaczaj – masz zrozumieć i zaakceptować
9. Nie oceniaj
10. Miej czas na pracę, zabawę i tworzenie

Energetyczna huśtawka

Energie

We właściwym korzystaniu z wiedzy, którą staram się przekazać, nie pomoże nam sama tylko wiara, że jest to dobre, że to odwieczny Porządek.

Wiara musi zostać zamieniona na wiedzę. Wiem, że to działa i dlatego nie mam żadnych lęków, wątpliwości ani obaw. Wiem, więc jestem spokojna. Ale aby wiedzieć i już się nie wahać, nie wystarczy wierzyć – trzeba zrozumieć. Ja zrozumiałam.

Poniższe rozważania na temat energii powinny bardzo w tym pomóc. Jednakże jedno jest niezbędne: należy chcieć zrozumieć. Jesteśmy mikrokosmosem, te same prawa rządzą naszym ciałem, życiem, przyrodą i Wszechświatem. Ale żeby aż tak?...

Natura jest potężna, jesteśmy z nią zespoleni, ona nas wchłania. Czy więc lepiej dla nas żyć, lekceważąc jej potęgę i odwieczne prawa i zostać zmiażdżonym przez żywioł, czy też może lepiej pulsować wspólnym z nią rytmem – dla własnego przetrwania, w takt wdechu i wydechu, nabierając przy tym boskiej mocy... *Sprzeciwiając się Naturze tracimy łaskę wyobraźni*[2].

Odejście od Natury jest dla dorosłego człowieka tym, czym zgubienie matki przez dziecko. Dziczeje i traci rozum. Podobnie dorosły. Z mądrej, boskiej istoty zmienia się w chciwego, małego człowieczka, któremu przyroda daje coraz boleśniejsze klapsy. Natury nie oszukamy, tak jak nie da się oszukać matki. Odrzuca wszystko, co zakłóca jej rytm.

Co jest tym rytmem? Jakie energie go tworzą? Są to dwie przeciwstawne, ale będące jednością jin i jang. Balansują na osi, którą jest Ziemia i wplatają w siebie energie pór roku, tworząc prawo Pięciu Przemian.

Wyobraźmy sobie huśtawkę: Ziemia jest osią – z jednej strony mamy jin, z drugiej jang.

jang Ziemia jin

Ludzie starzy mówią: ostra zima (silne, duże jin) – piękne lato (silne, duże jang), łagodna zima (słabe, małe jin) – chłodne lato (słabe, małe jang). Wplećmy więc pory roku w naszą huśtawkę.

Przypomnijcie sobie, proszę, „Filozofię zdrowia", w której wspominałam, iż pomiędzy każdą porą roku istnieje czas „dojo" – aktywności energii późnego lata, czyli Centrum (żołądka, śledziony, trzustki). Aktywność późnego lata to intensywna produkcja esencji, soków, ale też bezruch, cisza, czas równoważenia pozostałych energii, to właśnie ziemska oś. Zamieszczone poniżej rysunki pozwalają uzmysłowić, jak pory roku cyklicznie przeplatane są czasem dojo.

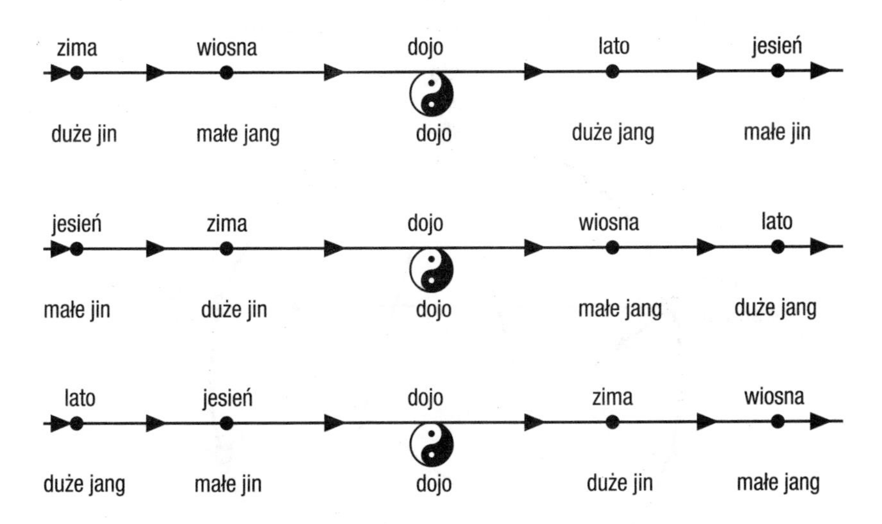

Balansowanie i rytmiczne pulsowanie energii w rytm wdechu i wydechu uzmysławia nam najlepiej sinusoida, dzięki której odkrywamy, że czas narodzin i czas śmierci to ta sama energia (wibracja). Na rysunku sinusoidy możemy umieścić wszystkie procesy i zjawiska zachodzące zarówno w człowieku, przyrodzie, jak i kosmosie.

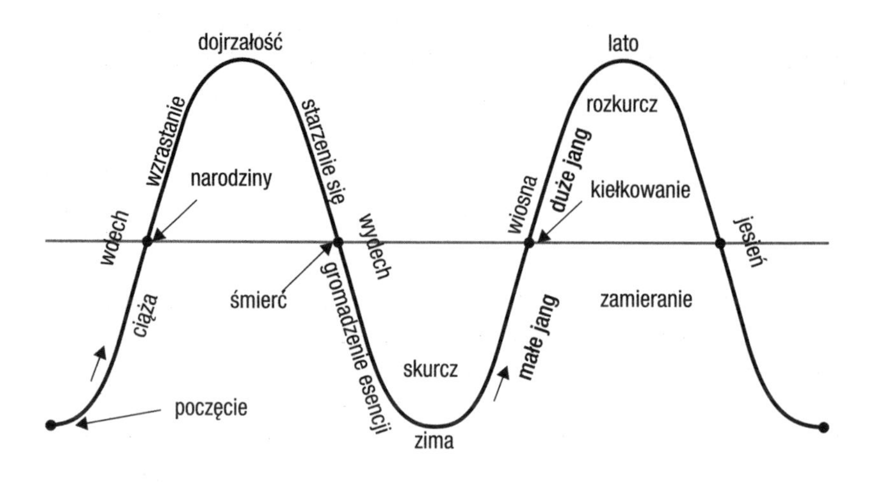

Kolejny rysunek przedstawia typowy obieg odżywczy i kontrolny pomiędzy energiami pór roku i energiami narządów.

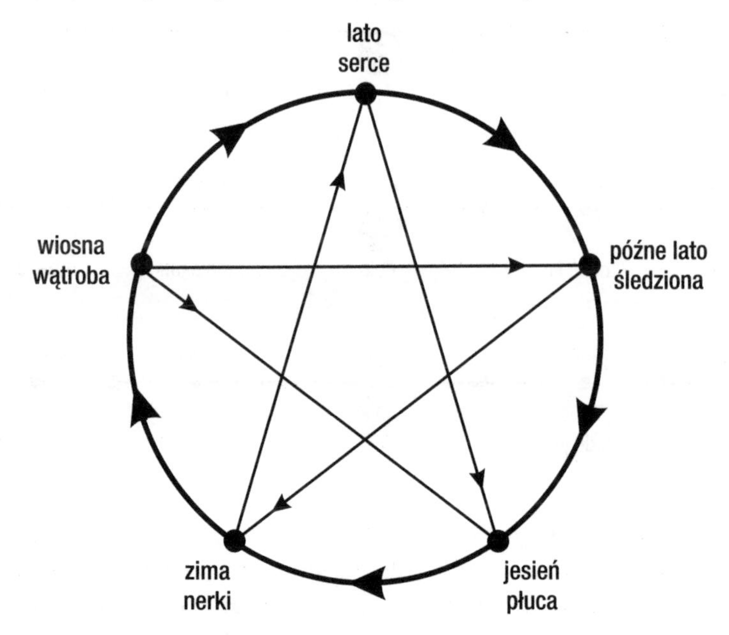

Energia każdej pory roku jest stała i pełni konkretną rolę. Poniżej przedstawiam charakterystykę natury tych energii.

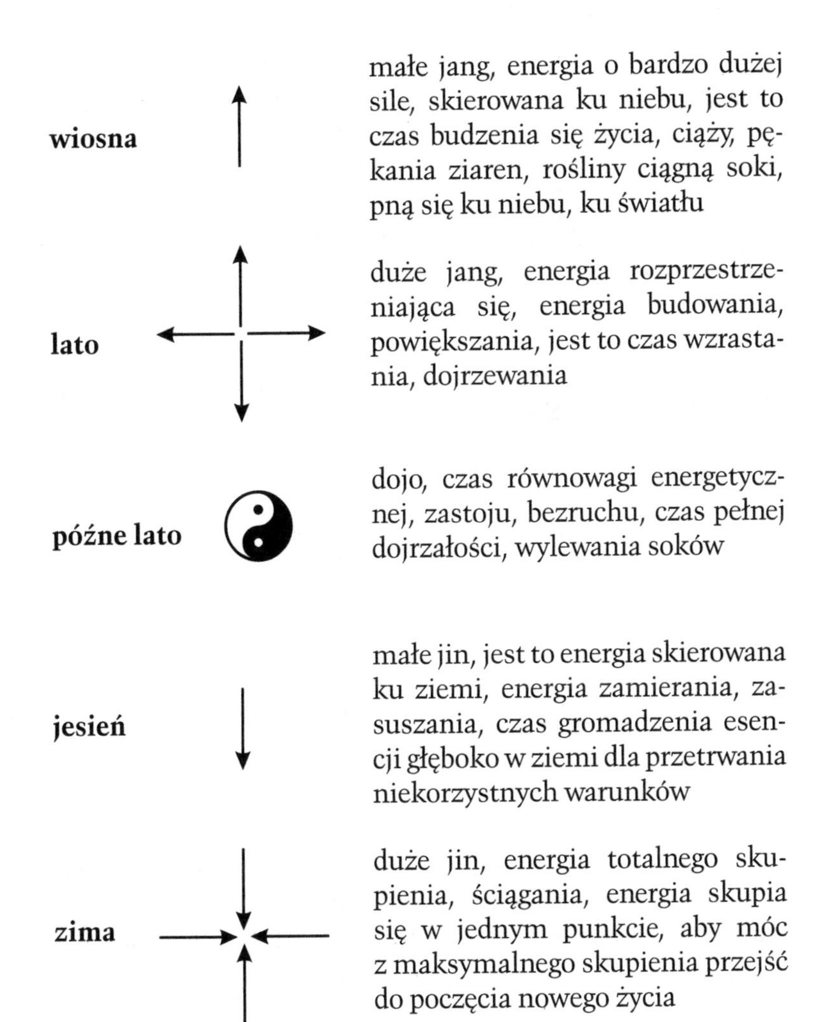

wiosna — małe jang, energia o bardzo dużej sile, skierowana ku niebu, jest to czas budzenia się życia, ciąży, pękania ziaren, rośliny ciągną soki, pną się ku niebu, ku światłu

lato — duże jang, energia rozprzestrzeniająca się, energia budowania, powiększania, jest to czas wzrastania, dojrzewania

późne lato — dojo, czas równowagi energetycznej, zastoju, bezruchu, czas pełnej dojrzałości, wylewania soków

jesień — małe jin, jest to energia skierowana ku ziemi, energia zamierania, zasuszania, czas gromadzenia esencji głęboko w ziemi dla przetrwania niekorzystnych warunków

zima — duże jin, energia totalnego skupienia, ściągania, energia skupia się w jednym punkcie, aby móc z maksymalnego skupienia przejść do poczęcia nowego życia

Energie te mają oczywiście swoich przedstawicieli w organizmie człowieka, bowiem nasze narządy pracują właśnie na energiach pór roku. Ich funkcje pięknie odzwierciedlają działanie energii w przyrodzie:

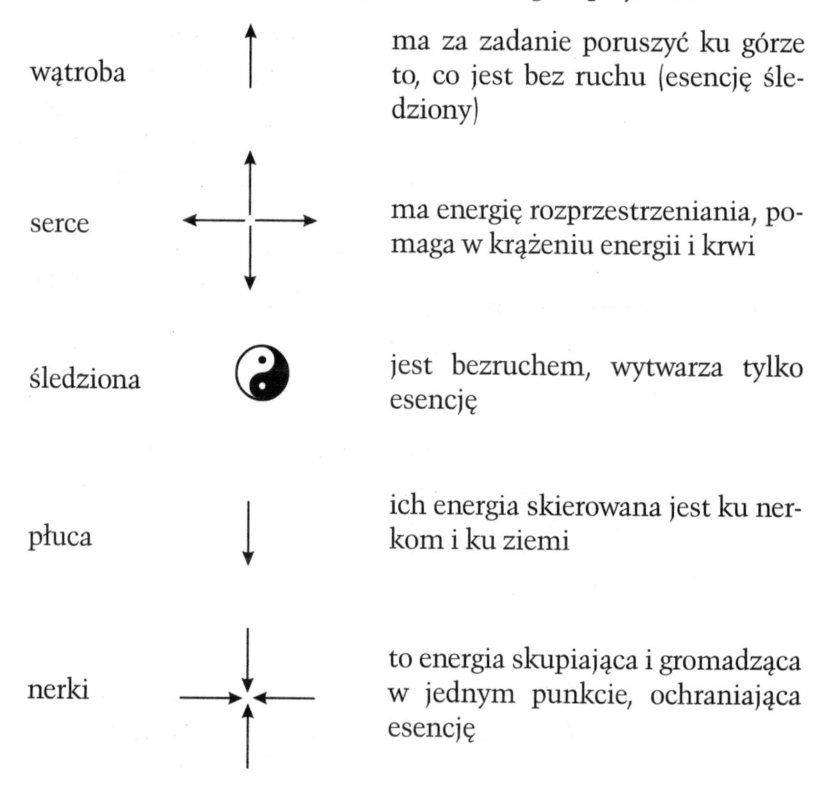

Z układu energii w przyrodzie wynika, że zawsze przeciwieństwem lata jest zima, a wiosny jesień. Jeśli lato jest w swoim maksimum, to zima znajduje się w minimum. Jeśli zaś wiosna ma swoje maksimum, to jesień – swoje minimum i odwrotnie.

Podobne zależności zachodzą w naszym ciele. Wiosną uaktywnia się wątroba, jeśli pozwoliliśmy sobie na zgromadzenie jesienią i zimą odpowiedniej porcji energii i esencji. Nie szalejmy więc wiosną z oczyszczaniem i głodówkami, ponieważ:

1) Wiosną w tzw. maksimum wątroby jest czas minimum płuc. Jeśli będziemy głodować lub się oczyszczać, energia wątroby będzie zbyt słaba, aby unieść ku płucom należną im porcję esencji i energii, a poza tym może nie mieć czego unosić. A więc płuca będą zagrożone. Stąd biorą się wszelkie alergie, katarki, kaszle, astma – są to dolegliwości związane właśnie z osłabionymi płucami. Z pewnością nie są skutkiem zgromadzenia tzw. toksyn – jest to zupełnie inny problem. Choroby, które dają o sobie znać wiosną, są skutkiem słabości płuc, przejawem nagromadzonej w nich zimnej wilgoci, której na pewno nie usuniemy za pomocą głodówki i detoksów – one problem jedynie pogłębią.
2) Analogicznie. Obserwując przyrodę, drzewa owocowe, zastanówmy się, czy ogrodnik może sobie pozwolić na jakikolwiek zabieg wiosenny, który mógłby zachwiać procesem wzmacniania drzewa, jego kwitnienia, budowania owoców i ich dojrzewania. Nie każdy wie, że w chwili, gdy zrywa dojrzałe owoce, na gałęziach już są zalążki przyszłorocznego zbioru. A więc to, ile będzie owoców w przyszłym roku, zależy od siły drzewa w czasie tegorocznej wiosny i lata.

Podobnie dzieje się z wątrobą jesienią, gdy jest ona w swoim minimum. Jesień to szczególnie zły czas na objadanie się owocami i surówkami. Osłabimy tym nie tylko wątrobę, która już jest w minimum, płuca, które powinny być silne, ale również nie wytworzymy esencji potrzebnej do przetrwania zimy, bo nie będzie z czego. Jesienny układ energetyczny w naszym organizmie powoduje, że już we wrześniu pojawiają się typowo grypowe objawy, jeżeli wcześniej pozwalaliśmy sobie na osłabianie wątroby, na przykład niewinną kwaśną zupą, przemęczeniem, stresem.

Analizując zależności lata i zimy pamiętajmy, że lato jest czasem ładowania akumulatorów, a nie wychładzania. Powinniśmy zrobić wszystko, aby ciało mogło zgromadzić maksimum energii jang (słońce + gotowane potrawy) i maksimum dobrej jakości esencji. Jeśli tego nie zrobimy, akumulator w pewnym momencie się rozładuje i staniemy bezradni na środku drogi. Co jeść latem? Wszystko, tylko się nie wychładzać! Czy w ogóle jest jakiś dobry czas na odświeżanie i wychładzanie? Nie ma! Zimą zaś z dwóch powodów jemy ciepło, treściwie, tłusto, do syta:

1) bo zużycie energii na ogrzewanie ciała jest ogromne
2) bo energia jang lata (krążenie, serce) jest wówczas w swym minimum i należy ową niszę energetyczną wypełnić pożywieniem rozgrzewającym, chroniąc się również oczywiście ciepłym ubraniem.

W naszych rozważaniach o energiach nie sposób nie wspomnieć, że ziemia rodzi życie wpleciona w cykliczność zmian jin-jang i energii pór roku, jednakże energie te są jeszcze wspomagane, wyciszane lub regulowane przez energie tzw. klimatów: wiatr, gorąco, wilgoć, suchość, zimno. Ziemia rodzi tylko wtedy, gdy wszystkie te energie współgrają ze sobą, nawzajem się stwarzając i wyciszając. Podobnie energie smaków tworzą lub nie kompozycję energetyczną potrawy, decydującą o powstawaniu esencji.

Energie klimatów określają cechy energii żywiołów. I tak:

- wiatr jest cechą żywiołu drzewa
- gorąco – ognia
- wilgoć – ziemi
- suchość – metalu
- a zimno wody

Umieśćmy te cechy na naszej huśtawce

Dla przyrody klimaty są tym, czym dla organizmu i jego narządów smaki. Tworząc z odpowiednich produktów kompozycję smakową, wzmacniając ją energią jang (ognia), umożliwiamy śledzionie (Centrum-Ziemia) produkcję esencji i rodzenie – odnawianie siebie. Podobnie klimaty – nawzajem się uzupełniając i stwarzając, wzbogacone energią jang słońca – zapewniają Ziemi warunki, by rodziła życie.

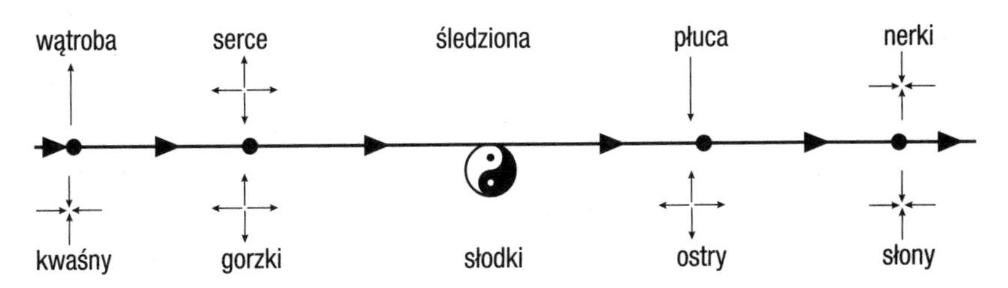

W tym miejscu wypada wydać okrzyk zachwytu nad precyzją Stworzenia. Nie można jej podważyć ani statystycznie udowodnić. Ona po prostu jest i działa. Wszystko zostało stworzone dla nas, dla naszego wzbogacania i przebóstwiania. Decydujmy więc, wybierajmy z palety barw, smaków, emocji, z pełną świadomością konsekwencji naszych wyborów.

Przyjrzyjmy się uważniej tym energiom.

- Smak kwaśny: energia wątroby kieruje się ku górze, zaś smak kwaśny „przypisany" temu narządowi ma za zadanie poskramiać nadmierną jej wybujałość i ekspansję. Smak ten działa ściągająco i skurczająco, konieczny jest w każdym posiłku i w każdej potrawie jako energia równoważąca i stwarzająca właściwą kompozycję energetyczną niezbędną dla funkcji wątroby. Czy możemy sobie wyobrazić, co dzieje się z wątrobą, gdy nasze pożywienie jest w przeważającej części smakiem kwaśnym? Jeden z lekarzy wschodnich stwierdził, że przypomina mu zakalec. Czy wątroba w takim stanie ruszy energię w czasie zimowo-wiosennego przesilenia? Czy esencja i energia śledziony dosięgnie płuc, jeśli wątroba jest w przykurczu? Czy będzie mogła pełnić swoją fizjologiczną funkcję odtruwacza, centralnego laboratorium przemiany białkowej, węglowodanowej i tłuszczowej? Czy taka wątroba stworzy właściwą jakość tkanki nerwowej i łącznej, czy zapewni właściwą perystaltykę jelita, pracę mięśni gładkich i szkieletowych itd.?

Jeżeli chcecie nadal jeść owoce, surówki, lody, jogurty owocowe, słodycze, pić piwo i wodę – wasz wybór. Wart uwagi jest fakt, że nikt na świecie – oprócz oczywiście ucywilizowanej Europy i Ameryki – nie zjada tylu potraw surowych, kwaśnych i zimnych.

- Smak gorzki: to energia rozpraszająca, osuszająca, wspierająca funkcję serca i krążenia. Szczególnie jest niezbędny dla ochrony przed gromadzeniem się toksycznego śluzu i wilgoci. Smak gorzki ze swej natury osłabia działanie smaku kwaśnego. Jeżeli brakuje go w naszym pożywieniu, ciało robi się blade, szare, a wszystkie patologiczne metabolity (toksyny, śluzy) zagnieżdżają się w nim, osłabiając wątrobę, funkcję serca, śledziony i płuc. Rozejrzyjmy się po swojej kuchni i zastanówmy, gdzie leży przyprawa smaku gorzkiego i kiedy ostatnio dodawałyśmy ją do potrawy. A jest ona niezbędna, przynajmniej dla nas – Polaków, bo jesteśmy narodem smutnym, przygnębionym i szarym.
- Smak słodki: energia tego smaku jest bez ruchu, ma za zadanie jedynie produkować wilgoć – esencję, która posiada właściwą wartość tylko wówczas, gdy nasze pożywienie zawiera kompozycję energetyczną wszystkich smaków i oczywiście nie jest to energia cukru. Stwarzana wówczas esencja ma smak słodki i tylko taka buduje i regeneruje nasze ciało. Czy Ziemia jest w stanie rodzić bez któregoś z klimatów? Muszą się one przemieszczać, splatać, aby życie trwało. A człowiek stworzył teorię jedzenia potraw zimnych, kwaśnych, surowych i monosmakowych. Uważam, że Bóg i tak jest bardzo cierpliwy.
- Smak ostry: moje zafascynowanie sposobem urządzenia dla nas „warsztatu pracy" jest szczególne, gdy zastanawiam się nad energią smaku kwaśnego i ostrego. To niesamowite. Wątroba, która pracuje na energii wiosny i która skierowana jest zawsze ku niebu, może być poskramiana energią skupiającą smaku kwaśnego, zaś płuca, przejawiające energię jesieni, czyli zamierania, skierowaną ku ziemi, są regulowane rozpraszającą energią smaku ostrego.

Czy wiecie, skąd bierze się u nas pociąg do alkoholu (smak ostry)? Nie da się przecież normalnie żyć, oddychać, myśleć, tworzyć zjadając stale kiełbasę, karkówkę, kiszoną kapustę, kiszone ogórki, śledzie, zupę pomidorową, ogórkową itp. Energia takiego pożywienia jest ściągająca; skurczająca, wciskająca nas w ziemię. Jesteśmy smutni, często w depresji i nic nam się nie chce. Aby się wyprostować, złapać głęboki oddech, nabrać ufności do życia, trzeba wypić kielicha. I ci, którzy piją, dobrze o tym wiedzą. Potem znowu jest śledzik, kiszony ogórek, surówka, schabowy, no i...

Smak ostry jest otwarciem, ale wcale nie musi to być wódka, mogą to być przyprawy dodawane do potraw z jednoczesnym starannym doborem energii produktów. Smak ostry przede wszystkim porusza zastoje, rozprasza energię, stwarza ciągły ruch. Gdy go brakuje, nasza energia się zagęszcza i świadomość „obniża swe loty". Czy może zaszkodzić nadmiar smaku ostrego? Tylko wtedy, gdy stosujemy pożywienie kwaśne, surowe, zimne oraz gdy smakiem tym jest alkohol.

- Smak słony: energia tego smaku jest skupiająca, podobnie jak energia nerek (zimy), wspomaga więc ich pracę. Najbardziej typowym produktem smaku słonego jest sól. Nie wolno nie dodawać jej do potraw, w naszym pożywieniu jest niezbędna. Gdy smaku słonego (wieprzowina, wędliny, sól, ryby, soja) jest za dużo, sztywniejemy, kostniejemy, nasza energia się zagęszcza i ściąga nas do ziemi, zbliżamy się do śmierci. Uważajcie, bo to balansowanie nad przepaścią.

Człowiek to nie tylko soma, ale również psyche. Emocje, które w nas się przejawiają i z nas „wychodzą", są ściśle związane z równowagą lub nierównowagą jin-jang i funkcją narządów. Jest to fizjologiczna zależność. Jeśli chcemy być zdrowi, czyli wyregulować pracę swoich narządów, musimy mieć świadomość tkwiących w nas emocji, sposobu, w jaki reagujemy na sprawy codzienne. Dużo nam to wyjaśni, ponieważ negatywne emocje (strach, smutek, szarość życia, agresja, chandra) przejawiają się zawsze w narządach niezrównoważonych.

Jeśli nasze wnętrze i narządy są w równowadze, przejawiamy, niezależnie od naszej woli, tzw. pozytywne emocje. Taki stan określamy jako zrównoważenie emocjonalne. Reagujemy wówczas na zewnętrze z pewnym dystansem i świadomością.

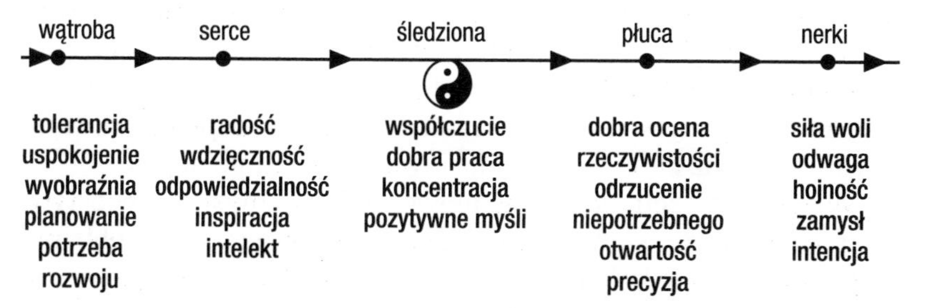

Z pewnością nie możemy oczekiwać, że stale będziemy przejawiali stan wewnętrznego spokoju, ponieważ życie polega na tym, aby się wypełniać i wybarwiać wszystkimi energiami, zatem musimy liczyć się z tym, że doświadczymy również negatywnych emocji. Jednakże powinno się to zawsze odbywać z pełnym rozpoznaniem przyczyny. Wówczas mamy pewność, że w naszą podświadomość nie będą wchodziły „nieprzerobione" kody emocjonalne. Takich sytuacji nie oceniamy i w żadnym wypadku się nie obwiniamy. Naszym zadaniem jest je przeanalizować i zrozumieć. A jest to dla nas gwarancja, że zapanowaliśmy nad ciemną stroną naszego życia, nad naszymi Olbrzymami, nad naszym Ego.

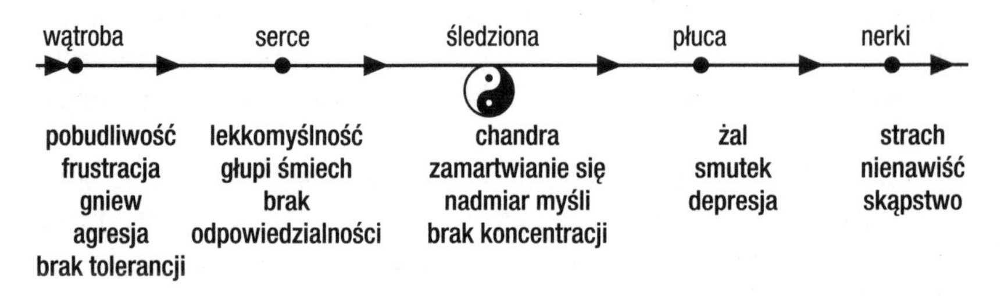

Oczywiste jest, że wszystkie cechy, np. negatywne, nie będą przejawiać się w jednym, nawet najbardziej zdołowanym, człowieku. Chociaż może?... Najważniejsze jednak, że przejawiają się one nie dlatego, że chce takim być, bo lubi być leniwy, skąpy, agresywny, smutny, lecz dlatego, że jego wewnętrzny układ energii stwarza takie stany emocjonalne. Bardzo bowiem trudno nie być agresywnym, gdy wątrobie brakuje wilgoci (krwi), smutnym, gdy do płuc nie dociera energia jang, więc przejawiają energię zamierania, trudno nie żyć w strachu, gdy nerki są na „zero", bo zjadamy tylko jogurty i pijemy wodę. Niezmiernie trudno się skoncentrować, gdy śledzionę karmimy jabłkami i słodyczami, trudno też o tolerancję, gdy wątroba dostaje same sery itd., itd. Bardzo trudno nie przyłożyć komuś, gdy się je od niepamiętnych czasów, od rana do wieczora, zapiekanki, chipsy, batony, suche bułki, jabłka, pije piwo i inne zimne napoje.

Możemy, owszem, stosować prawo, systemy myślenia pozytywnego, ale ślizgamy się wówczas jedynie po powierzchni problemu, wyrabiając w sobie kolejne nawyki, wzorce, kody. Bo czy zależy nam na „odruchach psa Pawłowa", czy na świadomym życiu i świadomych wyborach?

Pozytywne myślenie – ależ tak! Ale najpierw zrozumienie, a dopiero potem zamiana negatywu na pozytyw.

Drzewo Życia

Dla lepszego zrozumienia działania energii przedstawię znany symbol, czyli Drzewo Życia. Drzewo swymi korzeniami tkwi głęboko w Ziemi i wyrasta ponad nią, mocne, stabilne, koroną sięgając nieba.

Czerpie z esencji Ziemi, która daje mu siłę, by mogło stawić czoła żywiołom, jednocześnie wzmacniane jest energią słońca. Swą dostojnością i mocą wzbudza podziw. Daje schronienie ptakom, zwierzętom, człowiekowi. Jest symbolem spokoju, ufności, siły.

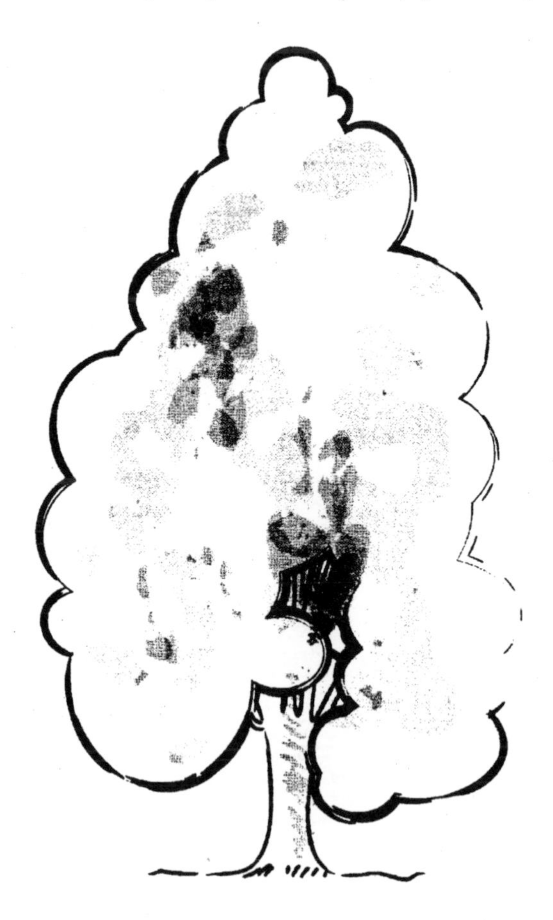

Spójrzmy uważnie na rysunek. Drzewo jest odzwierciedleniem naszego życia. Kiedy człowiek sięgnie Nieba? Gdy - podobnie jak Drzewo - zakorzeni się, zjednoczy z Ziemią. Jak to rozumieć? Zakorzenienie to nasza fizyczność, nasz szacunek dla ciała, fizjologii, Ziemi, Natury. To zespolenie, ciągły kontakt ze swym ciałem, rozumienie jego potrzeb i znaków, stały kontakt z przyrodą, rozpoznawanie zmian w niej zachodzących, cykli, poszanowanie jej zasad i Porządku. To wreszcie właściwe odżywianie, aby Ziemia (śledziona) mogła stwarzać właściwą esencję, która trafiając do nerek zakorzeni nas właściwie, zapewniając wzrastanie ku Niebu.

Szacunek dla naszej fizyczności, każdego jej przejawu, dobre zakorzenienie umożliwiają docieranie do naszych głęboko ukrytych pokładów podświadomości, gdzie tkwią w uśpieniu prawdziwe zamysły i intencje. Pozwoli nam to na wejście na „Drogę Własnej Legendy". To właśnie zakorzenienie samoczynnie budzi naszą świadomość, otwiera na nowe, wyzwala ze starych wzorców, daje kontakt z Niebem, z Nadświadomością.

Pomyślmy, co dzieje się z Drzewem, gdy Ziemia jest sucha, nie ma w niej esencji, z której mogłoby czerpać siłę. Po prostu usycha. Gdy za mocno zbliży się ku słońcu, może nawet spłonąć. Ten ogień nie jest duchowością. Pomyślmy, jakie drzewo wyrośnie wśród szalejących żywiołów - ciągłych wiatrów (smak kwaśny), zimna (smak słony), nadmiaru wilgoci na bagnach (smak słodki), na pustyni?... Nie ulegajmy pokusom, bądźmy świadomi tego, jakimi energiami się otaczamy, jakie energie wkładamy do ust. To nic, że pięknie wyglądają, że stworzył je Bóg. My decydujemy, my wybieramy to, co nam służy - mamy przecież wolną wolę. Nie ulegajmy pokusie szybkiego dotarcia do nieba - możemy spłonąć po drodze. A więc „i nie wódź mnie na pokuszenie"...

Ciało, fizyczność, właściwe zakorzenienie dadzą nam taką duchowość, jaka jest nam potrzebna w danym momencie, stworzą możliwości doświadczania tego, co zamierzyliśmy w swej pierwotnej intencji. Jeśli będziemy tak czynili, zdarzy się to, co zdarzyć się powinno. Pozwólmy sobie rodzić swoją esencję życia, pozwólmy sobie rodzić siebie. Pozwólmy sobie na siebie, otwórzmy się na fizyczność, nie zabijajmy jej. Żyjemy, aby doświadczać fizyczności, tylko dzięki niej możemy się przebóstwiać. Nie pędźmy, wszystko mamy. Podziękujmy.

W naszym organizmie rolę Drzewa Życia spełnia wątroba. Od jej mocy i sprawności zależy nasza wewnętrzna równowaga jin-jang, choć wiadomo, że śledziona zawsze pozostanie bazą, czyli Matką-Ziemią, która karmi i ochrania. Zakorzenienie wątroby w esencji nerek oraz sięganie jej energii wysoko do płuc zapewnia nam wewnętrzne zrównoważenie i spokojny umysł oraz wyobraźnię sięgającą Nieba. Róbmy zatem swoje, podnośmy wibracje, nie wyjaławiajmy swego ciała, nie wbijajmy się w ziemię niskimi energiami.

Nadmiary i niedobory

Każdy będzie szukał w tej książce czegoś dla siebie. Być może i ten rozdział będzie ważnym momentem w zrozumieniu przyczyn cierpienia. Jednakże mimo jasności przedstawionych w tym rozdziale zależności natury pożywienia i powstających dolegliwości, radzę, by najpierw dokładnie zapoznać się z treścią całej książki, a dopiero później zakreślać odpowiednie rubryki w tabelach. Może ilość zakreśleń uświadomi ci, że to nie przelewki i że pora zabrać się za gotowanie.

Każdy nadmiar smakowy w naszym odżywianiu pociąga za sobą jakieś skutki. Efekty naszych upodobań, skłonności, nawyków mogą być już bardzo dotkliwe lub na razie niezauważalne. Cierpimy od lat na kolejne choroby, pojawiające się nie wiadomo skąd, tylko dlatego, że nie usunęliśmy pierwszego błędu żywieniowego, czyli przyczyny, lecz zajęliśmy się usuwaniem skutków.

Jak głębokie są nasze stereotypy dotyczące losu i cierpienia, skoro znaki, które dawało nam ciało, a które były wynikiem błędów żywieniowych i myślowych (emocje), kładliśmy na karb normalności, pecha, losu, starzenia się, swojego „krzyża". Choroby dzieci również uważaliśmy za coś normalnego twierdząc, że każde dziecko musi się „wychorować". Teraz – znając już zależność pomiędzy pożywieniem a chorobami – widzimy, jak bardzo lekceważyliśmy nasze ciało.

Musimy absolutnie zgodzić się z tym, że wszystko, czym się otaczamy, pobudza lub osłabia naszą wibrację, wpływa nie tylko na nasze ciało oraz emocje, ale i na świadomość. Z pewnością najsilniejszym czynnikiem kształtującym nas i przemieniającym jest to, co wkładamy do ust. Mam na myśli oddziaływanie wielopokoleniowe. Jest to bowiem bezpośrednie „ładowanie" energią. Przy właściwym odżywianiu zrównoważonym bardzo trudno ulec negatywnemu wpływowi środowiska. Ma to niezwykłe znaczenia w profilaktyce patologii społecznych.

W tabelach (poniżej i na załączniku) przedstawiłam dolegliwości i choroby wywołane nadmiarami smakowymi i emocjonalnymi. Nadmiar zarówno pewnych smaków, jak i emocji stwarza jednocześnie sytuację niedoboru innych. Z pewnością u dzieci degeneracja postępuje szybciej, gdyż każde następne pokolenie jest dużo słabsze.

Dzieje się tak, ponieważ ciągła penetracja tych samych niszczących czynników zewnętrznych prowadzi do osłabienia naszej odporności, zmian czynnościowych narządów, a przede wszystkim zmian w genach.

DRZEWO	agresja złość	frustracja	zastoje, zakrzepica, zaburzenia hormonalne, nadciśnienie, choroby kobiece, niedobór wilgoci i krwi, nowotwory piersi i inne, wylewy, zatory, otyłość, choroby wątroby, kamica żółciowa, bóle głowy, reumatyzm
OGIEŃ	smutek	nadmiar wesołości	choroby krążenia, zawały, otyłość, szara ziemista skóra, szybkie starzenie się, choroby jelitowe
ZIEMIA	zmartwienia	praca umysłowa	choroby wątrobowe, żołądkowe, niewydolność śledziony, choroby krążeniowe, zastoje, guzy, choroby nowotworowe, choroby kobiece, bóle głowy, bóle nóg, zmęczenie, ociężałość, senność, wzdęcia, brak koncentracji, kamica żółciowa
METAL	smutek	żal	choroby jelita grubego, łuszczyca i inne choroby skóry, alergie, choroby płuc, m.in. gruźlica, astma, słaba odporność immunologiczna, nowotwory jelita grubego
WODA	stres	strach	uczucie zimna, zawały, choroby nowotworowe, choroby jelit, biegunki, choroby krążeniowe, nadaktywność pęcherza moczowego, bóle głowy, uderzenia gorąca, niedoczynność ośrodkowego ogrzewacza, choroby nerek

Niszczące nadmiary

- Smak kwaśny: alergia, astma, kaszle, anginy, katary, przeziębienia, zimno wewnętrzne, celiakia, biegunki, zaparcia, złe krążenie, osteoporoza, zakwaszenie organizmu, wrzody, cukrzyca, cholesterol, nadciśnienie, guzy, bóle głowy, nadkwasota, porażenie mózgowe, epilepsja, autyzm i inne choroby umysłowe, nadwrażliwość emocjonalna, nadczynność tarczycy, zaburzenia hormonalne, anemia, gościec, reumatyzm, cellulitis, krwawienia jelita grubego, choroby zębów, paradentoza, choroby oczu, choroby płuc, alkoholizm, łaknienie słodkiego, trądzik, wzdęcia, niestrawność, łuszczyca i inne choroby skóry, liszaje, nowotwory, zawały, ataki serca, wylewy, zatory, zakrzepica, kamica, marskość wątroby, kamienie nerkowe, choroby kręgosłupa, mukowiscydoza, niewłaściwy rozwój umysłowy i fizyczny dziecka, choroba Alzheimera
- Smak gorzki: wysuszenie skóry, niedobór wilgoci, sztywność ciała, bezsenność, choroby umysłowe, lęki, pobudzenie emocjonalne, choroby serca, wątroby, stawowe
- Smak słodki: cukrzyca, nadmiar cholesterolu, choroby krążeniowe, płuc, astma, anemia, alergia, trądzik, otyłość, żółtaczka, zawał, bóle głowy, nóg, otłuszczenie wątroby, zimno wewnętrzne, ociężałość, zaparcia, gościec stawowy, wypadanie narządów, puszczanie wiązadeł i stawów, spuchnięte nogi, żylaki, brak perystaltyki jelit, ciało ciastowate, niekształtne, otępiałość umysłowa, biegunki, nadciśnienie, choroba Alzheimera, reumatyzm
- Smak ostry: alkoholizm – zniszczenie całego organizmu, zarówno ciała, jak i świadomości, mięta – choroby oczu i mięśni, kapusta – choroby tarczycowe
- Smak słony: problemy krążeniowe, zimno w organizmie, zawały, choroby nowotworowe, cukrzycowe, alergie, astma, reumatyzm, artretyzm, biegunki, zaparcia, otyłość, bóle głowy, przeziębienia, choroby nerek, kręgosłupa, kamienie nerkowe, choroby wątroby, choroby serca, miażdżyca
- Smak zimny: blokada krążenia, niedobór energii jang, zimno, zawały, choroby nowotworowe, cukrzycowe, alergie, astma, zaparcia, otyłość, bóle głowy, przeziębienia, zaburzenia całej przemiany materii

Niszczące niedobory

- Smak kwaśny: zastój, mdłości, bóle głowy, nadciśnienie, ruszanie się zębów i krwawienie dziąseł, niedokrwistość, krwotoki, złe trawienie i wchłanianie, wzdęcia, biegunki, wiotkość mięśni, wypadanie narządów, bóle nóg i ociężałość
- Smak gorzki: nadczynność śledziony, gromadzenie wilgoci w płucach, w głowie, w naczyniach krwionośnych, miażdżyca, marskość wątroby, żółtaczki, choroby jelit, krążeniowe, problemy żołądkowe, wzdęcia, choroby płuc, gruźlica, astma
- Smak słodki (ale nie cukier): niewłaściwy rozwój psychofizyczny niemowląt i dzieci, choroby krwi, infekcje, choroby stawów, mięśni, kości, nerek, zaburzenia hormonalne, suchość w organizmie, brak śluzów, nadkwasota, zgaga, choroby jelit, szybkie starzenie się, sucha skóra, łuszczyca, zapalenie skóry, siwienie, próchnica, suchość wątroby (ogień), choroby cukrzycowe, płucne i wątrobowe oraz nowotworowe
- Smak ostry: zastoje pokarmowe, krwi, energii, guzy, torbiele, nowotwory, mięśniaki, choroby narządów rodnych, piersi, bóle głowy, nadciśnienie, mdłości, wzdęcia, zaparcia, choroby płuc, astma, wrzody
- Smak słony: niedokwaśność żołądka, niedokrwistość, złe trawienie i wchłanianie, zaburzenia przemiany materii, problemy z regeneracją naskórka, śluzówki, narządów, choroby nerek i wątroby

Ekologia

Jeśli człowiek potrafi współgrać z żywiołami i z Ziemią, tworzy się harmonia, podąża wówczas drogą Tao. Gdy zaś idzie żywiołom na przekór, one zwyciężają. Żywioły można poskromić, ale nie unicestwić; wyciszyć, ale nie wyeliminować. Niosą straszne spustoszenie i nie czas walczyć z nimi, gdy już szaleją. Wówczas należy liczyć się z konsekwencjami, a chcąc ich uniknąć, musimy pobudzić wyobraźnię, intuicję, logikę, mądrość, myśleć i być odpowiedzialnymi za swoje wybory.

Czy to, co człowiek czyni z przyrodą, drażniąc żywioły, minie bez skutku? Nie sądzę. Wycinanie lasów i całkowity brak szacunku dla żywiołu Drzewa powoduje ewidentny brak równowagi w przyrodzie i zaburzenia przemian, blokując cykl stwórczy, a uruchamiając destrukcyjny. Pożary pokładów ropy naftowej, pożary lasów, chaotyczna i nadmierna eksploatacja złóż ziemi, nadmierne wyniszczanie pól uprawnych bez dawania odpoczynku ziemi, stosowanie chemii w uprawie, karygodne traktowanie i sposób karmienia zwierząt hodowlanych, zatrucie środowiska, niewłaściwe poczynania z zasobami wody, wybuchy atomowe i jądrowe, stosowanie broni chemicznej i biologicznej – czy to pomysły ludzi świadomych i odpowiedzialnych? Nie sądzę, abyśmy mieli świadomość tego, iż Ziemia to Istota czująca i myśląca.

Uspokajamy swoje sumienia, tłumacząc zniszczenie Natury koniecznością postępu technicznego. Z drugiej strony włączamy się w enigmatyczne działanie proekologiczne, wszystko po to, by stłumić wewnętrzny niepokój. Przy tak wielkim braku szacunku dla Porządku cóż pomoże wszechobecne i bardzo modne słowo „ekologia"? Czy naprawdę rozumiemy jego znaczenie? Słownik wyrazów obcych określa ekologię jako dziedzinę naukową zajmującą się badaniem zależności organizmów żywych i środowiska. I zależność jest tu ewidentna – człowiek dominujący swą siłą i intelektem, bezpardonowo niszczy Naturę, która daje mu życie. I gdzież tu mądrość i instynkt samozachowawczy, które przejawia wszystko, co żyje?

Dlaczego panuje tak powszechne niezrozumienie potrzeby ochrony własnego kawałka ziemi? Nikt nie pojmie potrzeby dbania o środowisko, przyrodę, ziemię, jeśli nie pojmie i nie uszanuje swojego ciała i procesów w nim zachodzących.

I tu jawi się priorytet: wychowywanie dzieci i młodzieży w innej, nowej świadomości. Uczmy dzieci prawdziwej mądrości życiowej, a nie tylko czerpania z wiedzy książkowej. Jeśli nie przekażemy im wiedzy o tym, że cykle i przemiany zachodzące w organizmie są tym samym, co cykle i przemiany zachodzące w całej przyrodzie, jeśli nie zrozumieją, że mogą posiąść moc decyzji o wyglądzie swojego ciała i o zdrowiu, o wewnętrznym spokoju i harmonii, nigdy nie będą ludźmi w pełni dojrzałymi, czerpiącymi satysfakcję z życia, a ich szacunek i rozumienie przyrody będą się kończyły na niewiele znaczącym słowie „ekologia".

Fizjologia

Homeostaza i równowaga jin-jang

Nie trzeba być znawcą żywienia według zasad medycyny chińskiej czy też rozumieć i znać działania energii smaków i pór roku, aby mieć świadomość, że choroby powstają z tzw. zewnętrznych nadmiarów smakowych, klimatycznych, emocjonalnych. Do takich wniosków dochodzi się, analizując fizjologię człowieka i jego homeostazę. Bo czymże jest homeostaza, jeśli nie równowagą jin-jang?

Przypomnę, że homeostaza to stałe środowisko wewnętrzne, utrzymywane przez współdziałające ze sobą układy: nerwowy, wewnątrzwydzielniczy, pokarmowy, oddechowy, sercowo-naczyniowy, wydalania, termoregulacji i ruchowy. Tworzą one układy regulujące, kontrolne i sterujące. Najważniejszy z nich to zespół czynności fizjologicznych należących do funkcji regulujących, które mimo nieustannych zmian bodźców i czynników zewnętrznych utrzymują właściwości fizykochemiczne wnętrza na stałym poziomie.

Dopóki te złożone i wrażliwe układy funkcjonują prawidłowo, komórki mają zapewnioną stałość środowiska. Jednakże mogą ulec łatwemu rozregulowaniu i zniszczeniu na skutek zbyt długo trwających negatywnych bodźców zewnętrznych, przekraczających ich zdolności regulacyjne. Wówczas komórki zmieniają swoje funkcje, degenerują się bądź obumierają. Prowadzi to do utraty homeostazy i pociąga za sobą łańcuszek reakcji w tzw. sprzężeniu zwrotnym dodatnim, kiedy jeden skutek staje się przyczyną następnego.

Wytrącanie organizmu z homeostazy (równowagi jin-jang) odbywa się przez dobrze nam już znane niszczące czynniki zewnętrzne, jak pożywienie kwaśne, surowe, zimne, stres i przemarzanie.

Jedyną różnicą dzielącą homeostazę i równowagę jin-jang stanowi fakt, iż przy homeostazie nic nie mówi się o energii czi, która w drugim przypadku jest sprawą zasadniczą i traktuje się ją z należytym szacunkiem. Mimo że pojęcia energii, wibracji, materii znane są fizykom i konstruktorom cybernetycznym, jednakże do świadomości osób odpowiedzialnych za zdrowie ludzi nie mogą one dotrzeć.

Wszystkie systemy zabezpieczające naszą homeostazę walą się w gruzy tylko dlatego, że pojęcie energii czy wibracji nie funkcjonuje w słowniku medycyny konwencjonalnej. Tutaj bardziej wygodne jest stwierdzenie „przyczyna choroby nieznana" lub „choroba ma podłoże genetyczne" czy też „przyczyną są wirusy lub bakterie".

System zabezpieczenia homeostazy w organizmie opiera się na sieci czujników, receptorów, detektorów, termoregulatorów, które odbierają bodźce będące źródłem informacji. Czujniki te są wrażliwe na informacje różnego rodzaju, m.in. energetyczne, humoralne i neurohumoralne. Wrażliwość ludzkich czujników jest tak ogromna, tak precyzyjna, że wychwytują one różnice informacji bodźców idących z pożywienia kwaśnego, surowego, zimnego od informacji z bodźców pożywienia ciepłego, gotowanego na ogniu, zrównoważonego wszystkimi smakami i odpowiednio przyprawionego. To sprawa oczywista. Organizm inaczej będzie reagował na pożywienie o smaku kwaśnym, np. kiszona kapusta, od pożywienia o smaku słodkim, np. jajko.

Dlaczego więc nie zajmiemy się statystyczną analizą superciekawych zjawisk zachodzących w organizmie człowieka po spożyciu oddzielnych potraw w pięciu charakterystycznych smakach, a potem po spożyciu pożywienia zrównoważonego. Przecież to takie proste! Zachęcam do tego wszystkich sceptyków.

Termoregulacja organizmu

Aby równowaga jin-jang czy homeostaza mogły zaistnieć, super-precyzyjny mechanizm organizmu balansuje chroniony całym systemem zabezpieczeń (czujników), które reagują natychmiast na każdą zmianę środowiska (przypomnę, że czynniki zewnętrzne to pożywienie, emocje, stres i warunki temperaturowe).

Jedną z podstawowych funkcji systemu zabezpieczeń jest utrzymywanie stałej temperatury ciała, od niej bowiem zależy cały wewnętrzny metabolizm, czyli trwałość związków chemicznych, aktywność enzymów, szybkość reakcji chemicznych, transport przez błony, potencjały elektryczne i inne właściwości.

U człowieka temperatura mierzona pod pachą powinna wynosić 36,6 °C. Jest to stan, który zapewnia nam tzw. komfort temperaturowy. O to, by w każdej części ciała temperatura była jednakowa, dba krążąca krew. Z pewnością sprawa się komplikuje, gdy mamy słabe krążenie, np. na skutek picia dużej ilości zimnej wody i jedzenia owoców.

Na ciele i w jego wnętrzu rozmieszczone są receptory generujące impulsy o częstotliwości (wibracji) zależnej od temperatury. Centralną częścią termostatu biologicznego jest ośrodek termoregulacji znajdujący się w pniu mózgu oraz rdzeniu kręgowym. Składają się na niego ośrodek utraty ciepła i ośrodek utrzymania ciepła. Wyróżnia się tu neurony serotoniczne, dzięki którym pod wpływem zimna powstają sygnały zimna, i neurony adrenergiczne, dające sygnały ciepła.

W systemie termostatowym znajduje się również układ nastawczy, w którym ustala się wartość temperatury należnej, czyli prawidłowej dla danego człowieka. Uczestniczą w nim prostaglandyny, które są wydzielane przez pobudzanie detektorów zimna. Przyczyniają się one do wzrostu temperatury ciała poprzez wzrost stężenia sodu (Na). Przeciwgorączkowo zaś działa blokowanie syntezy tych związków lub wzrost stężenia wapnia (Ca). Jeżeli temperatura ciała jest niższa od należnej, uruchamiają się mechanizmy termoregulacji zmierzające do ogrzania organizmu i zmniejszenia utraty ciepła. Jeśli temperatura jest zbyt wysoka, włącza się mechanizm chłodzący przez utratę ciepła (pocenie się).

Wszystkie impulsy z ośrodka termoregulacji docierają do narządów wykonawczych oraz gruczołów dokrewnych, tj. przysadki, tarczycy, nadnerczy i trzustki. Gruczoły te nasilają wówczas swą funkcję wydzielniczą, co z kolei pobudza procesy metabolizmu w wątrobie i tkance tłuszczowej, aż dochodzi do podwyższenia temperatury ciała.

Następuje rozszerzenie naczyń krwionośnych, skóry, płuc i mięśni, zwiększa się wydzielanie potu, obniża poziom cukru we krwi, zmniejsza się metabolizm w całym organizmie, jednakże wzrastają endoenergetyczne reakcje anaboliczne, ciało się rozkurcza i rozluźnia.

Gdy zaś ciało ma obniżoną temperaturę, następuje zwężenie naczyń, zmniejszenie produkcji potu, wzrost stężenia cukru we krwi (ważne dla cukrzyków), wzrasta metabolizm, nasila przykurcz mięśni szkieletowych.

Czy w związku z powyższym, wiedząc, iż gorączka to objaw włączonego alarmu dla systemu chroniącego wewnętrzną równowagę jin-jang (homeostazę), możemy tak bezpardonowo burzyć go poprzez podawanie środków przeciwgorączkowych i przeciwzapalnych? Czy nie powinniśmy raczej usunąć czynnika, który powoduje utratę równowagi i włączenie alarmu? To dokładnie taka sytuacja, jakby w samochodzie włączyła się kontrolka informująca o braku oleju, a my wykręcilibyśmy żaróweczkę.

Gały system obronny organizmu polega na skurczach, które są pobudzane przez bodźce nerwowe, chemiczne i hormonalne. Podlegają mu zarówno mięśnie szkieletowe, jak i gładkie, czyli tkanka łączna, naczynia krwionośne oraz narządy wewnętrzne. Rozkurczanie czy to naczyń krwionośnych, czy mięśni szkieletowych, czy też tkanki narządowej polega na ustaniu aktywności czynnika, który spowodował skurcz (przemarzanie, stres, pożywienie kwaśne, surowe, zimne, wapń).

Nie ma w organizmie sytuacji, kiedy czynnik presyjny A, skurczający, jeszcze działa, a już włączył się czynnik depresyjny B, rozkurczający. Czynnik A musi zostać wyłączony, ale tylko poprzez rozpoznanie i usunięcie bodźca, który ten czynnik uaktywnił. Jeżeli nie usuniemy bodźca, który włączył alarm (czynnik A), a skupimy się tylko na poszukiwaniu środka neutralizującego ów czynnik, czyli farmaceutyków lub na usunięciu go z systemu (operację) czy też na wprowadzeniu czynnika B (depresyjnego, rozkurczowego), niszczymy cały system obronny, a organizm wciągamy w błędne koło chorobowe; kiedy skutek choroby staje się przyczyną jej pogłębiania.

Opisana wyżej sytuacja dotyczy każdej dolegliwości, która nas dotyka, a w szczególności podwyższonej temperatury. Przypomnijmy sobie, z jaką swobodą aplikujemy sobie i naszym dzieciom leki przeciwgorączkowe, przeciwzapalne, w tym steroidowe, preparaty wapniowe, antybiotyki, salicylany oraz smak kwaśny pod postacią soku czy herbaty z cytryną. Szczególnie groźne są nadmiary wapnia w pożywieniu (sery, jogurty, preparaty wapniowe), gdyż blokują one włączenie się systemu termoregulacji. Wszystkie preparaty wapniowe dają efekt „wykręcenia żarówki", czyli zneutralizowania czynnika, który powiadamia nas, że w organizmie dzieje się coś złego. Nie usuwamy wówczas przyczyny, która spowodowała jej „zapalenie".

W sytuacji, gdy cokolwiek negatywnego zaczyna się dziać w organizmie, naszym zadaniem jest rozpoznanie przyczyny i odcięcie się od niej. Jest to możliwe wyłącznie po zapoznaniu się z prawem Pięciu Przemian i zasadą jin-jang.

Odporność immunologiczna

Według Zasad Uniwersalnych odporność pojawia się wówczas, gdy organizm jest w stanie względnej równowagi pomiędzy czynnikami jin i jang, czyli pomiędzy substancją, jej odpowiednią ilością i jakością (mięśnie, kości, krew, płyny wewnętrzne, płyny odżywcze, limfa, śluzy i soki trawienne) a energią czi i ciepłem, które poruszają krew i energię, uaktywniają wszelkie procesy fizjologiczne przemieniające materię w energię i energię w materię. W stanie równowagi narządy wypełniają swoje funkcje właściwie, a ciało otacza się warstwą energii ochronnej, zwaną wei-czi. Moc i energia wewnętrzna organizmu jest wówczas przystosowana do stawienia czoła każdej niesprzyjającej sytuacji, czy to infekcji, czy chwilowemu osłabieniu.

Odporność immunologiczna jako określenie akademickie polega na wytwarzaniu przez limfocyty przeciwciał i wiązaniu się ich z antygenami zarówno zewnątrzpochodnymi, jak i wewnątrzpochodnymi. W ten sposób organizm jest stale chroniony przed zewnętrznymi substancjami obcymi i infekcją, jak i przed własnymi nieprawidłowymi – uszkodzonymi czy nowotworowymi – komórkami. Odporność immunologiczna jako funkcja obejmuje cały organizm ze szczególnym uwzględnieniem krwi i narządów krwiotwórczych, a do nich należą szpik kostny, śledziona, węzły chłonne, grasica. Limfocyty, którą mają decydujące znaczenie dla odporności, są wytwarzane przez wyżej wymienione narządy.

W szpiku kostnym powstaje 4,5 mln krwinek białych i czerwonych na sekundę. Proces krwiotwórczy uzależniony jest od odpowiedniej ilości materiału budulcowego, energetycznego i regulującego. Jest on wrażliwy na skład i właściwości przepływającej krwi, sprawność oddychania i wydalania oraz stany zapalne i zakaźne. Cała nasza odporność immunologiczna jest zatem ściśle związana z odpowiednią ilością i jakością krwi, krążeniem oraz sprawnością i czujnością limfocytów, czyli zależna od procesu krwiotwórczego, za który odpowiadają śledziona, szpik kostny, węzły chłonne, nerki. Wniosek nasuwa się jeden: istnieje całkowita zbieżność fizjologii człowieka rozumianej z punktu widzenia medycyny współczesnej z zasadami medycyny chińskiej, która zakłada, że naszą odporność stwarza jakość wewnętrznej substancji.

Jeżeli odporność polega na namnażaniu się limfocytów pod wpływem bodźca antygenowego i następnie na jego neutralizacji i zwalczaniu, to dlaczego przy pierwszej lepszej infekcji lekarze nie pozwalają na pobudzenie całego procesu krwiotwórczego i limfopoezy, lecz poprzez podanie antybiotyków, witaminy C i preparatów wapniowych całkowicie ten proces blokują? Dlaczego lekarze oburzają się, gdy wspomina się o śledzionie i uważają ją za narząd zupełnie bez znaczenia. Przecież mamy ewidentny dowód na to, że jest zupełnie na odwrót.

Podnosi się wielkie larum, ponieważ odporność zarówno dzieci, jak i dorosłych obniża się w zastraszającym tempie. Ludzie „łapią" wszystkie choroby. A nauka twierdzi, że śledziona nie ma żadnego znaczenia, a jednocześnie, że przyczyną narastającej liczby chorób jest obniżenie odporności immunologicznej. Czas pomyśleć: przecież to jest skutek, a nie przyczyna! Przyczyną spadku odporności immunologicznej jest zniszczenie żołądka, śledziony i trzustki oraz ich funkcji. Jest to nasze Centrum i nasz centralny problem! Jak można temu zaradzić? Po prostu należy wyeliminować pożywienie kwaśne, surowe i zimne, a przy osłabieniu, chorobie, infekcji podawać nie antybiotyki, witaminę C, wapń i soki, lecz buliony, rosoły, zupy, aby pobudzić do pracy śledzionę, trzustkę, wątrobę, nerki i cały proces krwiotwórczy i by dzięki temu organizm sam mógł się obronić.

Odporność naszą poprawi również ruch, gimnastyka, gdyż pobudzamy wówczas krążenie i pracę płuc.

Jaką rolę odgrywają w budowaniu naszej odporności immunologicznej wszelkie szczepionki? Z pewnością nie uchronią nas przed „złem zewnętrznym".

Szczepionka, owszem, nie pozwala na ujawnienie się dolegliwości, np. grypowych, jak temperatura, bóle głowy, katar, kaszel, bóle mięśni, czy alergicznych, jak swędzenie oczu, katar sienny, kaszel, czy też żółtaczkowych, ale czy szczepionka może usunąć przyczynę tychże chorób? Czy prawdziwą ich przyczyną są wirusy i bakterie? Ich uaktywnienie stanowi tylko skutek, przyczyną zaś jest rozregulowany organizm, który stworzył idealne podłoże dla ataku tych mikroorganizmów. Cóż więc dzieje się w nim, gdy likwidujemy skutek, a więc usuwamy wirusy i bakterie oraz dolegliwości, zaś przyczyna, czyli nierównowaga, pozostaje? To proste! Za parę lat mamy alergię, astmę, cukrzycę, marskość wątroby, zawał, choroby nerek, krążenia.

Szczepienia całkowicie blokują naturalną mobilizację i samoobronę organizmu. Przypomnę, że wytworzone pod wpływem szczepionek w organizmie antygeny nie chronią nas przed niszczącymi czynnikami zewnętrznymi, jak złe pożywienie, zimno, stres, lecz pozbawiają jednego z najważniejszych sygnałów alarmowych mówiących o stanie nierównowagi naszego organizmu. Uaktywniony wirus jest właśnie sygnałem mówiącym, że niszczymy własne ciało, że trzeba rozpoznać przyczynę. Wprowadzając szczepionki pozwalamy na bezkarną, niszczącą penetrację przez czynniki zewnętrzne: energię smaków, zimno i problemy emocjonalne.

Równowaga kwasowo-zasadowa

Często używam określenia „niezbędna jest właściwa jakość i ilość krwi". W aspekcie omawianego tematu ma to ogromne znaczenie. Z mojego wieloletniego doświadczenia i obserwacji wynika, że zalecenia dietetyków i żywieniowców w dziedzinie kwasotwórczego i/lub zasadotwórczego oddziaływania poszczególnych produktów spożywczych na organizm człowieka są nieprawdziwe. Być może w laboratoryjnych probówkach zależność ta jest wartością stałą, natomiast w odniesieniu do żywego organizmu człowieka sugestie te się nie sprawdzają.

Trochę podstawowej wiedzy medycznej: odczyn krwi, czyli jej oddziaływanie kwasowo-zasadowe, utrzymuje się w bardzo wąskich granicach. Mimo nieustannego powstawania w organizmie wartości kwaśnych i zasadowych oraz różnych okazji do wnikania z zewnątrz, krew jest zawsze lekko zasadowa i jej pH wynosi 7,4 z wahaniami od 7,3 do 7,5. Wahania powyżej pH 7,8 i poniżej 6,5 są zupełnie niedopuszczalne, gdyż wtedy przestają działać enzymy (denaturacja białka) oraz nie zachodzi wymiana gazowa podczas oddechu. Stała wartość pH krwi jest utrzymywana dzięki nieustannie działającemu układowi buforowemu i czynności ochronnej, głównie w płucach, wątrobie, nerkach, sercu. Układy buforowe działają w osoczu i krwinkach.

Uwzględniając silne zbuforowanie krwi i innych płynów ustrojowych można łatwo zrozumieć, dlaczego pH krwi utrzymuje się bez istotnych zmian, ale zawsze pod warunkiem, że rozpatrujemy organizm ze sprawnie działającym układem oddechowym, nerwowym, wątrobą, nerkami, a nawet kośćmi.

Zakwaszenie organizmu może powstać z nadmiaru CO_2 we krwi powstałego na skutek małej intensywności oddechowej (niewydolność układu oddechowego) oraz przez nagromadzenie się we krwi kwasów wytwarzanych podczas wadliwej przemiany materii. I w pierwszym, i w drugim przypadku początkowo wyrównawczą i oczyszczającą rolę odgrywa wzmożony oddech (usuwanie CO_2), a w następnej kolejności nerki poprzez wydalenie z moczem.

Być może rzeczywiście sok z czarnej porzeczki (z cukrem czy bez?...) wlany do probówki z kwasem w laboratorium zobojętni go, ale tak się nie dzieje w organizmie człowieka.

Cóż może uchronić nas przed zakwaszeniem organizmu? Prawidłowa przemiana materii oraz właściwa jakość krwi i płynów ustrojowych.

Za proces krwiotwórczy odpowiada śledziona i lewa nerka. Za prawidłową przemianę materii wszystkie narządy i ich funkcje, dobra krew (jin) oraz dobre krążenie (jang).

Wymienione powyżej dwa decydujące czynniki oraz równowaga emocjonalna oczywiście są ściśle związane z jakością naszego pożywienia. Każdy posiłek, który osłabia śledzionę i żołądek, jest zakwaszający, gdyż stanowi praprzyczynę i motor napędzający wszystkie zależności. Wymieniałam już wiele razy produkty i posiłki, które niszczą nasze Centrum (żołądek, śledziona, trzustka). Jest to pożywienie monosmakowe, monoskładnikowe, bez przypraw, zimne, niskokaloryczne lub nadmiernie kaloryczne, nadmiernie tłuste lub zupełnie bez tłuszczu. Spożywamy często albo same kurczaki, albo samą wieprzowinę, albo wyłącznie kaszę, albo wyłącznie owoce, pijemy olbrzymie ilości wody albo soków. Oceńcie sami, czy zjadając samą kaszę przez wiele dni, potem wyłącznie jarzyny, pijąc jednocześnie duże ilości wody, można zlikwidować zakwaszenie w organizmie? Czy zjadając wyłącznie surowe jarzyny i surowe owoce, popijając je zimną wodą, można mieć sprawny i niezakwaszony organizm?

Moje obserwacje potwierdzają to, o czym napisałam wyżej, że wszystko, co niszczy śledzionę, jest zakwaszające, bo wyłącznie ona wytwarza wszelkie płyny o naturze zasadowej i tym samym daje impuls właściwie wszelkim reakcjom biochemicznym.

Problemy z zakwaszeniem ma wiele osób odżywiających się w ich mniemaniu bardzo zdrowo, czyli stosujących modne diety i zalecenia eliminujące wiele rodzajów produktów. Najczęściej jest to pożywienie surowe, choć nie zawsze. Może być to pożywienie wegetariańskie, makrobiotyczne lub dieta tłuszczowo-mięsna. Problemy te mają również osoby niestosujące żadnych diet, lecz nieświadomie odżywiające się niewłaściwe, np. zjadające nadmiar wędlin, wieprzowiny, kurczaków i ryb lub objadające się słodyczami i chipsami.

Każdy sposób odżywiania z zaburzoną naturalną równowagą smakową i energetyczną daje efekty przeciwne do oczekiwanych. W przyrodzie wszystko ze sobą współgra i współtworzy, a wyeliminowanie choćby jednego elementu ogniwa niszczy cały układ. A więc?...

Jak już wspomniałam, w ciągu sekundy tworzymy 4,5 mln krwinek czerwonych i białych, czyli w każdej chwili swoimi wyborami tworzymy jakość i ilość własnej krwi oraz krążących w niej składników regulujących (buforowych), budulcowych i energetycznych.

I druga dygresja: proszę pamiętać, że ciało zakwaszone wydziela specyficzny, kwaśny zapach. Nie pomogą najlepsze perfumy. Zjadając same owoce czy ziarna zbóż, na pewno nie będziemy pachnieć kwiatami, sadem czy łąką.

Zakwaszamy organizm, gdy:

- nie dostarczamy wszystkich składników budulcowych, energetycznych, regulujących, a więc odpowiedniej ilości białka, w tym zwierzęcego, tłuszczów, w tym również nienasyconych, węglowodanów, witamin z grupy B oraz A, E, D, soli mineralnych takich jak magnez, cynk, chrom, żelazo
- stosujemy najróżniejsze diety, opierające się na monosmakach lub monoproduktach, które nie stwarzają niezbędnej kompozycji energetycznej
- pożywienie nasze jest bez energii jang (ognia), czyli z mikrofali, gotowane na kuchence elektrycznej lub zjadane na surowo i zimno
- tkwimy w ciągłym stresie, niszczącym nasze Centrum (żołądek, śledziona i trzustka).

Przemiana materii

Tradycyjnie rozumiana przemiana materii to nic innego niż nasza alchemiczna przemiana materii w energię i energii w materię. Proces ten uzależniony jest od energii czynników zewnętrznych oddziałujących na organizm oraz od jego indywidualnych skłonności. Przemianę według filozofii Tao opisałam w „Filozofii zdrowia".

U każdego człowieka przemiana materii przebiega na innym poziomie energetycznym, bo jest zawsze wypadkową jego wyborów. Dzięki temu nasze życie obfituje w całą gamę doświadczeń na poziomie fizycznym i emocjonalnym.

Czym jest przemiana materii w znaczeniu naukowym? Proces ten rozpoczyna się od trawienia pokarmu, czyli materii. Pokarm ulega rozdrobnieniu w ustach i zostaje wymieszany ze śliną. Im dokładniej to zrobimy, tym lepiej będzie przebiegał proces wstępnego trawienia w żołądku. Tutaj pokarm stały zostaje mechanicznie i chemicznie zamieniony na jednolitą półpłynną papkę, która przechodzi do jelit stopniowo, małymi porcjami, po uprzednim przetworzeniu, czyli strawieniu.

Żołądek chroni jelita przed ekstremalnymi właściwościami pożywienia, np. nadmiernym stężeniem, zimnem, nadmiernym ciepłem, zanieczyszczeniami chemicznymi lub bakteryjnymi. Czysty sok żołądkowy wykazuje pH 1, a w treści pokarmowej ok. pH 2,3. Jest to środowisko bardzo kwaśne, stężenie kwasu solnego w soku żołądkowym jest na tyle wysokie, że potrafi zabić nawet bardzo zjadliwe drobnoustroje. Gdy występują zaburzenia lub choroby, wówczas sok żołądkowy traci swą właściwą rolę, jest go wówczas za dużo lub za mało, a jego skład chemiczny różni się od prawidłowego, co zawsze prowadzi do zaburzeń trawiennych i infekcji.

Kwas solny spełnia bardzo ważną rolę trawienną, obronną, metaboliczną. Maceruje białka, ułatwia trawienie mięsa, ścina mleko w ser, pozbawiając kazeinę jonów wapniowych, zabija drobnoustroje i utrudnia ich rozwój chroniąc jelita od infekcji, fermentacji i gnicia, jest niezbędny do wchłaniania zewnętrznego czynnika krwiotwórczego, jakim jest witamina B12. Bodźcem do wydzielania właściwej ilości kwasu solnego jest sól NaCl (znajdująca się w naszym pożywieniu).

W soku żołądkowym znajdują się enzymy pepsyna, katepsyna, podpuszczka i lipaza. Pepsyna trawi wstępnie wielkie cząsteczki białek, rozszczepiając je na małe włókna. Podpuszczka znajduje się w żołądku niemowląt i ścina mleko. Lipaza rozkłada wstępnie tłuszcze na glicerol i kwasy tłuszczowe, co staje się bodźcem dla wydzielania żółci i lipazy trzustkowej i jelitowej. Wszystkie te procesy przebiegają jednocześnie i jednocześnie wysyłane są impulsy dla pobudzania trzustki i jelita cienkiego do wydzielania enzymów trawiennych.

Ważnym składnikiem soku żołądkowego jest śluz, który ma właściwości trawienne i ochronne. Trawienne dotyczą głównie mleka, gdyż tworzy ze ściętej kazeiny formę kaszki (mając problemy ze śledzioną i wydzielaniem śluzów, mleka nie trawimy). Działanie ochronne to zabezpieczanie błony śluzowej żołądka przed samostrawieniem.

Wydzielanie soku żołądkowego jest procesem złożonym i zależy głównie od rodzaju pożywienia i pobudzenia psychicznego. Proces ten regulowany jest również przez stan równowagi całego organizmu i jego kondycję.

Półpłynna kwaśna zawartość żołądka przemieszcza się małymi porcjami do jelit, gdzie odbywa się właściwe trawienie wszystkich składników jednocześnie. Najszybciej zostają strawione węglowodany, następnie tłuszcze, zaś najdłużej trawione są białka. Tutaj dokonuje się ostateczny rozkład pożywienia na aminokwasy, cukry proste, glicerol, kwasy tłuszczowe, sole mineralne, witaminy oraz następuje całkowite wchłonięcie wszystkich składników pożywienia.

Trawienie w jelicie cienkim odbywa się w środowisku zasadowym, w obecności żółci, pod wpływem soku trzustkowego oraz jelitowego. Sok trzustkowy zawiera trypsynę i chymotrypsynę trawiące białka oraz lipazę, fosfolipazę oraz esterazy trawiące tłuszcze, ale wyłącznie w obecności żółci, która pełni rolę emulgatora tłuszczu. Reasumując, trawienie właściwe wszystkich składników jednocześnie odbywa się w jelicie cienkim. W żołądku pokarm jest jedynie macerowany kwasem solnym i wstępnie nadtrawiany (białka).

W jelicie grubym dotrawiany jest pokarm, który nie zdążył się strawić w jelicie cienkim oraz odbywa się resorbcja wody i formowanie i wydalanie kału. W pracy jelita grubego niezbędny jest śluz, który ułatwia te procesy. Flora bakteryjna nie ma tu znaczenia trawiącego, ale jedynie redukcyjne, polegające na fermentacji i powodowaniu gnicia niestrawionych resztek pokarmu. Przy normalnej częstotliwości wydalania kału produkty końcowe gnicia i fermentacji ulegają naturalnej neutralizacji w wątrobie, natomiast przy kilkudniowym zaleganiu kału mogą doprowadzić do zatrucia organizmu.

Wchłanianie niektórych składników pożywienia odbywa się już w ustach, częściowo w żołądku oraz właściwie w jelicie cienkim równocześnie z trawieniem i trwa kilka godzin. Czas ten jest zależny od natury pożywienia i sposobu przygotowania, np. posiłek mięsny przygotowany niewłaściwie trawiony jest ok. 6 godzin, natomiast posiłek zrównoważony ok. 3-4 godzin.

Produkty końcowe trawienia pod postacią aminokwasów, kwasów tłuszczowych i cukrów prostych są materiałem budulcowym i energetycznym dla organizmu. Sole mineralne, witaminy, woda są materiałami plastycznymi, katalizującymi i współtworzącymi właściwe środowisko dla przebiegu procesów metabolicznych.

Aminokwasy powstałe ze strawienia pokarmu służą do syntezy białek komórkowych (odnowa komórkowa), do produkcji enzymów, hormonów lub innych ciał czynnych, a także dostarczają energii lub przekształcają się w tłuszczowce.

Cukry proste (glukoza) są spalane tlenem z krwi, dostarczając nam energii potrzebnej do dalszej przemiany materii i funkcjonowania organizmu. Nadmiar cukrów jest odkładany w wątrobie i mięśniach (glikogen) lub zamieniany na tłuszcze. Za zamianę cukrów w tłuszcze odpowiada nie tylko insulina, ale też hormon kory i rdzenia nadnercza, przedniego płata przysadki i tarczycy.

Kwasy tłuszczowe i glicerol rozpadają się, wchodząc w zakres metabolizmu cukrów lub podobnego do cukrów, dając w efekcie energię. Tworzenie zapasów tłuszczowych odbywa się za przyczyną zaburzeń w wielu narządach, takich jak trzustka, tarczyca, wątroba, żołądek, śledziona oraz zaburzeń hormonalnych.

Pożywienie człowieka powinno być zawsze kompozycją białka, węglowodanów i tłuszczów. Witaminy i sole mineralne są naturalnymi komponentami wyżej wymienionych związków, pochodzących z produktów, które spożywamy. Ponieważ proces przemiany materii jest bardzo złożony i niebadalny, uzależniony od całego szeregu czynników, między innymi od energii i temperatury, jaką posiada organizm, rodzaju pożywienia i napięcia emocjonalnego, zatem jakiekolwiek wyrokowanie na temat odżywiania czy wzajemnej zależności składników pokarmowych lub ich całkowitego wykluczania z pożywienia, powinno być bardzo wyważone.

Składniki odżywcze (białko, tłuszcze, węglowodany, sole mineralne, witaminy) nie występują w przyrodzie samodzielnie i nie powinny być spożywane oddzielnie. Wchodzą w skład tkanek roślinnych i zwierzęcych. Są trawione jednocześnie i jednocześnie wydzielane są wszystkie enzymy i soki trawienne, zarówno do trawienia węglowodanów, białka, jak i tłuszczów. Dzieje się to poza naszą wolą i chceniem.

Kto zatem wymyślił teorię, że poszczególne składniki pokarmowe są trawione każdy w innym czasie i miejscu. To znaczy gdzie i kiedy? Jest faktem bezspornym, że im większe urozmaicenie posiłku, tym lepsze trawienie. Wpływ dodatni mają również odpowiednie przyprawy, temperatura pokarmu, przeżuwanie, zrównoważenie smakowe i spokój emocjonalny. Posiłki jednoskładnikowe, czyli monosmakowe, wprowadzają ogromne zamieszanie w pracy narządów i całego organizmu, a stosowane przez dłuższy czas powodują poważne zaburzenia.

Organizm funkcjonuje bez przerwy, a zatem należy w każdym posiłku dostarczać wszystkich składników, tak aby procesy metaboliczne przebiegały prawidłowo, a każdy narząd spełniał swoją funkcję. Nie zapominajmy również o odnowie komórkowej, która odbywa się wyłącznie dzięki aminokwasom. Białko więc jest niezbędne w każdym posiłku. Niestety, niektórzy specjaliści uważają, że pewne produkty czy składniki są bardziej, inne mniej korzystne w żywieniu, że jedne są „zdrowe", inni nie, np. istnieje preferencja tzw. produktów witaminowych (soki, owoce, jogurty, surówki), całkowita zaś negacja tłuszczów i węglowodanów oraz zaledwie tolerowanie mięsa.

Wszystkie składniki pokarmowe dostarczone jednocześnie wespół z przyprawami stwarzają układ wzajemnego wspierania się, pobudzania, co ułatwia trawienie, wchłanianie i dalszy metabolizm. Posiłki komponowane według przeróżnych trendów stwarzają zagrożenie dla zdrowia. Oto kilka przykładów. Posiłek tłuszczowo-białkowy bez węglowodanów jest na dłuższą metę trucizną. Podobnie będzie z węglowodanowo-tłuszczowym. Również zestawienia owoce-nabiał lub owoce-węglowodany są bardzo groźne. Niebezpieczne jest zjadanie samego mięsa z surowymi warzywami albo surowymi owocami. Przy komponowaniu właściwego posiłku niezbędne są przyprawy. Innym bardzo ważnym czynnikiem pomagającym we właściwym trawieniu i dalszej przemianie materii jest energia jang, pozyskiwana w czasie obróbki termicznej.

Według medycyny konwencjonalnej wystarczy, aby człowiek zjadał pożywienie o odpowiedniej kaloryczności wraz z zestawem witamin i soli mineralnych, a będzie należycie wzmacniany. Gdyby tak było, bylibyśmy dzisiaj w większości zdrowi. Bo cóż prostszego niż zjedzenie porcji mięsa z surówką i popicie sokiem, a na deser talerza owoców? Wiemy dobrze, że jest inaczej. Można by sądzić, że ktoś lub coś z nas drwi.

Niestety, problem leży w tym, że nauka uparła się, żeby całkowicie lekceważyć to, czego nie widzi. I mamy efekt. Pozornie jemy zdrowo, a chorujemy coraz częściej. Widoczna jest zależność pomiędzy sposobem odżywiania a ilością chorób. Dziwi mnie tylko fakt, że z jednej strony w książkach dla studentów medycyny jasno postawiona jest kwestia istnienia tych zależności, z drugiej zaś w praktyce lekarze ten problem lekceważą. W badaniu przyczyn chorób ten czynnik jest po prostu niedostrzegany, a poszukują go wszystkie laboratoria świata.

Czy specjaliści, którzy zalecają ludziom zjadanie dużych ilości owoców i surówek oraz wypijanie litrów zimnej wody i soków, wiedzą o tym, że wszystkie zjawiska, procesy, reakcje zachodzące w naszym organizmie są energochłonne? Nawet wtedy, gdy następuje spalanie glukozy i uwalnianie energii, musi być iskierka rozpoczynająca ten proces. Owszem, rodzimy się z pewnym zasobem energii, ale powinniśmy ją chronić i uzupełniać. W przeciwnym wypadku bardzo szybko jej zabraknie lub też nieuzupełniane zasoby energetyczne dadzą nam bardzo marne życie.

Jeżeli pożywienie jest pozbawione energii jang, zimne, bez przypraw, o niewłaściwych smakach – kwaśne, słone lub słodkie od cukru, wówczas nasze ciało traci równowagę jin-jang, narządy ulegają zniszczeniu, stają się niedoczynne (wychłodzone). Górę biorą cierpienia fizyczne i problemy emocjonalne.

Zjadając posiłek bez energii, niezrównoważony, czujemy nadal niedosyt i chwytamy szklankę z kompotem, sokiem, zjadamy ciastko, owoc, często jesteśmy ospali, wyraźnie osłabieni. Przez wiele godzin czujemy pełny żołądek lub też bardzo szybko głód, wiedząc, że nie strawiliśmy jeszcze poprzedniego posiłku. Jesteśmy rozkojarzeni, zjadamy wówczas więcej owoców, pijemy kolejną herbatę, czujemy ciągłe pragnienie i ciągły niedosyt. Nasz organizm domaga się po prostu energii jang! Jeśli jej nie otrzymuje, narządy nie mogą spełniać prawidłowo swoich funkcji.

Energia jang, którą dostarczamy organizmowi z właściwym posiłkiem, a która podnosi wibrację całego naszego ciała, wpływa jednocześnie na właściwą przemianę materii. Problem wychłodzenia organizmu (niedobór jang), o którym tak często wspominam, jest ściśle związany z przemianą materii. Utrzymanie temperatury ciała – niedopuszczania do wychłodzenia – jest kwestią pierwszorzędną w ochronie zdrowia człowieka. Organizm permanentnie niedogrzany uruchamia często, ale nie zawsze, termoregulację o poziomie wyższym niż normalny, tym samym dogrzewając narządy. Objawia się to gorączką. W tym wypadku jest ona lekarstwem, gdyż niszczy zagrażające organizmowi wirusy i bakterie, a narządy wchodzą na swój właściwy poziom energii. Należy jednak nadmienić, że gorączka nie zawsze działa jak lekarstwo, zdarza się, że jest objawem poważnego stanu, tzw. ognia w organizmie (niedobór jin).

Należy stwierdzić, że wszystkie choroby, których doświadczamy, są bezpośrednim skutkiem zaburzeń przemiany materii. Wyjątek stanowią choroby pourazowe, które jednak również często ulegają powikłaniom właśnie wskutek niedoboru energii i wadliwej przemiany materii. Choroby genetyczne to także nic innego niż powielanie przez wiele pokoleń niszczącego czynnika, powodującego upośledzenie przemiany materii, co prowadzi do zmian w kodzie genetycznym. Każda infekcja to również skutek złej przemiany materii, której efektem jest osłabienie odporności immunologicznej.

Czyż więc możemy nadal twierdzić, że łuszczyca, zawał, astma nie mają swego podłoża w karygodnych błędach w odżywianiu? Pamiętajmy, że są one podstawowym czynnikiem chorobotwórczym.

Skurcz i rozkurcz

Tkanka kurczliwa to mięśnie gładkie i poprzeczne prążkowane, które dzielą się na szkieletowe i sercowe. Mięśnie szkieletowe to również przepona, górna część przełyku, zewnętrzny zwieracz odbytu, cewki moczowej, niektóre mięśnie głowy i zewnętrzne mięśnie oka. Mięśnie gładkie nie tworzą oddzielnych narządów, lecz wplecione są w inne tkanki jako dodatek kurczliwy, są w ścianach naczyń krwionośnych, chłonnych, w skórze, oku, układzie pokarmowym, oddechowym, moczowym i rodnym.

Mięśnie szkieletowe bez połączenia z ośrodkowym układem nerwowym są wiotkie i nie mają swojego napięcia tonicznego. Zaburzenia w tonusie mięśni obserwowane są u osób odżywiających się niewłaściwie (słodko, mlecznie, mącznie, kwaśno, surowo i zimno), kiedy pożywienie nie zawiera właściwych składników, czyli niezbędnych aminokwasów, witamin z grupy B oraz A, D, E, żelaza, cynku, magnezu, chromu. Wówczas jakość tkanki nerwowej i przepływu impulsów jest zaburzona. Wątroba na skutek niewłaściwego metabolizmu nie wypełnia swej funkcji i nie buduje, nie chroni i nie odżywia w prawidłowy sposób tkanki nerwowej.

Cała mechanika skurczu mięśni szkieletowych zależy od składu chemicznego tychże mięśni, dlatego tak istotny jest sposób odżywiania. Przy skurczu niezbędny jest również tlen, którego nośnikiem, jak wiemy, jest krew, a więc konieczna jest właściwa praca śledziony i wydolność płuc.

Każdy skurcz mięśnia wiąże się ze wzmożonym uwalnianiem ciepła i początkowo przez krótki czas proces ten może przebiegać bez tlenu, a ciepło będzie służyć rozluźnianiu, jednakże w następnym etapie tlen jest już niezbędny. Jeżeli go brakuje, zachodzi glikoliza beztlenowa i rozpad glikogenu kończy się na kwasie mlekowym. Jest to prosta droga do zakwaszenia organizmu. Gdy natomiast tlenu jest pod dostatkiem (odpowiedni oddech i wystarczająca ilość właściwej jakości krwi), mamy większy „uzysk" energii, a rozpad glikogenu kończy się na dwutlenku węgla. Tlen spala bowiem również kwas mlekowy.

Według reguły jin-jang, skurcz jest jin, a rozkurcz jang. Maksymalne jin, czyli skurcz, przechodzi w rozkurcz, czyli jang. Skurcz naszego zewnętrza (skóry, mięśni szkieletowych, głowy, również nerek, pęcherza moczowego i śledziony) pod wpływem negatywnych bodźców zewnętrznych (reakcja samoobrony), pociąga za sobą zawsze przykurcz i unieczynnienie śledziony, a więc produkcji nowej esencji. Jednocześnie uaktywnia się metabolizm narządów wewnętrznych, co w konsekwencji powoduje wyższy poziom uwalniania energii kosztem spalania esencji narządów (jin). Dotyczy to głównie wątroby, trzustki, serca. Przypominam, że taka reakcja naszego ciała jest czymś normalnym i zachodzi zawsze, gdy jesteśmy narażeni na stres, zimno i niewłaściwe pożywienie.

Współczesne zachowanie młodzieży oraz moda na pożywienie kwaśne, surowe i zimne, na wegetarianizm oraz głodówki i detoksy często doprowadza do takich skrajności. Na skutek braku właściwego komfortu temperaturowego, odżywczego i emocjonalnego dochodzi do zewnętrznego przykurczu oraz wewnętrznej eksploatacji i samospalania się esencji, a więc do wysychania. Daje to ułudę witalności, lekkości, jednakże jest ogromnym zakleszczeniem, zarówno w ciele, jak i świadomości. Konsekwencje porównywalne są z drzewem, któremu odcięto korzenie – usycha.

Według niektórych specjalistów medycyny chińskiej problem ten postrzegany jest jako stan wewnętrznego ognia (wątroby lub serca), który należy schładzać pożywieniem odświeżającym. Moim zdaniem jest to bardzo ryzykowne zalecenie, gdyż takie pożywienie nie uaktywni śledziony, a tym samym nie odbuduje wewnętrznego jin. Spowoduje wyłącznie efekt doraźny – wyciszenie ognia, czyli zadziała jak tabletka. Bardzo trudno niektórym zrozumieć, że w naszych warunkach klimatycznych i przy naszym sposobie odżywiania organizmu nie da się przegrzać. Są to jedynie tzw. fałszywe nadmiary powstające dzięki permanentnym skurczom wywoływanym negatywnymi czynnikami.

Jeśli czynnik A (np. stres lub zimno) powoduje, że w organizmie pojawia się nadmiar energii, nie oznacza to, że ciało należy natychmiast schładzać zimnym napojem (wodą, piwem). Takie postępowanie ulży chwilowo, lecz pogłębi problem, gdyż zwiększy się niedobór wilgoci (zablokowana śledziona), nierównowaga jin-jang i oczywiście podatność na czynnik A. Należy przede wszystkim dbać o to, aby jak najmniej pojawiało się bodźców, które wywołują przykurcz zewnętrzny i uaktywnienie wnętrza.

Nasze ciało to ciągły skurcz i rozkurcz, wdech i wydech. Krąży w nim krew ogrzewająca, odżywiająca, łącząca nas z Niebem, krąży również energia. Cała filozofia życia polega na tym, aby ciało nie było w przykurczu, aby jedynie serce utrzymujące się w napięciu mięśniowym rytmicznie pompowało krew. Cała zaś reszta powinna być rozluźniona, tworząc tzw. pustkę taoistyczną, umożliwiającą swobodny przepływ energii i krwi. Skurcze powstają częściej w organizmie zmęczonym, zakwaszonym i niedożywionym.

Przyjrzyjmy się zjawisku, jakim jest powstawanie skurczu mięśnia lub trwałego jego przykurczu. Skurcz w mięśniach jest widocznym skutkiem drażnienia receptorów. Drażnienie najpierw wywołuje pobudzenie, czyli zmiany chemiczne, elektryczne, cieplne, elastyczne, a dopiero potem następuje skurcz. Zatem główna przyczyna, czyli czynnik drażniący (temperatura, stres, smak) daje skutek – pobudzenie (zmiany chemiczne), to zaś wywołuje włączenie alarmu, a więc przykurcz, ewentualnie ból. I teraz tylko od naszej wyobraźni zależy, czy będziemy usuwać główną przyczynę, czyli czynniki drażniące, którymi mogą być np. nadmiar wapnia w pożywieniu, nadmiar smaku kwaśnego, stres czy też będziemy „kombinować" przy mechanizmie alarmowym, czyli przy mechanizmie skurczu.

Acetylocholina jest związkiem bezpośrednio biorącym udział w tworzeniu skurczu, ale jest ona uwalniana pod wpływem impulsu nerwowego, który został wysłany po zadziałaniu bodźca drażniącego. Czy w związku z tym u dziecka z porażeniem – czyli u takiego, u którego czynnik drażniący i wywołujący był ponad wytrzymałość jego systemu obronnego (nadmiar wapnia, smaku kwaśnego, zimno, stres) właściwym jest wyłączanie alarmu, czyli likwidowanie przykurczu przez podawanie miejscowo czynnika blokującego uaktywnianie się acetylocholiny? Czy nie powinniśmy pomyśleć chociażby o tym, aby organizm miał właściwą równowagę wapniowo-magnezową? Tak, ale jest to bardzo trudne do osiągnięcia, szczególnie gdy dzieci z porażeniem karmi się głównie serkami, jogurtami, sokami i owocami. Pamiętajmy, że jony wapniowe zawsze uwalniają mediatory (acetylocholinę), a jony magnezu ten proces utrudniają. Gdy – biorąc pod uwagę powyższe wyjaśnienia – dowiadujecie się, że zdecydowano jadem kiełbasianym miejscowo usuwać przykurcze u dzieci, nie czujecie grozy!

Mięśnie gładkie pobudzane są temperaturą, rozciąganiem, związkami chemicznymi, również przez nerwy wegetatywne, których mediatorami są noradrenalina i acetylocholina. Mediatory to inaczej związki pobudzające; istnieją mediatory synaps pobudzających – acetylocholina, dopamina, noradrenalina, histamina i serotonina. Natomiast nie zostały jeszcze poznane mediatory synaps hamujących. I pewnie nie zostaną, z tego względu, że po prostu ich nie ma, bowiem hamowanie i rozkurczanie polega na usunięciu czynnika powodującego skurcz.

Natura nie przewidziała w organizmie związków i reakcji rozkurczowych, w tym miejscu włączamy swoją świadomość i wykorzystujemy wolną wolę – należy po prostu usunąć czynnik drażniący (niszczący).

Grupy krwi

Wiedza na temat odżywiania zgodnie z grupą krwi dotarła z Ameryki wraz z książką pt. „Jedz zgodnie ze swoją grupą krwi". Książka wyjaśnia wiele naszych preferencji smakowych.

Dawniej w mojej rodzinie często prowadziłam boje o to, aby domownicy zjadali więcej owoców i surówek. Odpowiedzią był bunt i stwierdzenie, że nie są królikami. Zawsze któreś podkradało z lodówki wędlinę. Byłam tym zdruzgotana. Teraz wiem, że sprawy oceniałam, kierując się tylko własnymi potrzebami. Bo cóż się okazało? Ja mam grupę krwi A, więc mięso owszem, ale nie zawsze i nie za dużo, natomiast mąż i dzieci to „zerówki", toteż ich upodobanie do mięsa jest czymś bardzo naturalnym. Po tym odkryciu jestem bardziej w tym względzie tolerancyjna, co jednak nie oznacza, że mają całkowitą swobodę. Zdaję sobie bowiem sprawę, że mięso, jak każdy produkt o konkretnej energii, musi być zrównoważone pozostałymi, niezbędnymi smakami (energiami).

Moje refleksje po przeczytaniu książki:

- należy zawsze pamiętać, że Polska jest odmiennym krajem, różniącym się od Ameryki i klimatycznie, i kulturowo
- nasze przyzwyczajenie kulinarne są charakterystyczne i różnią się od amerykańskich
- właśnie przyzwyczajenia kulinarne i czynniki klimatyczne, a także nasza mentalność oraz związane z nią emocje i uczucia, stwarzają polskie przyczyny chorób, z pewnością odmienne od amerykańskich
- osoby z grupą krwi 0 i B szczególnie preferują posiłki mięsne, co nie oznacza, że zjadanie wyłącznie mięsa i tłuszczu zapewni im zdrowie. Jedynie intensywny wysiłek fizyczny pozwala właściwie tolerować przez organizm duże ilości pokarmów mięsnych. W przeciwnym wypadku takie posiłki powodują zakwaszenie i utratę równowagi
- osoby z grupą krwi A i AB preferują pożywienie roślinne, co również nie może być traktowane dosłownie. Do posiłków powinny dołączać mięso gotowane lub duszone z jarzynami i przyprawami, zawsze pamiętając, że wędliny i każdy nadmiar mięsa może zachwiać ich naturalną równowagę w organizmie
- nawet produkty bardzo wskazane dla Amerykanów mogą być szkodliwe dla Polaków.

Osoby z grupą krwi 0 są silne, odporne na choroby i duży wysiłek fizyczny. Stres i napięcie emocjonalne rozładowują poprzez trening kulturystyczny, bieganie, kopanie działki lub robienie generalnych porządków. Mięso daje im poczucie stabilności i ukojenia.

Osoby z grupą krwi B są równie silne i odporne, lecz aby wyzwolić całą swoją moc, muszą najpierw rozwiązać problemy emocjonalne, głęboko ukryte w podświadomości. Żyjąc w stresie, muszą mieć poczucie tworzenia, kreowania, ale potrafią się w tym zatracić, co daje efekt pracoholizmu.

Osoby z grupą krwi A są całkowicie odmienne. Nie czują się tak stabilne jak „zerówki", są wrażliwe, podatne na stres i częste bóle głowy. W silnym napięciu regenerują się poprzez relaks, sen. Odcinają się od świata i muszą problem „przespać".

Grupa krwi AB jest równie jak grupa A wrażliwa, podatna na choroby i stres.

Osoby z grupy krwi 0 i B są znacznie odporniejsze niż A i AB. Czyżby to miało związek z faktem, że jedni jedzą mięso od zarania, a pozostali mniej lub w ogóle? W dziejach ludzkości odnotowane zostały przypadki wyginięcia całych ras na skutek bardzo ubogiego w pokarmy mięsne sposobu odżywiania, np. Inkowie znali doskonałe metody ratowania życia ludzkiego za pomocą tajemniczych specyfików, natomiast nie potrafili uchronić zdrowia pożywieniem całkowicie pozbawionym mięsa.

Przypomnę jedynie, że odporność immunologiczna naszego organizmu stwarzana jest podczas procesu krwiotwórczego i z własnego doświadczenia wiem, czym dla tego procesu jest bulion, świeży befsztyk czy wątróbka.

Reasumując, należy korzystać z tej wspaniałej książki, mając jednak zawsze w pamięci wiedzę uniwersalną, czyli znajomość natury produktów, których używamy, świadomość klimatu oraz „grzechy" popełniane względem naszego ciała. Wiem, że dla mojej grupy krwi (A) szczególnie wskazane są ananasy, ale wiem również, że nie rosną one u nas. Mam też świadomość kondycji swojego ciała i tego, co wyprawiałam z nim przez ponad czterdzieści lat, a więc, mimo że lubię ananasy, jadam je bardzo rzadko i w niewielkiej ilości.

Dlaczego się starzejemy?

Czy starzenie się naszego ciała jest koniecznością, czy też jest to wypadkowa naszych wyborów w ciągu całego życia? Z pewnością to drugie, choć tzw. śmierć lub określając ten moment naszego życia łagodniej – przejście na inny poziom energetyczny – nie musi być poprzedzony takim cierpieniem i zniedołężnieniem, jakie obserwujemy. Starzenie się nie jest koniecznością, jest wyborem. Chorujemy nie dlatego, że się starzejemy, lecz starzejemy się, ponieważ chorujemy. Jest to zjawisko uwarunkowane kulturowo, religijnie, socjalnie czy zwyczajowo. Nie mamy innego wyobrażenia o życiu niż takie, iż kończy się ono chorobami, starością i śmiercią. A szkoda. Mając przeświadczenie o bezwzględnej możliwości oddziaływania na nasze ciało i jego regenerację, można by uczynić życie dużo przyjemniejszym i bardziej godnym.

A więc zakładamy, że nie musimy się starzeć. Podstawową rolę odgrywa w procesie starzenia utrata energii jang (czi i ciepło), niewłaściwa jej ochrona i uzupełnianie, co w konsekwencji powoduje brak możliwości regenerowania tkanek.

Aby nasze narządy właściwie spełniały swoje funkcje, muszą być wzmacniane odpowiednią ilością i jakością energii oraz podlegać ciągłemu procesowi regeneracji. Takie narządy jak żołądek, śledziona, trzustka, nerki, jelita, wątroba „zużywają się" najszybciej i ich odnowa jest warunkiem właściwej przemiany materii. Do odnowy niezbędne są aminokwasy oraz cały szereg składników towarzyszących i katalizujących. Regeneracja to proces stały, a więc dostarczanie energii i właściwych składników powinno odbywać się regularnie.

Pełnowartościowego białka dostarcza nam wyłącznie mięso (należy jednak zawsze zwracać uwagę na jego naturę) oraz jajka. Pozostałe składniki powinny tworzyć różnorodną, właściwą kompozycję, aby można było właściwie je strawić i wchłonąć. Pożywienie powinno być urozmaicone, zawierające jednocześnie białko, węglowodany, tłuszcze, witaminy, sole mineralne, o naturze co najmniej neutralno-rozgrzewającej.

W sytuacji, gdy pożywienie nie zawiera energii, właściwego białka lub któregokolwiek ze składników, np. węglowodanów, jeżeli jest monosmakowe (kwaśne lub słone), o naturze ochładzającej, wówczas narządy nie podlegają prawidłowej regeneracji, a więc stają się niewydolne (wychłodzone). Taki narząd z pewnością należycie nie pracuje, a to wiąże się z upośledzeniem przemiany materii. Czyli po prostu chorujemy i się starzejemy.

Z pewnością najbliższy ideału jest sposób żywienia wywodzący się z wielowiekowych tradycji kulinarnych, ceniący intuicję, wrażliwość i właściwe wyczucie smaku. Wiele społeczeństw do dzisiaj hołduje swoim tradycjom. Dzięki temu mniej chorują, a starzy ludzie są sprawni i rześcy. W krajach, gdzie żywienie zdominowały zalecenia naukowe, fast foody, ludzie są bardzo otyli, a skala chorób przekracza wszelkie wyobrażenie. Fakt, że ludzie żyją tam dłużej, nie jest zasługą ich własnej kondycji, lecz opieki lekarskiej i farmaceutyków.

Jakkolwiek medycyna akademicka w ratowaniu życia ma niepodważalne osiągnięcia, to jednak większa świadomość i wstrzemięźliwość w ordynowaniu leków i witamin jest lepszym sposobem na przedłużanie życia w jego właściwym ludzkim wymiarze.

Starzenie się jest efektem naszych wyobrażeń i oczekiwań oraz skutkiem błędów żywieniowych połączonych z niszczącym stylem życia. Starzeć się więc nie musimy, chyba że chcemy.

Sport

Tak się składa, że od dzieciństwa sport i gimnastyka były dla mnie czymś zupełnie naturalnym. Nie wzrastałam w środowisku sportu wyczynowego, lecz ruchu dla przyjemności.

Jeśli sport uprawiamy dla przyjemności i poprawienia kondycji, nie robimy tego ponad siłę. Przerywamy, gdy mamy dość. Jeśli jednak jest to narzędzie służące rywalizacji, wpadamy w sidła zniewolenia. Każda rywalizacja budzi niewłaściwe emocje. Wiadomo, że ludzie są różni, jeden sprawniejszy od drugiego. Każde porównanie do drugiego człowieka wytrąca nas z równowagi, porównując się do lepszego, wpadamy w kompleksy, a do gorszego – w wywyższenie.

Mówi się, że sport to zdrowa rywalizacja. Jednak taka nie istnieje. W każdej rywalizacji podłożem jest strach i Ego. Cokolwiek robimy, róbmy dla siebie, a nie dla udowodnienia czegokolwiek innym. Ważne są nasze intencje. Rywalizujemy, gdy nie mamy poczucia własnej wartości. Gdy je posiadamy, jest nam dobrze i nie musimy niczego udowadniać, a sport uprawiamy dla przyjemności.

Zupełnie inną sprawą jest dokonanie wyczynu sportowego, zmagając się z samym sobą w samotnych rajdach czy wyprawach. Zawsze jednak pamiętajmy, że o jakości naszych czynów decydują intencje.

Jeśli sport uprawiamy dla siebie, nie przesilając organizmu, zawsze będzie dla nas wzmacniający, pomoże odblokować skurcze mięśniowe, poruszy krążenie, wzmoże przemianę materii, da piękną sylwetkę i sprężystość ruchów ciała, sprawność poruszania się, dobrą kondycję, odporność na stres.

Każdy sport to energia jang, a jej nigdy za wiele, chyba że zapomnimy o tym, iż ciało regeneruje się podczas odpoczynku w pozycji leżącej i snu. W sporcie amatorskim zachodzi pewna prawidłowość: ci, którzy go uprawiają, są zdrowsi od ludzi niemających z nim nic wspólnego, mimo że odżywiają się tak samo. Wynika z tego, że ruch (energia), pobudzanie krążenia, odblokowywanie mięśni decydują o lepszej kondycji. A więc hasła: „sport to zdrowie" i „w zdrowym ciele zdrowy duch" pozostają zawsze aktualne.

Inaczej przedstawia się problem sportu wyczynowego. Gdy nie zachowujemy rozsądku i umiaru, systematycznie wyniszczamy organizm. Dobrze by było, gdyby sport wyczynowy określono mianem profesji i oficjalnym sposobem na zarabianie pieniędzy. Igrzyska są elementem życia społecznego wyzwalającym bardzo często negatywne emocje i nie wmawiajmy sobie, że sport wyczynowy to szlachetna dziedzina, sposób na zdrowie i pozytywne zachowanie.

Kiedy sport naprawdę szkodzi? Jeżeli sportowcy odżywiają się pożywieniem głównie ochładzającym, z dodatkiem odżywek, zniszczenie ich organizmu jest większe i postępuje bardzo szybko. Niewłaściwe pożywienie i nadmierny wysiłek nie dają możliwości regeneracji i odnowy substancji wewnętrznej. Byłoby to możliwe jedynie przy pożywieniu zrównoważonym o naturze neutralnej. Wówczas odpowiednia ilość posiłków w połączeniu z właściwym wypoczynkiem zabezpieczałaby ciało przed zniszczeniem. Będąc sportowcem, należy się szczególnie wyczulić na wszystkie, nawet najbardziej subtelne, czynniki zewnętrzne oraz stany emocjonalne, które wywierają znacznie większy wpływ na poddawane szalonemu wysiłkowi fizycznemu ciało.

W organizmie sportowca najpierw zostaje zniszczona śledziona i trzustka, potem wątroba, serce i nerki. Większość z nich ma powiększoną śledzionę, serce, problemy krzyżowo-lędźwiowe, czyli krążeniowe, problemy z niestrawnością i częstymi przeziębieniami, reumatyzmem, wielu cierpi na alergie, astmę, cukrzycę, kontuzje kolan, ścięgien, choroby stawów. Nie jest to wyłącznie skutek przesilenia organizmu, ale również problem niewydolności narządów spowodowany niewłaściwym odżywianiem (nadmiar zimnych napojów, owoców, surówek). Śledziona i wątroba, na skutek bardzo dla nich niesprzyjających warunków (nadmierny wysiłek i ruch) oraz zimnego pożywienia, nie nadążają z produkcją wewnętrznej esencji i regeneracją tkanek (krwi, mięśni, narządów, tkanki łącznej). Na tym tle rozwijają się choroby krążeniowo-sercowe, cukrzycowe i płucne.

Niebezpiecznym sportem jest pływanie, które osłabia szczególnie wątrobę i śledzionę. Wątroba nie lubi zimnego i przy niewłaściwym odżywianiu pojawiają się poważne problemy ze stawami i tkanką łączną; chorobą zawodową pływaków jest reumatyzm, czyli choroba zimna.

Piłkarze cierpią na powiększenie śledziony, serca i problemy płucne. Powiększenie śledziony następuje pod wpływem wzmożonej eksploatacji serca, gdyż wiemy, że te narządy funkcjonują w układzie bezpośredniego uzależnienia (matka-dziecko). Osłabione serce nie wspomaga śledziony, a wręcz ją eksploatuje.

Uprawiający kolarstwo często cierpią na choroby nerek, serca i wątroby.

Podnoszenie ciężarów wywołuje problemy krzyżowo-lędźwiowe i stawowe, tego wysiłku nie toleruje wątroba i jej zniszczenie jest pierwszym skutkiem uprawiania tej dyscypliny.

Problemy krzyżowo-lędźwiowe wszystkich sportowców wynikają nie tylko z nadmiernego przeciążenia, ale głównie z pożywienia blokującego krążenie (osierdzie), takiego jak zimne napoje, potrawy kwaśne, surowe i zimne oraz z napięć emocjonalnych.

W każdej dziedzinie sportu wyczynowego ważną rolę odgrywają skurcze mięśni oraz napięcia emocjonalne. Te dwa czynniki, oprócz już wymienionych, powodują zniszczenie organizmu. Dlatego namawiałabym do głębszego śledzenia poczynań pasjonatów kulturystyki, oczywiście nie biorąc pod uwagę skrajności, kiedy całą uwagę zaprząta jedynie „problem" szybkiego przyrostu i utrzymania masy mięśniowej poprzez stosowanie odżywek i anabolików.

Wiem, że jest to dziedzina sportu niedoceniana i często lekceważona, na szczęście jednak nie stanowi to przeszkody do jej rozwoju i coraz większej popularności. W większości przypadków osoby zafascynowane kulturystyką ćwiczą, przywiązując głównie wagę do poprawy swojej kondycji, lepszego zdrowia i uzyskania zgrabnej sylwetki, co ma wielkie znaczenia dla poczucia własnej wartości. Siłują się i zmagają dla przyjemności, dla obserwacji reakcji ciała i uczą się szacunku dla niego. Są to czynniki niewystępujące w innych dyscyplinach sportowych. Siłujmy się więc nie dla coraz lepszych wyników, lecz dla dobra naszego przykurczonego ciała.

Dlaczego polecam właśnie kulturystykę? Ćwiczenia siłowe umożliwiają utrzymanie właściwych proporcji ciała. Uprawiane mądrze i pod okiem fachowca przyczynią się do uzyskania prawidłowej i stabilnej postawy ciała. Poza tym, wszystkie nasze emocje, napięcia, stresy kodują się nie tylko w podświadomości, ale przede wszystkim w tkance łącznej. Objawia się to najróżniejszymi przykurczami, zablokowane zostaje właściwe krążenie krwi i energii, co prowadzi do poważnych schorzeń. Ćwiczenia siłowe wymuszają poprzez równomierne obciążenie lewej i prawej części ciała taki sam wysiłek, czyli napinanie i rozluźnianie mięśni. Jest to bezcenne dla regeneracji mięśni i rozluźniania przykurczów. Również poprzez intensywny trening podnosi się poziom naszej energii (wibracji), a że jest on zbalansowany równomiernie w obu częściach ciała, energia ta ma moc „wyrzucania" nagromadzonych w ciągu dnia emocji również z naszej świadomości i podświadomości.

Czy w sporcie wyczynowym, gdzie ciało jest zawsze przeszkodą, bo sportowiec jest tylko narzędziem manipulowanym z jednej strony rozpętanym wokół sportu biznesem, a z drugiej przymusem osiągania jak najlepszych wyników, możemy oczekiwać takich relacji?

Często osoby, które uprawiają ćwiczenia siłowe bądź jakikolwiek inny sport „przeziębiają się", tzn. mają katary i bóle gardła. Skąd się to bierze? Jest to proces wyłącznie fizjologiczny. Otóż śledziona, najczęściej po wychłodzeniu i osłabieniu spowodowanym niewłaściwym pożywieniem lub napojem, może produkować tzw. patologiczne śluzy i wilgoć. W pierwszej kolejności gromadzą się one w płucach oraz w zatokach i jeśli organizm nie jest „dogrzewany", zalegają. Podczas ćwiczeń i dużego wysiłku, gdy podnosi się nasza energia jang, śluzy te są przez organizm usuwane, co jest dla organizmu bardzo korzystne i stąd bierze się katar. Powinniśmy się więc jedynie zastanowić, czy aby na pewno po wysiłku fizycznym musimy się napić czegoś zimnego lub zjeść owoce. Bardzo szkodliwe jest stosowanie antybiotyków, gdyż zablokują one naturalny samoistny proces obronny organizmu, wzmagając jednocześnie produkcję patologicznego śluzu w organizmie. W takich sytuacjach pomoże najskuteczniej aspiryna z „kilerką".

Ból gardła zaś jest typowym objawem osłabienia wątroby i przykurczu mięśni gładkich, które, niestety, bardzo szybko reagują na pożywienie ochładzające i stres.

Częste, bolesne kontuzje u sportowców to konkretna dolegliwość wewnętrznych narządów. Np. kontuzje kolan to problemy żołądkowe i jelitowe, bóle krzyżowo-lędźwiowe, przechodzące często w rwę kulszową, to blokada w krążeniu (osierdzie) i mięśni pośladkowych, bóle pięt i ścięgien Achillesa to problemy nerek lub potrójnego ogrzewacza, ale i wątroby. A wszystko bierze swój początek z niewłaściwego odżywiania.

Choroby

Leczenie

Słowo „leczyć" wg „Małego słownika języka polskiego" oznacza „zwalczać chorobę, zapobiegać chorobie, starać się przywrócić zdrowie za pomocą leków, zabiegów, usuwać lub łagodzić dolegliwości, uzdrawiać, kurować", zaś „leczniczy" - „mający właściwości leczące".

Według medycyny chińskiej leczenie oznacza przywracanie stanu równowagi jin-jang w organizmie.

Jak nazwać działanie mające na celu jedynie usuwanie dolegliwości, a nie ich przyczyn? Chyba po prostu usuwaniem dolegliwości, a nie leczeniem. Lekarze akademiccy na całym świecie, również w Polsce, są przekonani, że tylko oni mają prawo do leczenia, choć wiemy, że w większości przypadków tego nie robią, gdyż nie usuwają przyczyn, a przede wszystkim nie potrafią chorobom zapobiegać. Przykładem jest gros chorób cywilizacyjnych, na które – jak dotąd – medycyna nie znalazła lekarstwa, a podawane specyfiki wyłącznie utrzymują pacjenta przy życiu (astma, alergia, cukrzyca, choroby nerek, wątroby). Posługiwanie się tu słowem „leczenie" jest nieporozumieniem, gdyż oficjalnie wiadomo, że medycyna nie zna lekarstwa, które spowodowałoby wyzdrowienie ani w przypadku alergii, ani astmy, ani tym bardziej cukrzycy. Leczeniem nie może też być usuwanie jednej dolegliwości za pomocą specyfiku, który stanie się przyczyną kolejnej. Często zdarza się, że skutek stosowania leku objawia się po dłuższym czasie jako już inna dolegliwość i absolutnie nie jest kojarzony z kuracją, którą pacjent odbywał poprzednio.

Przychodzą do mnie kobiety w średnim wieku (40-50 lat), bardzo schorowane, pogodzone z losem, uważające, że to już starość. Ich kontakt z medycyną rozpoczął się z powodu błahej dolegliwości i poprzez „niewinne" nieusunięcie jej przyczyny w czasie dziesięciu, dwudziestu lat nastąpiła taka eskalacja oddziałujących na siebie przyczyn i skutków, że ich organizm stał się całkowicie rozregulowany, a narządy wyniszczone.

Podam przykład. Leczona hormonalnie przez wiele lat bezpłodność (spowodowana silnym wychłodzeniem organizmu) dała w efekcie pożądany skutek (kobieta urodziła córeczkę), ale w wieku pięćdziesięciu lat jest tak schorowana, że nie potrafi cieszyć się ani życiem, ani dzieckiem. Jest rozżalona, bo nikt nie powiedział jej, że przyczyną tego cierpienia jest niewłaściwe odżywianie i nadmiar stosowanych leków, głównie hormonalnych.

Lecząc się z jakiejkolwiek dolegliwości pomyślmy o całym organizmie. Sama choroba to czubek góry lodowej. Jeśli chorujesz na serce, z pewnością nie masz zdrowej wątroby i śledziony, jeśli cierpisz na astmę, nieprawidłowo funkcjonuje środkowy ogrzewacz, dolegliwości skórne oznaczają problem z płucami i wątrobą, próchnica to osłabienie nerek itd. Usunięcie choroby nie jest problemem, gdy rozpoznamy i zlikwidujemy przyczynę.

Przy doprowadzaniu organizmu do stanu równowagi poprzez usunięcie przyczyny i wprowadzenie zmian w sposobie odżywiania, nie może pojawić się i nigdy się nie pojawia skutek uboczny.

Infekcje

Bardzo lubimy używać określenia „złapałem infekcję" – jest to bowiem wspaniała tarcza, za którą możemy schować naszą nieroztropność, nieuwagę, błędy żywieniowe, niewłaściwy styl życia, wygodnictwo i niewiedzę. Jesteśmy przekonani, że wina leży nie po naszej stronie, ale ponoszą ją wirusy i bakterie, które nas znienacka zaatakowały.

W takim przeświadczeniu zostaliśmy wychowani i utwierdza nas w nim służba zdrowia. Moim zdaniem czas, aby ten stereotyp zamienić na właściwą wiedzę i świadomość.

Przypomnę jeszcze raz, czym jest choroba: to utrata równowagi jin-jang w organizmie, połączona z zablokowaniem przepływu energii i krwi. Jest to najczęściej niedobór jang (ciepło i czi), który pociąga za sobą również osłabienie wewnętrznego jin – niedobór krwi, śluzów, enzymów, hormonów, płynów wewnętrznych. Przyczyna powstania tej nierównowagi tkwi w nadmiarze pożywienia kwaśnego, surowego i zimnego, przemarzaniu i problemach emocjonalnych (stres, lęk). Gdy owe niszczące czynniki zewnętrzne atakują organizm zbyt długo, traci on możliwość samoobrony. Staje się wówczas idealnym podłożem dla uaktywnienia wirusów i bakterii, które przecież są wokół nas i w nas samych stale.

Często też mylimy włączanie się naszego „termostatu" – (podwyższona temperatura), które ma na celu doprowadzenie wewnętrznego środowiska do stanu optymalnego – z bardzo pospolitą infekcją. Wprowadzając leki obniżające temperaturę oraz antybakteryjne i antywirusowe, niszczymy nasz system obronny i doprowadzamy do jeszcze większego osłabienia i rozregulowania.

Chcąc unieszkodliwić „grasujące" w naszym organizmie wszelkie drobnoustroje, należy po prostu zmienić im podłoże, czyli doprowadzić do równowagi jin-jang. Najpilniejszą w tym względzie będzie sprawa dogrzania i uaktywnienie środkowego ogrzewacza (żołądek, śledziona, trzustka, wątroba).

Wiosenne przesilenie

To stały temat pojawiający się regularnie wiosną od kilkudziesięciu lat. Nie wiem, czy również przed wojną był tak konsekwentnie poruszany. Ludzie wiosną czują się coraz gorzej, a więc uważam, że problem narasta.

Medyczna diagnoza brzmi: wyczerpanie witaminowe organizmu. Jest to typowy przykład mylnych sugestii. W dzisiejszych czasach nie wypada podawać takiej przyczyny, gdyż dostęp do owoców, soków, surówek, witamin, suplementów ma każdy przez cały rok, jest w czym wybierać! Rzecz zatem nie w witaminach.

Dla lepszego zobrazowania zagadnienia przypomnę, co dzieje się wiosną w przyrodzie, a więc również w naszym organizmie. Zgodnie z prawem Natury po okresie maksymalnego skupienia energii, bezruchu, czyli jin zimowego, wiosna jest czasem budzenia się życia, ponownego ruchu energii. Drzewa aktywizują się, a energia wiosny dźwiga ich soki w górę, aby mogły się zazielenić, a nasiona zakiełkować w ziemi i przebijać się ku słońcu.

Ogrodnik dobrze wie, że o zbiorze owoców decyduje poprzedni sezon, bowiem to wówczas powstają ich zalążki, a drzewo przez cały ten okres (od poprzedniego zbioru do wiosny) gromadzi energię i soki. Wiosną bowiem już nie ma na to czasu, czas jest tylko na uaktywnienie i czerpanie z zapasów. Nawożenie wiosenne jest czynnikiem doraźnym, wspomagającym system wykształcania i dojrzewania owoców. Podobnie rolnik, który chce zebrać dobre plony, dba o ziemię w czasie poprzedniego sezonu, a przede wszystkim o to, aby ziarno siewne było dorodne.

Te same zależności występują u człowieka – wszak jesteśmy mikrokosmosem. Dobre samopoczucie i kondycja na wiosnę jest skutkiem poczynań poprzedniej wiosny, lata, jesieni i zimy.

Mając świadomość, że wiosną uaktywnia się wątroba (patrz: „Filozofia zdrowia"), można wyciągnąć prosty wniosek: od niej o tej porze roku zależy nasze samopoczucie. Również płuca – które są wówczas w swoim minimum – decydują wiosną o naszym zdrowiu. Sprawna wątroba to radosny, otwarty umysł, duża tolerancja, wyobraźnia, planowanie, dobre krążenie i seks, właściwa przemiana białkowa, węglowodanowa i tłuszczowa. Osłabiona wątroba zaś to skłonność do depresji, wrażliwość, wybuchowość, apatia, zmęczenie, ospałość, skłonność do przeziębień, alergii oraz zaburzenia w całej przemianie materii.

Wiosną wątroba uaktywni się, jeśli zgromadzona energia i esencja pozwoli jej na to. Gdy zaś organizm jest osłabiony, obciążony wilgocią nagromadzoną w wyniku niewłaściwego odżywiania w poprzednich sezonach, ujawnią się wszelkiego rodzaju alergie, astma, problemy żołądkowe, krążeniowe, skórne oraz oczywiście najbardziej typowe, czyli zmęczenie i apatia. Wskutek braku należytej wiedzy nt. fizjologii człowieka i umiejętności łączenia jej z otaczającą Naturą oraz nieznajomości sposobów na właściwą regenerację i ochronę organizmu, wiosenne przesilenie staje się problemem nie do rozwiązania. Kondycja fizyczna człowieka XXI wieku jest w stanie zapaści. Coraz częściej zauważamy, że problemem stają się przełomy również innych pór roku – narządy odmawiają posłuszeństwa, a ciało staje się bolesnym balastem. I co? Może tak po witamince?

Jakie są konkretne przyczyny wiosennego osłabienia?

- Poprzednia wiosna – nadmiar nowalijek (sałata, rzodkiewki, ogórki, pomidory), nadmiar pożywienia surowego, kwaśnego, zimnego, głodówki, oczyszczanie, „detoksy", dieta bezmięsna lub nadmiar wieprzowiny, kurczaków i wędlin, zimne napoje, woda, soki, herbaty o niewłaściwej wychładzającej energii, posiłki nadmiernie odświeżające, nieuzasadniona chęć całkowitej zmiany pożywienia na lekkie, zimne, odświeżające, niskokaloryczne, beztłuszczowe.
- Poprzednie lato – unikanie słońca, niewłaściwe kolory odzieży (białe, niebieskie, szare, zielone), wychładzanie organizmu ogromnymi ilościami zimnych napojów (woda, piwo, soki), lodami, nadmiarem owoców, jogurtów, kąpielami w zimnych rzekach, jeziorach i morzu, byle jakimi posiłkami, fast foodami.
- W ciepłych krajach najczęściej tracimy rozsądek i umiar odżywiając się tam nie tradycyjną, dobrą kuchnią, ale owocami i zimnymi napojami, po powrocie zaś przez sporą część roku nie możemy zrozumieć powodu naszego złego samopoczucia.
- Poprzednia jesień – pozostawienie w organizmie całej wilgoci i zimna po wiosenno-letnich szaleństwach, w dalszym ciągu zja-

danie nadmiaru owoców i surówek, zimnych napojów, dużych ilości potraw kwaśnych.

- Poprzednia zima – nadal owoce, surówki, soki, jogurty owocowe, zimne napoje, nadmiar kurczaków, wędlin, ryb, ciasta, a przede wszystkim zimą dobija nas świąteczne szaleństwo. A tu problem tkwi nie w tradycyjnych, świątecznych potrawach, które można zrównoważyć i przyprawić, lecz w pożeraniu absolutnie niedopuszczalnych ilości jabłek, cytrusów, surówek, soków, jogurtów owocowych, słodyczy, ciast, zimnych napojów.

Cóż zatem mamy czynić wiosną? Przede wszystkim pomyślmy o przyszłej wiośnie, a więc róbmy wszystko, aby nie osłabiać wątroby. Zjadajmy potrawy zrównoważone, ciepłe, z przyprawami. Z pewnością będziemy zjadać mniej mięsa i tłuszczu, gdyż nie tracimy już tak wiele energii na ogrzewanie ciała. Pamiętajmy, że Drzewo (wątroba) jest dorodne dzięki esencji, którą jego korzenie czerpią z głębi ziemi. Esencję dla naszej wątroby tworzy śledziona wyłącznie z pożywienia zrównoważonego o neutralno-rozgrzewającej energii. Wiemy z „Filozofii zdrowia", że śledziona rodzi wilgoć (esencję), gdy w pożywieniu zawarte są energie wszystkich smaków, podobnie jak Ziemia, która rodzi życie tylko wówczas, gdy współistnieją wszystkie klimaty (wiatr, gorąco, wilgoć, suchość, zimno). Czy zatem pijąc wiosną duże ilości wody z myślą o odświeżeniu naszej wątroby czynimy dobrze? Przecież woda to zimno. Czy woda może być tożsama z esencją, którą produkuje śledziona?

Wątroba i płuca wiosną

Według Pięciu Przemian wiosna to pora aktywności wątroby i woreczka żółciowego, czas żywiołu Wiatru. Ponieważ krąży wiele „mądrości" na temat wiosennego oczyszczania, zrzucania starych skorup, czas, by wiedzieć, co naprawdę piszczy w tej wiosennej trawie.

Wiosenna aktywność wątroby jest fizjologicznie niezbędna, ma ona bowiem rozruszać mechanizm, który przez niemal pół roku funkcjonował na niskich obrotach. Zimowe skupienie, zamarcie, senność ma się nagle przeistoczyć w dużą aktywność życiową. Może się to dokonać tylko dzięki wątrobie, bowiem od jej energii i zrównoważenia zależy krążenie krwi, energii, esencji, funkcja układu nerwowego i metabolizm. Od niej zależy czysty umysł i równowaga emocjonalna. Krótko mówiąc, ważą się tu losy jakości naszego życia do następnej wiosny.

Energia jang wątroby zależy od energii doprowadzanej systematycznie z pożywieniem zrównoważonym wszystkimi smakami i właściwie przyprawionym, oczywiście gotowanym na ogniu i ciepłym. Energia ta jest niezbędna również do tworzenia przez śledzionę esencji, która będzie wzmacniała i równoważyła wątrobę.

Cechą charakterystyczną wątroby jest jej duża ekspansywność i ruch energii skierowany ku górze, które kontrolujemy smakiem kwaśnym, dodając go w odpowiedniej ilości do każdej potrawy. Niedopuszczalne jest jednak, aby właśnie wiosną w naszym pożywieniu dominował smak kwaśny i aby nie zawierało ono energii jang. Jeśli tak się stanie, wątroba nie wypełni swojej ważnej roli, co z pewnością odbije się na naszym samopoczuciu w pozostałych porach roku (osłabione płuca, serce i nerki).

Możemy wiosną odciążyć nieco wątrobę poprzez zmniejszanie porcji posiłków, ilości tłuszczu, głównie wieprzowego, mięsa lub nawet wyeliminowanie niektórych jego gatunków (wieprzowiny, kurczaków). Pomożemy wątrobie również unikaniem kiszonej kapusty, kiszonych ogórków, surówek, owoców.

Jeżeli mamy na koncie wiele lat „bardzo zdrowego" odżywiania typu kwaśne, surowe, zimne, z dużą ilością zimnych napojów i słodyczy, mogą nam się właśnie wiosną uaktywnić dolegliwości charakterystyczne dla tej pory roku, czyli wrzody, skurcze żołądka, mdłości, wymioty, przykurcze mięśniowe, ataki padaczki, bóle głowy, migreny, zaparcia, choroby skóry, wysypki, alergie, łuszczyca, katary, kaszle, problemy emocjonalne, m.in. depresja i rozdrażnienie, choroby umysłowe, zaburzenia sercowo-krążeniowe, astma.

Według medycyny chińskiej wątroba jest „matką" serca i „dzieckiem" nerek, zatem jej osłabienie wpływa bezpośrednio na funkcje jednego i drugiego narządu. Jest również bliźniaczką osierdzia (krążenie/seks), zatem jej niedoczynność przynosi problemy krążeniowe. Wątroba jest w układzie kontrolnym ze śledzioną, dźwiga jej energię ku płucom. Słabość wątroby to w tym wypadku wzdęcia, typowa niestrawność, uczucie rozpierania żołądka, to również osłabienie płuc, ataki astmy, choroby serca i skóry.

Analizując wiosenną funkcję wątroby, nie można pominąć faktu, iż w czasie, gdy wątroba jest w maksimum energetycznym, po drugiej stronie bieguna płuca są w swym minimum (jesień). Wiemy, że płuca kontrolują funkcję wątroby. Równoważą przez cały rok jej ekspansywność, ale tylko wówczas, gdy są odpowiednio wzmacniane. Jeżeli zdarzy się, że wiosną będziemy zjadać pożywienie głównie o smaku kwaśnym (tzw. odświeżanie, nowalijki), to nie tylko zniszczymy wątrobę, ale także wejdziemy w tzw. depresyjny ruch energii, charakterystyczny dla osłabionych płuc. Przy takim odżywianiu energia nie będzie w stanie dotrzeć do płuc (słaba wątroba) i pojawią się wszelkiego rodzaju alergie i choroby skórne oraz katar, kaszel, astma.

Depresja to stan, który możemy śmiało nazwać przypadłością cywilizacyjną. „Budzi się" właśnie wiosną, by latem osiągnąć swoje apogeum. Ze statystyk wynika, że wówczas ludzie najczęściej targają się na swoje życie. To, co teraz powiem, może wydawać się szokujące, ale sytuacja ta jest bezpośrednio związana z modą na zimne piwo, obiady składające się tylko z surówek i ryb, fast foody, lody, zimną wodę. Nie da się żyć bez talerza kartoflanki!

Alergie

Alergia to zespół bardzo uciążliwych dolegliwości, które w dzisiejszych czasach ujawniają się w sposób lawinowy. Należą do nich katar, kaszel, swędzenie oczu, wysypka przechodząca w poważne stany zapalne, świadczące o osłabieniu środkowego i górnego ogrzewacza. Pojawienie się astmy, cukrzycy mówi o ciągłym pogłębianiu się choroby i osłabieniu nawet już dolnego ogrzewacza.

Katary

Katar to wspaniała dolegliwość, wiążąca się z nami właściwie od samego urodzenia. Gdyby to było możliwe, kichalibyśmy już w łonie matki. Dlaczego wspaniała? To proste – jest niewinnym objawem dającym nam znać, że zjadamy niewłaściwe pożywienie, które osłabia śledzionę, wątrobę i płuca, a efektem tego jest właśnie sapka i katar. Źle, gdy ten kochany katar włożymy do worka razem z wirusami i bakteriami i będziemy traktować jak niebezpiecznego intruza antybiotykami i lekami steroidowymi. A przecież jest naszym sprzymierzeńcem! Dzięki niemu możemy nie dopuścić do alergii, astmy, cukrzycy, chorób przewodu pokarmowego, jelit, złego wchłaniania, chorób krążeniowo-sercowych itd. W porę wyciszony przez właściwe rozpoznanie przyczyny oraz jej usunięcie nie stanowi żadnego zagrożenia.

Mówi się, że katar leczony trwa tyle samo, co nie leczony. O czym to świadczy? Mianowicie o tym, że osłabienie śledziony i płuc (pożywienie, zimno), objawiające się właśnie katarem, jest jedyną jego przyczyną. W przeciwnym wypadku podawane leki antybakteryjne czy antywirusowe byłyby skuteczne.

Jeśli czynnika niszczącego jest tyle, że nie ma mowy o regeneracji narządów wewnętrznych, dochodzi do przewlekłego osłabienia śledziony, wątroby i płuc oraz stanów zapalnych trzustki, a objawem jest tzw. katar sienny, który nasila się początkowo tylko w określonych porach roku (wiosenne minimum płuc), aby po kilku latach przejść w stan chroniczny. Jeśli nie zmieniając swojego sposobu odżywiania będziemy stosować farmaceutyki, po jakimś czasie mamy zapewnioną astmę, potem cukrzycę, zapalenie wątroby i brak odporności immunologicznej. Jasne, że proces ten dotyka głównie dzieci i młodzież, choć jest coraz częściej spotykany również w wieku dojrzałym. Jest to tragiczna konsekwencja braku wyobraźni dorosłych.

Katar pierwotny, niewinny, jest spowodowany najczęściej nadmiarem słodyczy i mleka oraz smaku kwaśnego w pożywieniu (owoce, jogurty, soki, sery, kurczaki), który – jako silnie śluzotwórczy, skupiający i blokujący krążenie energii – uniemożliwia właściwą pracę śledziony i wątroby. W konsekwencji tworzy się śluz patologiczny, który w pierwszej kolejności gromadzi się w płucach. Każdy katar to problem płucny.

Jakikolwiek katar, również ten alergiczny, można zlikwidować przez zmianę pożywienia, eliminując wszystko, co kwaśne, zimne, surowe, również mleko, sery, jogurty, słodycze, kurczaki, wędliny i wprowadzając pożywienie gotowane, zrównoważone, ciepłe.

Zaobserwujcie, kiedy pojawia się pierwszy katar „sienny". Otóż najczęściej, gdy jesteśmy w intensywnie zazielenionym lesie, na działce lub w pomieszczeniu z dużą ilością zieleni albo też w tłumie przebywającym w zamkniętym pomieszczeniu. A więc osoby ze skłonnościami do katarów nie powinny przebywać w lasach liściastych, na intensywnie zadrzewionych działkach, w pokojach ze ścianami zielonymi, ubierać się w odzież koloru zielonego – dotyczy to głównie dzieci i młodzieży. Jest to zjawisko tzw. przepełnienia organizmu energią skupiającą – a taką właśnie jest smak kwaśny i kolor zielony – która, osłabiając wątrobę, nie pozwala na dotarcie odżywczej energii do płuc.

Kaszel

Podobnie jak katar, jest bardzo „dobrą" dolegliwością, gdyż mówi nam, że płuca oczyszczają się ze śluzu. Oczywiście wówczas, gdy kaszel jest mokry. Kaszel nie jest chorobą, świadczy natomiast, że płuca mają jeszcze tyle energii, aby usuwać nagromadzony w nich śluz. Bywają bowiem przypadki, gdy gromadzenie śluzu w płucach odbywa się bezobjawowo, a to jest już groźne, bo mogą występować nagłe ataki duszności, m.in. astma.

Usuwanie kaszlu powinno zawsze polegać na dostarczaniu energii jang do płuc oraz regenerowaniu śledziony, by mogła produkować właściwą, wzmacniającą ją esencję. Niezbędne również jest wyeliminowanie nadmiarów smaku kwaśnego, słonego oraz całkowicie słodyczy, aby wątroba nie była blokowana i mogła przekazywać energię jang i esencję do płuc. Bardzo niewskazane są zimne napoje i potrawy.

Jest regułą, że po katarze w przeciągu paru dni pojawia się kaszel. To normalna kolejność w przypadku, gdy zjadaliśmy pożywienie kwaśne, zimne i surowe. Gdy zaś przy pierwszych objawach kataru zmienimy pożywienie, nie dopuszczając do dalszego gromadzenia się śluzu w płucach, kaszel może nie wystąpić.

Kaszel ustąpi dopiero wówczas, gdy oczyścimy płuca ze śluzu. Gdy zaś posłużymy się środkami doraźnymi, mającymi na celu tylko usunięcie kaszlu (antybiotyki, środki ściągające, przeciwzapalne, w tym również hormonalne, syropy o przeróżnym składzie), pozostawiamy niezałatwiony do końca problem osłabionych płuc i śledziony, co w przyszłości zaowocuje poważniejszymi komplikacjami.

Bywają też kaszle suche. Zdarza się to dużo rzadziej, dotyka przede wszystkim osób starszych, z bardzo już zniszczonym środkowym ogrzewaczem i niedoborem jin. W tym przypadku należy skupić się głównie na wprowadzeniu pożywienia regenerującego śledzionę, a więc musi ono zawierać kompozycję wszystkich smaków oraz energię jang, a także zadbać o właściwe krążenie i ruch (ćwiczenia górnej części tułowia).

Kaszel suchy mówi o niedoborze esencji i właściwej wilgoci w płucach; może pojawić się na skutek dużego pobudzenia emocjonalnego, silnego przemarznięcia lub nadmiaru zimnej albo kwaśnej potrawy. Następuje wówczas skurcz zewnętrza, czyli mięśni i śledziony, który w organizmie z niedoborem jang może wywołać rozdzielenie energii, a więc jang idzie w górę, a płyny w dół. Podanie soli emskiej (2-3 razy) pozwala na jej skupienie i odkaszliwanie śluzu, następnie można przystąpić do rozgrzewania płuc.

Gdy taki kaszel pojawi się nagle u dziecka karmionego sokami, jogurtami i słodyczami, również należy podać 1-2, nawet 3 razy sól emską rozpuszczoną w maleńkiej ilości ciepłej wody, do momentu, gdy kaszel stanie się mokry. Wówczas przystępujemy do rozgrzewania organizmu dziecka poprzez całkowite wyeliminowanie pożywienia kwaśnego, surowego, zimnego i wprowadzenie pożywienia ciepłego i zrównoważonego.

Astma

Astma to konsekwencja „leczonych" katarków i kaszelków bez usuwania ich przyczyn. Jest to głęboka nierównowaga w śledzionie, wątrobie, płucach, dotykająca również nerek. Środkowy ogrzewacz ma poważny niedobór energii jang oraz problemy z wytwarzaniem esencji, w związku z tym nie otrzymują ich również płuca. W dolegliwościach z tym związanych (trudności w oddychaniu, duszności) mają swój udział przykurczone mięśnie klatki piersiowej i pleców, które dodatkowo blokują oddech i krążenie energii. Przykurcz ten spowodowany jest po prostu nadmiarem smaku kwaśnego, słonego i potraw zimnych oraz stresem i zimnem.

W astmie, która jest ewidentnie chorobą płuc, występuje również proces produkcji patologicznego śluzu przez śledzionę oraz odkładanie go w płucach. Dzieje się tak wówczas, gdy organizm znajduje się w ciągłym niedoborze energii jang, a pożywienie jest permanentnie niewłaściwe. Gromadzący się śluz blokuje funkcję płuc, oddech staje się płytki. Dusimy się, bo płuca nie nabierają powietrza z powodu nagromadzonego w nich śluzu, a także przykurczu mięśni gładkich oskrzeli wywołanego nadmiarem smaków o energii skurczającej oraz zimnem i stresem, jak również skurczu mięśni klatki piersiowej (osłabiona wątroba).

Problemem astmatyków jest więc nagromadzenie śluzu w płucach i ich przykurcz. Zadam moje standardowe pytanie: czy możemy długo funkcjonować na sterydach i środkach rozkurczowych? Czy tak ma wyglądać życie?

Jak w każdej chorobie, nawet bardzo poważnej, najistotniejszą sprawą jest usunięcie przyczyny. Szczególnie groźne dla astmatyków są energie smakowe skupiające, ściągające (kwaśne i słone), blokujące oraz silnie śluzotwórcze, w tym wypadku będą to nadmiary tłuszczu i słodycze. Nie można również pominąć problemów emocjonalnych, dotyczy to głównie osób dojrzałych (problemy charakterystyczne dla płuc, czyli nieumiejętność oddzielenia się od przeszłości oraz smutek i żal). Przypomnę, że płuca to element metalu (energia jesieni – czas zamierania), a więc leczenie ich polegać powinno na dostarczaniu energii rozpraszającej (smak gorzki i ostry), zawsze w połączeniu z energią jang (gotowanie), a wszystko w odpowiedniej kompozycji przypraw i pozostałych smaków.

W usuwaniu śluzu z płuc oraz usprawnianiu naszego oddechu (usuwanie przykurczu mięśni) najistotniejsze jest rozgrzewanie ciała oraz silne uciskanie punktów na klatce piersiowej w miejscach między żebrami tuż przy mostku i w linii od środka obojczyka w dół. Punkty te są bardzo bolesne, gdy płuca są chore. Po chwili zaczniemy odkaszliwać śluz. Bardzo istotna jest również gimnastyka górnej części ciała (energiczne ruchy rąk), a wszystko w połączeniu z pogłębionym oddechem. Do ćwiczeń można włączyć ciężarki 1-2 kg.

Stwierdzono, iż astma bardzo często dotyka sportowców. Jest ona naturalną konsekwencją nadmiaru wysiłku fizycznego (osłabienie śledziony), przykurczów mięśni klatki piersiowej, niewłaściwego odżywiania – zimne napoje, surówki, owoce, preparaty witaminowe, odżywki (osłabienie całego środkowego ogrzewacza) oraz stresu – „sportowa" rywalizacja. Astma u sportowców, podobnie jak u innych chorych, „leczona" jest poprzez stosowanie wziewnych leków steroidowych o coraz silniejszym działaniu, a wystarczyłoby poznać energię czynników niszczących i zmienić styl życia albo chociaż odżywiania.

Swędzenie oczu

Jest to kolejny etap wychłodzenia i ujawniania się alergicznych dolegliwości. Pierwsze swędzenie oczu pojawia się najczęściej w porze letniej (przełom maja i czerwca – patrz: „Filozofia zdrowia"). Lato według medycyny chińskiej zaczyna się już w drugiej połowie maja. Jest to pora elementu ognia, czyli wzmożonej pracy serca, osierdzia (krążenie/seks), jelita cienkiego oraz funkcji potrójnego ogrzewacza.

Aktywność elementu ognia powinna być zrównoważona odpowiednio silnym jin, czyli właściwą ilością i jakością esencji (sprawna śledziona). Jeżeli nasze dotychczasowe pożywienie nie sprostało temu zadaniu, osłabiło śledzionę i mamy w organizmie niedobory krwi, śluzów, płynów, enzymów, hormonów, wówczas może ujawnić się tzw. nadmiar jang w tym elemencie. Każde osłabienie śledziony daje rozdzielenie energii jin i jang, płyny idą ku ziemi, zaś energia w górę, co zawsze powoduje zaburzenia w krążeniu, blokady, zastoje.

Poza tym fakt, że lato jest czasem aktywności elementu ognia i jego narządów to jedno, drugie zaś, że cały ów element i należące do niego funkcje organizmu są osłabione poprzez ogólny niedobór energii jang w alergicznym organizmie. Element Ognia (serca) jest stwarzany przez element Drzewa (wątroba), a jaka jest siła wątroby w organizmie wychłodzonym, doskonale wiemy, przeżywając gehennę w momencie przesilenia wiosennego. Zatem i w tym elemencie jest niedobór jang. Aby jeszcze dokładniej zrozumieć przyczynę swędzących oczu, należy wspomnieć o tym, że element Ognia, gdy jest niedowartościowany energetycznie, „zabiera" energię z elementu Ziemi (żołądek, śledziona, trzustka).

Z mojej obserwacji wynika, że przy swędzeniu oczu (wewnętrzne kąciki) decydującą rolę odgrywa właśnie osłabienie wątroby i woreczka żółciowego. Problemy poruszone powyżej, a dotyczące elementu Ognia, potwierdzają słuszność tego wniosku. Serce będzie zabierało również energię z elementu Drzewa. Dolegliwość ta ujawnia się w czerwcu, ponieważ jest to czas, gdy już nagromadziły się w nas negatywne skutki nowalijkowych i truskawkowych szaleństw i może przejść w stan chroniczny. Wątroba i woreczek żółciowy mają w swojej funkcji poruszanie energii w meridianie żołądka i śledziony. Jeśli narządy te są osłabione z powodu niedoboru energii jang, tworzą się na twarzy (wokół oczu) alergiczne zmiany, tzw. egzemy, zaczerwienienia, swędzenia, wysypki.

Reasumując: swędzenie oczu mówi nam o zaburzeniach w krążeniu energii i nierównowadze w elemencie Drzewa, Ognia, Ziemi, może się do niej dołączyć blokada w pęcherzu moczowym. A więc ta banalna dolegliwość świadczy o nierównowadze całego organizmu. Jeśli nie zareagujemy, nasze oczy będą ciągle zaczerwienione, spuchnięte, łzawiące, ropiejące, z łuszczącymi się powiekami, wrażliwe na słońce.

Mamy do wyboru albo leki zachowawcze, często hormonalne, albo wyeliminowanie z pożywienia produktów, które niszczą nasze wnętrze. Drugi sposób jest nie tylko bezpieczniejszy, ale i bardziej skuteczny. Możemy pomóc sobie również akupresurą uciskając punkt pierwszy na meridianie jelita grubego, punkt pierwszy woreczka żółciowego, punkt pierwszy pęcherza moczowego i punkt drugi i trzeci wątroby[3] oraz wprowadzając gimnastykę połączoną z właściwym oddechem.

Swędzenie oczu nasila się w okresie pylenia traw i drzew, jednakże jest to przypadkowa zbieżność – pyłki i słońce zawsze były, to nasz organizm się zmienił, zniszczył, rozregulował. Gdy mamy w organizmie blokady energetyczne, a nasza śluzówka nie jest właściwie regenerowana, płuca są osłabione, wątroba zimna, zawsze będziemy reagować na dodatkowe „zanieczyszczenia" powietrza, na „rażące" słońce. Jednakże prawdziwą przyczyną naszego cierpienia alergicznego jest nadmiar smaku kwaśnego, słonego, potraw i napojów zimnych, fascynacja nowalijkami, owocami, lodami, wychładzanie ciała przy pierwszych promieniach słońca, kąpiele, przemęczenie zarówno pracą fizyczną, jak i umysłową, brak ruchu, stres.

Wysypki

Wysypka jest takim samym objawem jak katar czy kaszel, mówiącym o tym, że w organizmie zagnieżdża się nierównowaga jin-jang, osłabione jest krążenie i tworzą się zastoje energii i krwi oraz brakuje składników odżywczych niezbędnych do regeneracji tkanki.

Ponieważ pojawia się na skórze, świadczy przede wszystkim o utracie równowagi w płucach oraz wątrobie. Wysypka pojawia się najczęściej w miejscach, w których przebiegają meridiany związane z pracą płuc i w których dochodzi do zablokowanie energii. Są to meridiany jelita grubego, wątroby, no i oczywiście płuc.

I tak: bardzo częsta u małych dzieci wysypka w górnej części policzków to osłabienie płuc, niedobór energii i właściwej esencji, o zgrozo, leczona maściami kortyzonowymi (a wystarczyłoby zmienić pożywienie). Rączki – skóra popękana, sucha, silnie swędząca, to osłabiona śledziona (niedobór wilgoci), suche płuca i niedoczynna wątroba. Silnie swędząca wysypka na przedramieniu, w okolicach łokcia, to nie tylko problem śledziony i płuc, ale również jelita grubego (nadmiar emocji). Wysypka na klatce piersiowej to śluz w płucach, liszaje na twarzy oznaczają głównie osłabiony środkowy ogrzewacz (żołądek, śledziona, trzustka, wątroba), trądzik na plecach (barkach) i twarzy to stres, zablokowane krążenie, zimno i śluz w organizmie, a głównie w płucach i głowie, liszajowate, swędzące zmiany na pośladkach – problemy z krążeniem, zimnem i przykurczem mięśni pośladkowych. Wysypka w okolicy narządów płciowych, podbrzusza i okolicach kolan to problemy wątrobowo-krążeniowe, zimno.

Są dwa rodzaje wysypki: tzw. zimna, gdy pojawiają się czerwone, silnie swędzące punkciki, z czasem przechodzące w szorstkie, oraz wysypka typu „pokrzywka", objawiająca się jako bąble. Jeżeli pierwszą należy traktować jako sygnał, że narządy są zimne i niedoczynne i że ciało trzeba rozgrzewać (w żadnym wypadku nie stosując maści kortyzonowych czy wapna), to drugi jej rodzaj mówi o blokadzie energii i chwilowym nadmiarze czynnika jang, który możemy zlikwidować wypijając kilka łyków wody z cytryną lub zjadając łyżkę twarogu.

Aby dokładnie prześledzić mechanizm powstawania wysypki, trzeba sięgnąć do rozdziału o termoregulacji i systemie obronnym. Bodźce negatywne penetrujące ciało (energia nadmiarów smakowych, stres, zimno) wyzwalają cały system reakcji skurczów, które blokują przepływ energii, krwi, wydzielanie esencji, a sama wysypka jest tylko maleńkim, niegroźnym znakiem, że coś poważnego dzieje się wewnątrz. Gdy skupimy się na jej usuwaniu, a zlekceważymy wnętrze, z całą pewnością w niedługim czasie pojawią się tzw. alergiczne problemy skórne oraz astma.

Wprowadzenie pożywienia zrównoważonego, o odpowiedniej energii, daje absolutną gwarancję wyeliminowania tych – jakże uciążliwych – dolegliwości z naszego życia.

Najważniejsze zalecenie przeciwalergiczne i astmatyczne: nie leczmy katarków, kaszelków, wysypek objawowo lekami hormonalnymi, odczulającymi, szczepionkami uodparniającymi! Jest pewne, że jest to najkrótsza droga do najpoważniejszych chorób cywilizacyjnych: cukrzycowych, krążeniowych, sercowych, nowotworowych, zniszczenia nerek, wątroby, otyłości.

Cukrzyca i dolegliwości okołocukrzycowe

Ponieważ choroby cukrzycowe to patologiczny kombajn, doradzam, aby rozdział ten przeczytały nie tylko osoby bezpośrednio zainteresowane, ale wszyscy rodzice.

Nie wiem, czy bardziej powinniśmy się bać wirusa HIV, wściekłych krów czy też zagrożenia, jakie niosą ze sobą choroby cukrzycowe wieku młodzieńczego. Ludzie, od których zależy zdrowie dzieci, tkwią w stereotypach myślowych niepozwalających na zmianę stosowanych obecnie zasad żywieniowych. Nie jest sztuką dopuścić do choroby dziecka, a następnie podejmować mniej czy bardziej kosztowne leczenie. Sztuką jest dzieci chronić! Sztuką jest uczyć, jak dbać o zdrowie i właściwy rozwój dziecka od chwili poczęcia. Z mojego doświadczenia wynika z całą pewnością, że pożywienie matek w ciąży oraz to, którym aktualnie karmi się niemowlęta i dzieci wieku przedszkolnego, jest podstawową przyczyną nie tylko chorób cukrzycowych, ale również większości pozostałych.

Czy kobieta, która nagle dowiaduje się, że jej dziecko jest chore na cukrzycę, a więc skazane na kalectwo, może wziąć na siebie odpowiedzialność za zdrowienie dziecka – choć jest taka szansa! – skoro wszyscy lekarze wokół głośno krzyczą, że jeszcze nie było przypadku wyleczenia z cukrzycy? Ale czy ktoś naprawdę próbował leczyć dziecko mające cukrzycę?! Czy ktoś naprawdę próbował zanalizować przyczyny tej choroby? Czy podawanie insuliny jest leczeniem? O ile wiem, cały problem cukrzycowy obraca się wokół stałego ulepszania jakości insuliny oraz bezwzględnego poddania się reżimowi dawkowania jej i tzw. wymienników. Nie upatrujmy przyczyny tej ciężkiej choroby tylko w genach, przecież i one zmieniają swoje kody pod wpływem czynników zewnętrznych.

W cukrzycy wieku dziecięcego występuje podobno całkowite zniszczenie komórek trzustkowych beta, które produkują insulinę. Podobno, bo w większości przypadków nie bada się, czy komórki są już zupełnie martwe. A jeżeli nie, to mamy prawo w efekcie leczenia wymagać regeneracji narządu. Czy zatem insulina jest lekarstwem?

Wiemy, że każdą cukrzycę poprzedza okres stanów zapalnych trzustki, które najczęściej przechodzą w stan chroniczny. Przewlekły stan zapalny trzustki prowadzi do zwłóknienia narządu i zaniku miąższu, a wywoływany jest w większości przypadków lekami steroidowymi, a również nadczynnością przytarczyc, zaburzeniami w przemianie tłuszczowej (niedoczynna wątroba) oraz przez alergie, przeziębienia, niedożywienie, a głównie przez niedobory białkowe (brak aminokwasów egzogennych).

Ci, którzy opierają analizę pracy narządów na zasadach medycyny chińskiej, zdają sobie sprawę, że stany zapalne pojawiają się w narządach wychłodzonych, niedoczynnych i z niedoborem jin. Stany zapalne to włączanie systemu alarmowego.

Jeśli w trzustce zaistniały problemy związane z komórkami beta oraz ich regeneracją, z pewnością w całym organizmie występują zaburzenia hormonalne, bo taka jest kolej rzeczy.

Istnieją opinie, iż organizm traktuje komórki beta jako antygeny i niszczy je własnymi przeciwciałami. Jeśli tak jest, to rodzi się pytanie: dlaczego? Czyżby układ odpornościowy był wadliwy? A jeśli tak, to dlaczego? Może sam proces regeneracji komórek beta jest niewłaściwy, ale dlaczego tak się dzieje?

Organizm młodego człowieka ma niezwykłą siłę regeneracji. Wiemy również na pewno, że każdy nasz narząd jest odnawialny. Należy jednak stworzyć ku temu odpowiednie warunki i zadać następne pytanie: jakim prawem traktujemy komórki beta jako już nieistniejące? Jeśli znajduje się tam choć jedna zdrowa komórka, dziecko ma szansę na wyzdrowienie!

Cukrzyca to nie tylko problem braku insuliny we krwi, to również zaburzenia trawienne i wchłaniania, przemiany białkowej, tłuszczowej, węglowodanowej, to zachwianie procesu krwiotwórczego i całego układu odpornościowego, ale przede wszystkim rozregulowany układ hormonalny.

Medycyna chińska traktuje cukrzycę jako zaburzenie funkcji środkowego ogrzewacza, a więc funkcji żołądka, śledziony, trzustki, wątroby, a przy zaburzeniach tego typu zawsze dołącza się niedoczynność płuc oraz niewydolność nerek. Ogólnie rzecz biorąc, można powiedzieć, że osoba z chorobą cukrzycową ma całkowicie rozregulowany organizm. Czy można zatem cukrzyka „leczyć" wyłącznie insuliną, podawać mu „wymienniki" i mieć problem z głowy?

Nie możemy zapominać o emocjach. Organizm taki funkcjonuje jak zwariowany zegarek w tzw. układzie dodatniego sprzężenia zwrotnego, kiedy każdy skutek jest przyczyną następnego. Pojawiają się emocje związane z tzw. fałszywym ogniem (niedobór jin), czyli agresja, rozdrażnienie, nadmierna aktywność, pobudzenie lub też emocje zupełnie przeciwne, jak depresja, apatia, niechęć do życia. Dzieci z niedoborem jin często przejawiają duże zdolności intelektualne (intelekt-ogień). Zarówno rodzice, jak i dzieci, nie zdają sobie sprawy, że jest to dla nich zabójcze, nadmierna praca umysłowa niszczy dodatkowo jin wewnętrzne. Fakt ten bywa często dla rodziców zupełnie niezrozumiały i nie do przyjęcia, są przecież zachwyceni i dumni z poziomu umysłowego ich dziecka. Tymczasem wystarczyłoby wyłączyć je na rok z życia szkolnego, aby organizm rozpoczął regenerację.

Spotkałam kiedyś mądrą babcię, która powiedziała o swej trzyletniej wnuczce: „Cóż mi z jej intelektu, jeśli ona nie może zrobić kupy?" Proces niszczenia organizmu, w efekcie którego ujawnia się cukrzyca, trwa wiele lat. Jeśli choroba pojawia się już u dzieci kilkuletnich, oznacza to, że matka w czasie ciąży popełniała kardynalne błędy żywieniowe, mogło się również dołączyć – jako czynnik dodatkowy – wielopokoleniowe osłabienie. Symptomy cukrzycowe są bardzo wyraźne, lecz rodzice i lekarze nie wiedzą, że mają one związek z przyszłą chorobą. Pomijam tutaj cały łańcuszek dolegliwości, jak katary, alergie, astma, bóle brzucha, niestrawności. Chodzi mi głównie o podwyższony poziom cukru we krwi. Jestem pewna, że u dzieci stale chorujących, alergicznych, astmatycznych, z permanentnym stanem zapalnym trzustki, powinien budzić on co najmniej podejrzenia na długo przed ujawnieniem się choroby. Dzieci karmione w niewłaściwy sposób mają na pewno wyniki niezgodne z normą. Wniosek z tego jeden: ich metabolizm jest zaburzony, a narządy niedoczynne. Przyczyna może być również tylko jedna: wychłodzenie organizmu. Co wychładza organizm, już wiemy – niewłaściwe odżywianie, przemarzanie i stres.

Jako ciekawostkę podam menu kobiet w ciąży i karmiących piersią, których dzieci później zachorowały na cukrzycę, a także dzieci:

- w ciąży – dużo surówek, jogurty owocowe, sery, dużo jabłek, lody, ciasto, wędliny, wieprzowina, dużo wody, soki, dużo kiszonych ogórków i kapusty, bardzo dużo cytryn, czerwone wino

- karmienie piersią (krótkie) – surówki, owoce, mleko sojowe, jogurty owocowe z białym ryżem, soki, kurczaki, kiszona kapusta, sery
- menu niemowląt – preparaty mlekopodobne, mleko sojowe, sztuczne kaszki bez gotowania, zupki ze słoiczków, biszkopty, owoce, soczki, jogurty owocowe, serki homogenizowane
- dzieci starsze – ser żółty, jogurty owocowe, płatki zalewane zimnym jogurtem lub mlekiem, lody, zimna woda, zimne napoje, frytki, fast foody, wędliny, ryby, surówki, duże ilości słodyczy.

Takie odżywianie zarówno matek w ciąży, jak i dzieci, budzi grozę, jest bowiem bezpośrednią przyczyną chorób, o których mówimy. Wskazane powyżej produkty nie pozwalają na prawidłowy rozwój dziecka ani w fazie płodowej, ani po jego narodzeniu.

Co w szczególności szkodzi cukrzykom? Lekarze stwierdzili, że gluten (białko pszenicy) i wędliny (związki chemiczne w nich zawarte) uszkadzają komórki beta trzustki. Takim stwierdzeniem wystawiamy sobie „piękne" świadectwo. Uważam, że dorosłość to czas na rzetelność i odpowiedzialność – w końcu dzieci na nas patrzą. Z glutenem jest tak samo jak z krowami – może Natura nie zauważy, że karmimy te przeżuwacze mączką mięsno-kostną... Zmieniając geny pszenicy, wyhodowaliśmy ziarno wysokoglutenowe, bardzo korzystne dla producentów makaronu, ale nie dla ludzi. Słyszy się więc wokół, jak bardzo jest szkodliwy, a nawet stwierdza, że zawiera toksyczne związki i wymyśla sposoby unikania go w pożywieniu oraz leczenia czynionych przez niego zniszczeń. Czy tak trudno wpaść na to, aby zakazać całkowicie uprawy odmian wysokoglutenowych? Przecież gluten szkodzi nam wszystkim!

Szkodliwość wędlin przy chorobach cukrzycowych jest sprawą oczywistą. Sami producenci gubią się w rozeznaniu, czy wędlina to jeszcze mięso, czy już surogat. Jedno jest pewne: nie smakują one już tak jak dawniej. Poza tym wędliny to spotęgowana energia smaku słonego, absolutnie niewskazanego przy cukrzycy, podobnie jak pszenica, która jest smakiem kwaśnym.

Poza tymi dwoma niszczącymi składnikami pożywienia należy wspomnieć o nadmiarze błonnika, który osłabia narządy, a głównie śledzionę, trzustkę i wątrobę. Błonnik unieczynnia insulinę poprzez wiązanie cynku. Gdy go brakuje, insulina nie może spełniać właściwego sobie zadania, czyli transportować glukozy do komórek oraz zamieniać jej w zapasowy glikogen. W przypadku powstania takiej sytuacji komórki beta trzustki są stale aktywizowane wysokim poziomem glukozy – może dochodzić wówczas do ich przemęczenia i zniszczenia. Cynk konieczny jest również przy uwalnianiu z wątroby witaminy A, nieodzownej przy regeneracji jakiejkolwiek tkanki, a więc i komórek beta trzustki. Poza tym jest składnikiem wielu enzymów, także DNA i RNA. Zjadanie więc dużych ilości surowych płatków (musli) i otrąb, owoców i surówek przyczynia się bardzo poważnie do powstawania chorób cukrzycowych. W zapobieganiu cukrzycy niezmiernie ważną rolę pełni także chrom, którego niedobór prowadzi do zachwiania tolerancji insuliny.

Szkodzi pożywienie „serkowo-owocowo-soczkowe", gdyż nie dostarcza bardzo ważnych soli mineralnych, takich jak magnez, żelazo, cynk, chrom, które decydują o właściwej jakości krwi, pracy wątroby, aktywności insuliny.

Z pewnością narządy środkowego ogrzewacza są niszczone przez zimne napoje, jogurty owocowe, owoce, słodycze, sztuczne zupki dla niemowląt, sztuczne mleko, kiszone ogórki, kapustę, preparaty wapniowe podawane przy alergii i przeziębieniach, antybiotyki, bo rozregulowują naturalną odporność organizmu, powodując jednocześnie dużą produkcję śluzu, który odkładając się w płucach zaburza krążenie energii, właściwe oddychanie i przekazywanie tlenu do komórek. Niedobór tlenu stwarza zagrożenie niewykorzystania glukozy, stąd pojawia się zmęczenie komórek beta trzustki nadmierną produkcją insuliny. Szkodzą leki przeciwzapalne na bazie steroidów, szkodzi również niejedzenie śniadań, ciepłych potraw, stres, nadmiar nauki, brak ruchu i niewietrzone pomieszczenia, biały kolor, przemarzanie, nadmierny wysiłek fizyczny.

Z pewnością choroby cukrzycowe jako zwieńczenie naszej nonszalancji wobec życia mogą być bogatym materiałem dla każdego poszukującego i otwartego naukowca. Wszak tyle jeszcze jest w tej materii do zrozumienia i poznania! Twierdzenie, że choroba cukrzycowa jest chorobą genetyczną, to tylko odnalezienie skutku, nie zaś przyczyny.

Aby bardziej szczegółowo wyjaśnić zespół zmian, jakie zachodzą w organizmie narażonym na chorobę cukrzycową oraz tym, w którym już ta choroba się rozwinęła, przypomnę pokrótce, czym jest homeostaza. Jest to zdolność utrzymywania stałości środowiska wewnętrznego w organizmie żywym mimo ustawicznej zmiany warunków otoczenia. Dopóki złożone mechanizmy zabezpieczające działają sprawnie, człowiek ma zapewnione stałe środowisko wewnętrzne. Gdy ulegną zepsuciu lub negatywne bodźce zewnętrzne przekroczą ich wydolność, wówczas komórki zmieniają swoją czynność, co prowadzi do choroby i śmierci. Brzmi to aż nadto zrozumiale. Zauważmy, że homeostaza to dobrze nam znana równowaga jin-jang.

Wracając do komórek beta w trzustce – zastanówmy się, dlaczego właśnie one tak dziwnie się zachowują i wchodzą w układ, który jest niszczony przez własny organizm.

Co wiemy? Pewne jest to, że organizm taki jest wychłodzony, niedożywiony, a narządy niedoczynne. Pewne jest również to, że dolegliwości, jakie się w związku z tym ujawniają (katary, kaszle, anginy, przeziębienia, alergie, astma, stany zapalne trzustki i nerek, chroniczne bóle brzucha i jelit) są ewidentnymi znakami, że ciało potrzebuje energii jang do ogrzania swego wnętrza, a więc pożywienia odmiennego od dotychczasowego, czyli rozgrzewającego, ciepłego. Ale niestety pewne jest również to, że nie pozwalamy dziecku na dogrzanie, doenergetyzowanie, zmianę pożywienia, za to „leczymy" antybiotykami i bardzo często lekami przeciwzapalnymi na bazie glikokortykoidów, czyli hormonów kory nadnerczy. Są to tzw. hormony steroidowe, do których należy znany nam wszystkim hydrokortizon.

Glikokortykoidy wpływają na przemianę białek, cukrów, tłuszczów, wody, składników mineralnych, zmieniając czynności wielu układów, m.in. podwyższają stężenie glukozy we krwi przez nasilenie glikogenolizy i zmniejszenie zużycia glukozy poprzez bezpośrednie oddziaływanie na komórki beta i blokowanie wydzielania insuliny. Zwiększają rozkład białek w mięśniach i kościach, utrzymują pobudliwość mięśni, działają przeciwalergicznie, przeciwzapalnie i hamująco na syntezę prostaglandyn, które odgrywają podstawową rolę w systemie termoregulacji biologicznej organizmu. Glikokortykoidy zmniejszają również liczbę leukocytów, limfocytów oraz upośledzają czynności węzłów chłonnych i grasicy. Nic dodać, nic ująć! Leki podawane z taką nonszalancją, podobnie jak antybiotyki, już małym dzieciom, tylko po to, aby usunąć stan zapalny, rozregulowują cały organizm. To jest właśnie jedna z głównych przyczyn, która sprawia, że komórki beta trzustki tracą swoją tożsamość i fizjologiczną indywidualność.

Być może dziecko, które miało przyzwoite warunki rozwoju w łonie mamy, a następnie było karmione mlekiem swej zrównoważonej mamy, po czym przeszło na pożywienie odpowiednie dla jego wieku, nie zareaguje tak negatywnie na omawiane powyżej leki. Ale o czym my mówimy? Przecież takie dziecko leków w ogóle nie potrzebuje.

Jedno mnie tylko interesuje. Czy matki, które godzą się na sposób leczenia swojego dziecka zaordynowany przez lekarza, mają świadomość, jakie skutki uboczne niesie kuracja lecznicza? Czy lekarz ordynujący z taką swobodą groźne leki – nie zawsze potrzebne – pamięta o przysiędze Hipokratesa „przede wszystkim nie szkodzić"?

Co na temat cukrzycy mówi medycyna chińska? Klasyfikuje tę chorobę jako stan nierównowagi jin-jang z typowym niedoborem jin, czyli płynów (krew, enzymy, hormony, śluzy) i substancji, oraz wynikającym z tego nadmiarem jang (fałszywy ogień), który – jak wiemy – zawsze ujawnia się, gdy brakuje drugiego czynnika (jin).

Wbrew temu, co mówi stan chorego – nadmierne pobudzenie, przyspieszona przemiana materii, nadczynność niektórych gruczołów wydzielania wewnętrznego – pierwotną przyczyną zawsze jest zniszczenie narządów wewnętrznych pożywieniem wychładzającym, zimnem zewnętrznym lub stresem. Korzeniami cukrzycy jest bowiem choroba zimna i niedoczynność narządów; na skutek nadmiaru negatywnych czynników zewnętrznych i pogłębiania się choroby przeradza się ona w tzw. fałszywy jang.

Z „Filozofii zdrowia" wiemy już, co to znaczy niedobór jin i kiedy taki stan się ujawnia. Jednak dla przypomnienia: esencja, czyli pramateria w organizmie wytwarzana jest przez śledzionę, wyłącznie w warunkach optymalnych, czyli musi być zapewniona odpowiednia temperatura ciała, pożywienia, otoczenia, odpowiednia energia pożywienia (energia wszystkich smaków oraz energia jang – ognia) oraz równowaga emocjonalna. Jeżeli esencji (jin) brakuje lub ma niewłaściwą jakość, znaczy, że śledziona i trzustka nie pracują prawidłowo. W tym przypadku łatwo nam – znającym już uniwersalne zasady – wyciągnąć właściwe wnioski co do przyczyny ich niewydolności oraz chorób, które na tym podłożu się rozwijają.

Przy analizie cukrzycy wg zasad medycyny chińskiej bardzo pomocne staje się prześledzenie funkcji potrójnego ogrzewacza. Musimy pamiętać, że niedoczynność i niedobór energii jang w środkowym ogrzewaczu (żołądek, śledziona, trzustka, wątroba) nieusunięta w porę, pociąga za sobą zawsze niedoczynność i niedobór energii w górnym ogrzewaczu (płuca i serce), a następnie i w dolnym (nerki).

Przy cukrzycy bardzo ważną, mogącą przyspieszyć zdrowienie rolę, spełniają płuca jako główny narząd natleniający cały organizm. Należy zwrócić uwagę na postawę chorego, jakość mięśni klatki piersiowej i pleców, jakość oddechu i wprowadzić systematyczne, specjalistyczne ćwiczenia. Z pewnością ze względu na złą jakość mięśni i kondycję całego ciała w pierwszym okresie nie jest wskazany nadmierny wysiłek fizyczny (gra w piłkę, w tenisa, jazda na rowerze, pływanie). Jest to ważne również dlatego, że śledziona i trzustka go nie lubią. Nie zapominajmy, że chory na cukrzycę powinien być traktowany jako rekonwalescent, a nie zdrowy człowiek. Przywiązując należytą wagę do odpowiednich ćwiczeń, pozwolimy również na usunięcie zalegającego w płucach śluzu, co automatycznie przyczyni się do polepszenia jakości oddechu, a tlen – jak wiadomo – jest bezcenny w chorobie cukrzycowej.

Chciałabym jeszcze wspomnieć o ważnej funkcji hormonów, które – moim zdaniem – w chorobie cukrzycowej spełniają pierwszorzędną rolę. To biokatalizatory, podobnie jak enzymy i witaminy, ale w przeciwieństwie do nich działają tylko w żywych organizmach. Hormony są nośnikami i przekaźnikami informacji, a docierając do komórek, tkanek lub narządów zmieniają ich funkcję. Są niezbędne do życia, choć wiadomo, że bez niektórych jest ono możliwe. Nie oznacza to jednak, że funkcje organizmu będą wówczas prawidłowe, wystąpi bowiem stan niedoboru jin.

Wydzielanie hormonów regulowane jest impulsami nerwowymi, psychicznymi oraz humoralnymi, czyli związkami chemicznymi i innymi hormonami znajdującymi się we krwi. Zarówno podwzgórze, jak i przysadka oraz inne gruczoły wrażliwe są na zmiany fizyczne i chemiczne tkanek krwi, np. zawartość cukru, soli, hormonów, temperaturę, stres i na energię smaków. Pobudzanie detektorów wpływa na czynność podwzgórza i przysadki oraz dalszych zależnych od nich gruczołów. Wpływy tzw. psychiczne, które bezpośrednio oddziałują na korę i podwzgórze, to nic innego jak nasze emocje, czyli wypadkowa stanu równowagi narządów. Wiemy już bardzo dobrze, że emocje zjawiają się w sposób niezależny od naszej woli, lecz zależny od stanu świadomości. Świadomość zaś jest konsekwencją równowagi narządów.

Gruczoły dokrewne, które produkują hormony, mogą przejawiać stany niedoczynności lub nadczynności, a z tym związane są już bardzo konkretne zaburzenia w całym organizmie, jako że niedobór lub nadmiar choćby jednego hormonu pociąga za sobą łańcuchową reakcję niedoborów lub nadmiarów innych czynnych związków chemicznych. Właśnie skutkiem rozregulowania hormonalnego organizmu jest cukrzyca, a czynnikami niszczącymi były niewłaściwe pożywienie, zimno i stres. Fakt utrzymywania się wysokiego poziomu glukozy we krwi mówi nam, że coś dzieje się z podażą insuliny i jej aktywnością, lecz nie jest to jednoznaczne z całkowitym zniszczeniem komórek beta.

Jednym z ważniejszych hormonów jest hormon wzrostu przysadki mózgowej, który działa uniwersalnie, pobudza przemianę białek, tłuszczów, cukrów i składników mineralnych, dając tym samym przewagę anabolizmu potrzebnego do wzrostu rozwoju młodego organizmu, a w organizmie dojrzałym pozwala na zachowanie masy ciała. Jest to długołańcuchowy polipeptyd, który do swej budowy potrzebuje aminokwasów egzogennych. Hormon wzrostu ułatwia transport aminokwasów do komórek i syntezę ich białek, zwiększa zawartość glukozy we krwi i wydzielanie insuliny.

Negatywne czynniki zewnętrzne, jak zimno oraz minimalne choćby obniżenie temperatury krwi, powodują natychmiastowe uaktywnienie funkcji tarczycy. Jest to drugi ważny gruczoł, który może mieć związek z chorobą cukrzycową. Nadczynność tarczycy może być również wywoływana niedoborem witamin A, D i E (rozpuszczalne w tłuszczach). Przy uaktywnieniu tarczycy zwiększa się zużycie tlenu, wydzielanie hormonów wzrostu przysadki, przemiana białek, cukrów, tłuszczu, cholesterolu, przemiana wodno-mineralna. Hormony tarczycy działają bowiem jako aktywatory procesów metabolicznych, a przy jej nadczynności występuje duża pobudliwość nerwowa oraz zwiększa się przemiana materii, aż do wyniszczającej.

Kolejnym gruczołem dokrewnym są nadnercza, których część rdzeniowa wydziela hormon adrenalinę. Adrenalina powstaje z fenyloalaniny. Jest wydzielana wówczas, gdy zostajemy poddani silnym bodźcom, zwanym alarmowymi lub stresowymi. Hormon ten wpływa na metabolizm, krążenie, oddychanie, trawienie, wydalanie i odśrodkowy układ nerwowy. Zwiększa stężenie glukozy we krwi i przyspiesza rozpad glikogenu. Znamienne jest, że uaktywnia pracę umysłową, zwiększa przemianę materii, hamuje uwalnianie insuliny, przez co zmniejsza się zużycie glukozy. Stan chronicznej aktywności adrenaliny jest poważnym zagrożeniem dla wszystkich, którzy żyją w permanentnym stresie, szczególnie jest to groźne u dzieci i młodzieży i z pewnością przyczynia się do powstawania chorób cukrzycowych.

Kora nadnerczy wydziela m.in. kortyzon, który wpływa na przemianę białek, cukrów, tłuszczów, wody i składników mineralnych. Podwyższa stężenie glukozy we krwi, gdyż zwiększa w wątrobie syntezę glikogenu, z równoczesnym nasileniem glikogenolizy i zmniejszeniem zużywania glukozy.

Jest pewne, że cała wzajemna regulacja oddziaływań hormonów może ulec zachwianiu, a wówczas i przysadka, i podległe jej gruczoły dokrewne wydzielają maksymalne ilości hormonów. Dzieje się tak pod wpływem bodźców pobudzających, takich jak głód, uraz, ból, strach, stres, które – zamiast służyć ochronie naszego życia – przeszły w wyniszczające stany chroniczne.

Opisana sytuacja dotyczy również trzustki, która jest zarówno narządem, jak i gruczołem wydzielania wewnętrznego. Produkuje soki trawienne, które spływają do dwunastnicy, trawiąc białka, węglowodany i tłuszcze, produkuje również dwa hormony: insulinę w komórkach beta i glukagon w komórkach alfa. Insulina to polipeptyd składający się z 51 aminokwasów, w tym egzogennych. Jest wychwytywana przez komórki w całym organizmie, ale proces ten warunkuje obecność cynku. Działa anabolicznie w różnych komórkach, a zwłaszcza w wątrobie, mięśniach szkieletowych i tkance tłuszczowej. Mechanizm działania insuliny jest bardzo złożony i uzależniony od wielu czynników, m.in. od wspomnianego już cynku i chromu.

Z powyższych rozważań wynika, że w regulacji poziomu glukozy we krwi bierze udział cały system nerwowo-hormonalny, a więc nie tylko insulina, ale i glukagon, hormony kory i rdzenia nadnercza, przedniego płata przysadki i tarczycy. Zatem zaburzenia okołocukrzycowe stanowią bazę dla wielu chorób, nie tylko cukrzycy. Jest oczywiste, że w organizmie chorym na cukrzycę, obok tej jednej dominującej przypadłości, rozwija się szereg innych, jak niezrównoważenie emocjonalne, problemy trawienne i wchłaniania, choroby krążeniowe, choroby płuc, nerek. Czy więc przy tak poważnym stanie możemy poprzestać na podawaniu insuliny, twierdząc, że to tylko choroba trzustki?

Co możemy polecać cukrzykom? Szczególnie czosnek, cebulę, por, koper włoski, które poprawiają przemianę materii i obniżają poziom glukozy. Niezbędne są produkty pochodzenia zwierzęcego, przede wszystkim cielęcina i młoda wołowina, podroby, jajka, ponieważ zawierają bezcenne przy tej chorobie chrom, żelazo i cynk oraz białko stanowiące źródło aminokwasów egzogennych, a bez nich – jak wiadomo – powstają niedobory hormonalne. Stałe menu powinny stanowić wszelkie produkty, zwane potocznie ciężkostrawnymi, czyli groch i fasola, cebula, czosnek, zielone części roślin dodawane do potraw. Od czasu do czasu można ugotować cykorię i czarne jagody z tego względu, iż zawierają związki o działaniu podobnym do insuliny.

Podkreślam jeszcze raz z całą mocą, że w chorobie tej absolutnie konieczne jest eliminowanie wszystkiego, co kwaśne, surowe i zimne, stosowanie zasad równoważenia potraw i bardzo dokładnego ich przyprawiania oraz bezwzględne przestrzeganie czasu odpoczynku, ochrona przed stresem i, oczywiście, bardzo regularne posiłki.

Półpasiec, ospa, opryszczka

Są to dolegliwości wywołane przez wirus, którego uaktywnienie jest ściśle związane z funkcją wątroby, jej osłabieniem, czyli niedoczynnością i zimnem w całym organizmie. Półpasiec i ospa najczęściej pojawiają się o jednej porze roku, tj. pod koniec zimy lub wczesną wiosną. Pamiętajmy, że wiosna wg kalendarza chińskiego zaczyna się już w połowie lutego.

Półpasiec – wbrew temu, co moglibyśmy sądzić po nazwie tej choroby – swoje dolegliwości przejawia nie tylko w okolicach pasa, ale również na twarzy. Może pojawiać się też na pośladkach. Wysypka umiejscawia się tam, gdzie w organizmie jest najwięcej zimna. I tak – półpasiec typowy, umiejscowiony wokół pasa – to zimno wątroby i całego środkowego ogrzewacza. Półpasiec twarzowy pojawia się wokół meridianu żołądka i woreczka żółciowego, zaś pośladkowy to niedobór energii w osierdziu (krążenie/seks) i słabe krążenie.

Półpasiec wywołuje nie tylko wysypkę, ból i wrażliwość na dotyk, ale również duże pobudzenie emocjonalne.

Jeżeli dolegliwość tę będziemy leczyć wyłącznie farmakologicznie, bez zmiany diety, możemy być pewni, że narządy, które ją wywołały (zimny żołądek, śledziona, trzustka, wątroba), dadzą w najbliższym czasie znać o sobie, jednak już w innej formie. Natomiast półpasiec leczony wyłącznie za pomocą zrównoważonego pożywienia być może ustępuje wolniej, ale mamy gwarancję, że usunęliśmy przyczyny, a narządy doprowadzamy do stanu równowagi energetycznej.

Do niedawna półpasiec w większości przypadków dotykał ludzi w podeszłym wieku. Niestety, ostatnio coraz częściej zapadają na tę dolegliwość również dzieci. Jest to groźny sygnał, ponieważ młody organizm powinien mieć ogromne zasoby energii jang.

Ospa wietrzna być może jest mniej dokuczliwa, ale jako zjawisko uaktywniające się zawsze o tej samej porze roku (wczesna wiosna) mówi nam wiele o osłabieniu wątroby po szaleństwach z poprzedniego lata, jesieni i zimy (Święta!!!).

Opryszczka, określana potocznie jako „zimno", uzewnętrznia się najczęściej w tzw. miejscach „żołądkowo-śledzionowych", czyli na górnej wardze i skrzydełkach nosa. Może pojawić się też na twarzy wzdłuż meridianu żołądka lub na policzkach (płuca). Wniosek z tego prosty – środkowy ogrzewacz jest w niedoborze energii jang (ciepło i czi).

Przy wymienionych wyżej przypadłościach należy przystąpić do rozgrzewania organizmu; w pierwszej kolejności eliminujemy pożywienie kwaśne, surowe i zimne. Przypomnę, że są to surowe owoce, soki, surówki, sery, jogurty, kwaśne potrawy, kurczaki, zimne napoje, lody, słodycze. Wprowadzamy pożywienie zrównoważone, o naturze neutralno-rozgrzewającej. Ubieramy się w bieliznę w kolorze czerwonym, żółtym lub pomarańczowym.

Łuszczyca

Łuszczyca jest chorobą skóry, objawiającą się stanem zapalnym, suchością, łuszczeniem się, bólem i świądem. Są to zewnętrzne objawy wewnętrznych problemów. Decydującą rolę w tym schorzeniu odgrywają wątroba, żołądek, śledziona, trzustka i płuca. Łuszczyca to wewnętrzny stan ognia wątroby i płuc (niedobór esencji, czyli jin), który jest skutkiem niedoczynności żołądka, śledziony i trzustki. Należy także pamiętać, że łuszczyca idzie w parze z marskością wątroby (zwłóknienie).

Wątroba zawiaduje naszą podświadomością, w której gromadzą się emocje i uczucia, co zawsze znajduje wyraz w jakości tkanki łącznej i pracy mięśni. Zatem przyczyną łuszczycy, oprócz podstawowych błędów żywieniowych, które spowodowały zaburzenie całej przemiany materii, są również poważne problemy emocjonalne, często obecne już od dzieciństwa. Dominującym stanem emocjonalnym jest w tej chorobie tłamszony, zduszany żal i smutek, ciągnący się często od wielu pokoleń.

Niezbędne jest uwzględnienie powyższych czynników i należy starać się świadomie ten problem rozwiązać. Pomocne będą intensywne ćwiczenia ruchowe, a nawet siłowe z małym obciążeniem, które bardzo efektywnie wspomogą oddech i pracę płuc oraz usprawniając całe krążenie odciążą wątrobę, a tym samym może rozpocząć się proces uwalniania bloków emocjonalnych. Wszelkie ćwiczenia, poprawiając krążenie, wpłyną pozytywnie na odżywianie i odnowę tkanek oraz komórek, w tym oczywiście skóry.

Łuszczyca jako choroba przemiany materii wymaga szczególnej staranności w przygotowywaniu pożywienia zrównoważonego, aby jego trawienie i wchłanianie zapewniało właściwe składniki odżywcze mogące zregenerować zniszczoną skórę. Niezbędna jest energia jang (ognia), która wzmacniając środkowy ogrzewacz wzmocni również wątrobę, a więc krążenie i tkankę łączną. Niewskazane jest zatem pożywienie kwaśne, zimne i surowe, czyli takie, które ma energię skurczającą, blokującą krążenie oraz nie dostarcza właściwych składników. Należy wyeliminować z jadłospisu mleko, sery, jogurty, soki, owoce, surówki, kurczaki, wieprzowinę.

Pożywienie winno więc być przygotowywane z myślą o wzmocnieniu śledziony i regeneracji wątroby. Powinno mieć naturę neutralno-rozgrzewającą, aby odbudowywać wewnętrzną substancję. Korzystamy z wszystkich jarzyn, z mięsa cielęcego i indyczego oraz przypraw, zestawiając je w idealnej równowadze smakowej. Przypominam, że wiodącym smakiem przy regeneracji substancji wewnętrznej jest smak słodki (nie od cukru). Posiłki powinny być zawsze ciepłe, gotowane i bardzo urozmaicone, z uwzględnieniem produktów tzw. ciężkostrawnych. Do picia polecam herbaty regenerujące śledzionę, trzustkę i wątrobę. W leczeniu łuszczycy bardzo pomocny jest tran i tłuste morskie ryby (halibut, makrela), fasolka szparagowa i wywar ze strączyn fasoli, topinambur, pasternak oraz stosowanie wyłącznie oliwy z oliwek lub oleju rzepakowego z dodatkiem masła.

Łuszczyca jest dotąd uważana za chorobę nieuleczalną, niewiadomego pochodzenia, choć stwierdzono, że jest pochodną niewłaściwej przemiany materii. Po przejściu na pożywienie zrównoważone i uświadomieniu sobie problemów emocjonalnych organizm wraca do naturalnego stanu równowagi, a wszelkie dolegliwości ustępują. Skóra się regeneruje, a więc problem łuszczycy znika.

O tym, że łuszczyca to jedna z wielu chorób rozwijających się na bazie niedoboru energii jang (ciepło i czi) i związanej z tym niewłaściwej przemianie materii, świadczy fakt, iż leczniczo działają naświetlenia podczerwienią oraz letnie słońce.

Celiakia

Oprócz podstawowych wiadomości na temat celiakii, które podałam w „Filozofii zdrowia", pragnę dorzucić kilka dodatkowych informacji. Z moich obserwacji wynika, że podstawowym narządem, który decyduje o dolegliwościach związanych z tą chorobą, jest wątroba i jej silna niedoczynność, a w głównej mierze problemy z przemianą tłuszczową. Jest rzeczą oczywistą, że do zniszczenia wątroby dochodzi pod wpływem pożywienia kwaśnego, surowego i zimnego, które nie dostarcza organizmowi składników potrzebnych do regeneracji śluzówki jelita (chodzi głównie o witaminy A, D, B, cynk, magnez), ale zauważyłam również, że języczkiem u wagi w ujawnieniu się tej choroby jest zjedzenie dużej porcji tłuszczu albo przez matkę karmiącą, albo przez samo dziecko. Przy zauważeniu pierwszych objawów, czyli uciążliwej biegunki, należy zastosować ścisłą dietę, polegającą na eliminowaniu wszystkich potraw kwaśnych, a więc owoców, soczków, surówek, jogurtów, serów, kurczaków, słodyczy, a także potraw z dodatkiem mąki pszennej. Do momentu ustąpienia dolegliwości podajemy wyłącznie gęstą marchwiankę z kleikiem z płatków owsianych, a następnie potrawy gotowane i zrównoważone.

Dlaczego potocznie uważa się, że celiakia to szczególna wrażliwość na gluten? Moim zdaniem, śluzówka jelitowa jest zniszczona niewłaściwym pożywieniem matki w ciąży oraz dziecka, gluten zaś jest jedynie składnikiem pokarmowym najostrzej drażniącym. W związku z tym należy eliminować z pożywienia nie tylko produkty z pszenicy, ale również wszystkie inne mające energię smaku kwaśnego, zimne i surowe oraz oczywiście cukier, a przede wszystkim nadmiar tłuszczu.

Grzybice

Grzybice ujawniają się wyłącznie w organizmie z nadmiarem wilgoci. Jest to więc osłabienie środkowego ogrzewacza (żołądek, śledziona, trzustka, wątroba), zaburzenia przemiany materii, krążenia, produkcja śluzu patologicznego, a przede wszystkim niedobór energii jang. Przyczyną takiego stanu rzeczy są słodycze, ciasta, mączne potrawy, pożywienie nadmiernie tłuste, sery, mleko, jogurty, owoce, zimne napoje, surówki.

Grzybice ujawniają się u osób odżywiających się potrawami niezrównoważonymi, z niedoborem smaku gorzkiego i ostrego. Wszystkim leczącym chorych z grzybicą delikatnie podpowiem, że niektóre smaki gorzkie, potocznie stosowane przy tej dolegliwości, są silnie wychładzające. Może i wyleczą grzybicę, ale spowodują pojawienie się niebawem innych problemów, m.in. chorób płucnych, trawiennych, krążeniowych.

Problemy krążeniowe

Dlaczego w potocznym mniemaniu – i medycyny, i naszym, potencjalnych pacjentów – choroby układu krążenia kojarzą się tylko z chorobami serca, tzw. wieńcówką, podwyższonym cholesterolem, nadciśnieniem, zatorami i udarami mózgu? Przecież chory układ krążenia to chory cały organizm, zaburzone podstawowe funkcje, przemiana materii, energii, odnowa komórkowa, wydalanie produktów odpadowych przemiany materii, zaburzony cały układ wydzielniczy (hormonalny) i wydalniczy, ale przede wszystkim zaburzone krążenie, to chora, osłabiona wątroba i cały środkowy ogrzewacz.

Jeśli pojawiają się miażdżyca i choroby serca, to znaczy, że przez wiele lat musieliśmy odczuwać pewne dolegliwości – ciało dawało znaki, lecz je lekceważyliśmy. Podobnie jak choroby nowotworowe, również choroby układu krążenia, które określamy mianem chorób cywilizacyjnych, są czubkiem góry lodowej, a cała potężna reszta jest głęboko ukryta w naszym ciele. Zniszczenie organizmu w tych przypadkach jest poważne i trudne do wyleczenia, ponieważ wiąże się zawsze z problemami emocjonalnymi. Właściwy sens ma profilaktyka.

Leczenie chorób krążeniowych i jego efekty zależą od naszej świadomości. Specyfiki i leki zażywane codziennie utrzymują nas przy życiu, ale – podkreślam to już po raz kolejny – nie leczą. Aby dać ciału szansę powrotu do równowagi, należy odnaleźć w naszym życiu czynnik niszczący, który doprowadził do takiego spustoszenia (stres, przemęczenie, przemarzanie, pożywienie kwaśne, zimne i surowe) i, oczywiście, czynnik ten bezwzględnie wyeliminować. Tylko wówczas jakiekolwiek leczenie ma sens. Zażywanie wyłącznie leków jest wegetacją i kurczowym trzymaniem się przy życiu, z jednoczesnym lekceważeniem odpowiedzialności za swoje decyzje. Więc jeśli możemy coś zmienić, po prostu to zróbmy!

Na rynku pojawia się coraz więcej wspaniałych specyfików i preparatów, sprowadzanych z najróżniejszych stron świata, często z krajów, gdzie kultywuje się tradycje ludowe – są to preparaty Indian, Rosjan, Chińczyków. Każdy z nich jest bardzo dobrym lekarstwem na konkretną chorobę czy schorzenie i może uratować życie mnóstwa ludzi, ale jeśli będziemy tkwić w dalszym ciągu w niszczących czynnikach i błędach, nie przywrócą nam równowagi jin-jang i zdrowia. Człowiek wróci do zdrowia i do równowagi, gdy zmieni nawyki żywieniowe i styl życia.

Dla lepszego zrozumienia fizjologii i całego procesu krążenia – krwi, chłonki i płynu międzykomórkowego – przytoczę tekst z „Zarysu fizjologii lekarskiej": „Każda żywa komórka nieustannie pobiera materię z otoczenia, przyswaja ją, aby zyskać energię i budować swą strukturę. Wszelkie odpadki usuwane są na zewnątrz komórki. W najbliższym jej otoczeniu ubywa więc składników potrzebnych do życia, przybywa szkodliwych produktów przemiany materii. (...) W ustroju człowieka olbrzymie liczby komórek żyją w bardzo małej objętości płynu międzykomórkowego. Zużycie i zatrucie tego płynu nastąpiłoby bardzo wcześnie, gdyby nie podlegał on ciągłej i wystarczającej regeneracji. (...) Za pośrednictwem tego płynu krew dostarcza komórkom wszystkich składników potrzebnych do życia i ona też odbiera ostatecznie wszelkie produkty przemiany materii. Aby z kolei sama nie straciła składników odżywczych i nie skaziła się szkodliwymi produktami przemiany materii, musi nieustannie uzupełniać zaistniałe straty oraz przepływać przez narządy odtruwające i wydalające, gdzie zebrane metabolity zostają wydalone z organizmu lub zamienione na mniej szkodliwe. Takimi narządami są płuca, układ pokarmowy, wątroba, gruczoły dokrewne, nerki, skóra, ściana jelit. Krew spełnia funkcję przewozową, jest to transport aprowizacyjny"[4].

Jeżeli coś dzieje się z krążeniem, przestaje właściwie funkcjonować cały organizm. Jakość krwi (proces krwiotwórczy) i jej ilość ulegają zaburzeniu. Narządy, które odpowiadają za jej tzw. wypuszczanie lub gromadzenie, czyli wątroba i mięśnie, mogą wpływać na okresowe wahania jej przepływu. Niewłaściwa jakość krwi blokuje proces odnowy komórkowej i oczyszczanie przestrzeni międzykomórkowych, co w pierwszej kolejności dotyka zawsze narządów wewnętrznych, które spełniają tak ważną funkcję w organizmie.

A wszystkie problemy zaczynają się od niedoboru czynnika aktywizującego proces, reakcje i ruch płynów w organizmie, czyli energii jang (czi i ciepło). Czy mam ponownie przypomnieć, dlaczego tak się dzieje i jakie najczęściej popełniamy błędy? Sądzę, Czytelniku, że już sam potrafisz sobie odpowiedzieć na to pytanie.

Miażdżyca to degeneracja tętnic i naczyń wieńcowych serca. Komórki ścian tych naczyń gromadzą toksyczną wilgoć (niewłaściwe odżywianie, stres), ulegając jednocześnie procesom zwyrodnieniowym (bliznowacenie). Następnie, na skutek pogłębiania się tego procesu, blizny owe pokrywają się tzw. blaszkami miażdżycowymi. Przy długotrwałych błędach żywieniowych śluz ten może być gromadzony w płucach, zatokach, głowie, arteriach, naczyniach, narządach.

Sytuacja staje się groźna, kiedy patologiczne wydzielanie wilgoci łączy się z poważnymi zaburzeniami krążenia. Wiadomo, że rzeka górska o wartkim nurcie ma zawsze czyste, kamieniste dno, zaś na płaskim terenie woda płynie leniwie, dno jest muliste, a brzegi zarastają sitowiem. Wiemy, iż gdy odżywiamy się pożywieniem śluzotwórczym i jednocześnie uprawiamy sport, śluz jest samoczynnie usuwany w postaci kataru i kaszlu, gdyż w organizmie pojawia się aktywny czynnik jang (ruch). Bardzo źle, gdy na tego typu objawy zażywamy antybiotyki, szczepionki uodparniające albo leki przeciwzapalne sterydowe. Gdy zaś nie zażywamy ruchu, śluz odkłada się w organizmie, blokując przewody i narządy.

Mięśnie gładkie, występujące w ścianach naczyń krwionośnych, mają specyficzną budowę, która bezpośrednio może mieć wpływ na charakter miażdżycy. Bliznowacenie naczyń krwionośnych może wynikać z faktu, iż każda komórka mięśni gładkich jest wyposażona we własną końcową gałązkę włókna nerwowego. Podlegają one takim samym skurczom jak mięśnie szkieletowe, a więc reagują jako odrębne jednostki motoryczne na bodźce zewnętrzne (stres, pożywienie). Gdy bodziec wywołujący pobudzenie, w następstwie którego pojawia się skurcz, działa permanentnie, w komórkach tych może dojść do zmian funkcjonalnych, a nawet martwicy. Najgroźniejszym czynnikiem niszczącym naczynia krwionośne jest stres, wapń i smak kwaśny. Są to czynniki wywołujące skurcze, niszczące, a często i śluzotwórcze dla całego organizmu oraz osłabiające krążenie, a więc przy bliznowaceniu naczyń krwionośnych mogą pojawić się jednocześnie złogi tzw. toksycznej wilgoci (cholesterol).

Za zwyrodnienie tkanki łącznej naczyń jest odpowiedzialna wątroba. Musimy mieć świadomość, że w organizmie z takimi zaburzeniami w pierwszej kolejności jest osłabiony ten właśnie narząd, co oznacza trwającą od długiego już czasu niewydolność. Stan ten jest oczywiście ściśle związany z osłabieniem funkcji osierdzia (krążenie), czyli jest to typowy niedobór jang. Nadciśnienie pojawiające się przy tych dolegliwościach jest zawsze skutkiem problemów środkowego ogrzewacza.

Przy zatorach, udarach, wylewach i chorobach serca głównym czynnikiem stwarzającym zagrożenie jest niedobór energii jang spowodowany nadmiarem pożywienia ochładzającego, stresem, problemami emocjonalnymi, przemarzaniem, brakiem ruchu, który w konsekwencji prowadzi do:

- osłabienia funkcji śledziony, a więc nadmiernej produkcji wilgoci patologicznej (śluzów) oraz skłonności do krwotoków
- zaburzenia całego procesu przemiany materii
- poważnej niewydolności wątroby i problemów krążeniowych.

Sposoby odżywiania, które w znaczący sposób przyczyniają się do powstania zmian miażdżycowych, choroby wieńcowej, problemów krążeniowych, innych chorób serca, udarów mózgu:

- tłusta wieprzowina, wędliny wieprzowe, kiszona kapusta i ogórki, kompoty i zimne napoje, ciasta drożdżowe, śledzie, sery
- pokarmy mączne, tzn. kluski i makarony, kwaśne zupy, ciasta, sery, ewentualnie owoce
- kurczaki, surówki, soki, owoce, jogurty, woda
- wędliny, chleb, sery, ewentualnie owoce
- na pozór zdrowe, normalne jedzenie, np. rano biała bułeczka z margaryną, żółtym serem, wędliną lub dżemem, popijane czarną kawą z ekspresu z cukrem i ze śmietanką, do tego szklanka soku marchewkowego, pomarańczowego lub wyłącznie owoce; na drugie śniadanie ciacho albo kromka chleba z żółtym serem, do tego soczek, potem kawa; na obiad kwaśna zupa, np. pomidorowa z ryżem, kawałek kurczaka albo ryba z surówką z kiszonej kapusty, popite sokiem lub herbatą z cytryną i cukrem, potem jakiś owoc, następnie kawa i ciastko, a na kolację, oczywiście, jakaś surówka, chudy twaróg lub kanapka z wędliną i kiszony ogórek czy pomidor; w międzyczasie dużo wody, soków, jogurtów owocowych, przed snem koniecznie jabłko; wszystko bez przypraw.

Jakie pożywienie pomoże nam w zapobieganiu tym chorobom lub równoważeniu organizmu, gdy choroby już się pojawią? Są to potrawy gotowane, zawsze zrównoważone wszystkimi smakami, dokładnie przyprawiane, przyrządzane głównie z cielęciny, młodej wołowiny lub mięsa indyka, z wszystkich dostępnych nam jarzyn, z całkowitym wyeliminowaniem potraw o smaku kwaśnym, takich jak zupa pomidorowa, ogórkowa, kapuśniak z kiszonej kapusty, żurek, surówka z kiszonej kapusty, kapusta kiszona duszona, bigos, kiszone ogórki, marynowane śledzie, surowe owoce, soki, zimna woda. Korzystamy za to z wszystkich kasz, dobrze przyprawionych nasion strączkowych, oliwy z oliwek, oleju rzepakowego, masła, tranu, jajek na miękko, tłustych ryb, czerstwego chleba pszenno-żytniego, ewentualnie ciemnego żytniego bez dodatków nasion.

Choroby krążeniowe, miażdżycowe kiedyś dotyczyły przede wszystkim osób w podeszłym wieku, teraz dotykają także dzieci i młodzież. Dzieciom potrzebna jest energia miłości, akceptacji i bezpieczeństwa, którą choć w części możemy zniwelować narastający w ich życiu stres. Aby zapobiegać tym chorobom, należy nie tylko dbać o właściwe odżywianie, ale również włączyć w swój codzienny rytm gimnastykę, intensywne spacery lub chociaż ćwiczenia izometryczne (napinanie mięśni).

Zawał

Zawał serca to zapaść jang w organizmie – poważny niedobór energii całkowicie blokuje krążenie krwi i pracę serca. Pustka energetyczna w środkowym ogrzewaczu powoduje, że energie nie podnoszą się, lecz idą w dół.

Zawał pojawia się u osób, które są w ciągłym stresie, a więc wyczerpują swoją energię jang, są chronicznie przemęczone, nieregularnie się odżywiają, a przede wszystkim popełniają kardynalne błędy żywieniowe (nadmiar pożywienia zimnego, zimnych napojów, słodyczy, serów, owoców, wędlin, kurczaków itp.).

Charakterystycznym objawem zbliżającego się zawału jest rozlewające się w organizmie zimno i zimne poty oraz paniczny lęk. Ratując zagrożoną osobę, należy podać jej do picia coś silnie rozgrzewającego (kilerka, gorąca herbata z wódką).

Bardzo często tuż po zawale ujawnia się żółtaczka, która nie ma nic wspólnego z jej wszczepieniem, lecz jest zwykłą konsekwencją wychłodzenia i zniszczenia śledziony. Potem może pojawić się przepuklina będąca objawem zimnej wątroby, następnie zapalenie płuc, które mówi o poważnej niedoczynności środkowego ogrzewacza. W międzyczasie może dokuczać alergia, a w końcu pojawia się następny zawał.

Zakrzepice

Zakrzepica to problem krążeniowy, będący skutkiem złej jakości krwi (zbyt gęsta), jej niedoboru oraz niedoboru energii jang w całym organizmie. Bez należytej oceny można by sądzić w niektórych wypadkach, że jest to choroba wywołana nadmiarem jang. Jednakże z pewnością tak nie jest. Zakrzepica ujawnia się w organizmach z bardzo zniszczonym środkowym ogrzewaczem (żołądek, śledziona, trzustka i wątroba). Dzieje się tak na skutek długotrwałych błędów żywieniowych (pożywienie kwaśne, surowe, zimne) oraz wyjątkowo długotrwałego i silnego stresu (napięcie, skurcz). Zniszczenie narządów postępuje, osłabiają się również płuca i nerki.

Zakrzepica jest chorobą bardzo poważną, gdyż w organizmie istnieje głęboki niedobór i jin (esencja), i jang (czi). Pierwszymi zwiastunami mogącej ujawnić się choroby jest uczucie ciągłego chłodu, zimne nogi i ręce (ale niekoniecznie), problemy trawienne, nadmierna pobudliwość, drażliwość, a przede wszystkim często dokuczające bóle korzonkowe i nóg. Bóle korzonkowe są jednym z ważniejszych objawów zaburzeń krążeniowych, z którymi najczęściej w ogóle nie są kojarzone. A szkoda, bo można by było zapobiegać wielu cierpieniom i poważnym chorobom, a nawet przedwczesnym zgonom.

Dlaczego bóle korzonkowe to problem krążeniowy? Otóż na pośladkach umiejscowione są mięśnie tzw. osierdziowe[5]. W momencie gdy zjadamy pożywienie, którego energia blokuje krążenie (osierdzie, wątrobę), a może być to nadmiar smaku kwaśnego, słonego, słodkiego, pożywienie zimne, nadmiernie tłuste lub surowe, dochodzi do przykurczu tych mięśni powodującego ucisk na nerw kulszowy. Dolegliwość ta jest bardzo powszechna. Gdy ból nie jest zbyt „stary", możemy doraźnie pomóc sobie uciskając punkt na meridianie osierdzia (7), rozgrzewając mięśnie osierdziowe (pośladkowe) i oczywiście wprowadzając zmiany w pożywieniu.

Jeśli bóle korzonkowe traktujemy w sposób tradycyjny, czyli tylko objawowo, wówczas czynnik niszczący rujnuje wnętrze, a w tym wypadku głównie śledzionę i wątrobę, nie pozostawiając reszty narządów w równowadze. Twierdzenie, że bóle korzonkowe to wyłącznie problem nerwu kulszowego, niedoboru witamin z grupy B, jest znów odkryciem skutku, a nie przyczyny. Przyczyna ma dużo szerszy zasięg i staje się niebezpieczna, gdy przechodzi w stan chroniczny. W takiej sytuacji może dojść do ujawnienia się zakrzepicy, szczególnie wówczas, gdy cały organizm jest bardzo osłabiony.

Jednym z przykrych objawów zakrzepicy są pękające naczyńka krwionośne, a jest to znak słabości śledziony i oczywiście problemów krążeniowych.

Zakrzepica to również zbyt gęsta i lepka krew, której, o zgrozo!, nie rozcieńczymy zjadając w tej intencji owoce, surówki, jogurty i pijąc soki czy wodę. Problem jedynie się pogłębi, gdyż takie pożywienie blokuje wytwarzanie esencji przez śledzionę oraz krążenie. Musimy zjadać pożywienie ciepłe, gotowane, zrównoważone, które pozwoli śledzionie wrócić do równowagi.

Poprawiają jakość krwi, a jednocześnie działają antyzakrzepowo goździki, imbir, cynamon, kolendra, kminek, lukrecja, chili, kurkuma, tymianek, czosnek, cebula. Przyprawy te pobudzają czynniki odpowiedzialne za rozpuszczanie zakrzepów, a także są niezbędnymi dodatkami ułatwiającymi trawienie.

Nadkwasota i zgaga

Nadkwasota oraz związana z nią często zgaga mogą stać się prawdziwą udręką. Wiem, jak zdeterminowani są ludzie cierpiący na tę dolegliwość, by znaleźć sposób na usunięcie bólu. Zażywają mnóstwo preparatów, bo dotychczasowe zalecenia dietetyczne nie przynoszą spodziewanych rezultatów. Każdy, nawet drobny posiłek, staje się stresem, bo nie wiadomo, który produkt wywołuje ból.

Dolegliwości związane z nadkwasotą żołądka nie znalazły rzetelnego wytłumaczenia. Medycyna wyjaśnia, że najbardziej kwasotwórczo działają potrawy mięsne, tłuste, zaś owoce, soki, jogurty, mleko łagodzą tę nierównowagę. Według moich obserwacji zakwaszająco działają zarówno potrawy tłuste, ciężkostrawne, jak i owoce, soki, ser czy mleko.

Współczesne zalecenia dietetyczne preferujące duże ilości surówek, owoców, jogurtów, mięsa z kurczaków, ryb, potraw mrożonych, odgrzewanych w mikrofali, nie pozwalają na zlikwidowanie tej dolegliwości, lecz ją pogłębiają, bowiem cały problem nadkwasoty to osłabienie śledziony i związany z tym niedobór płynów zobojętniających i śluzów w żołądku oraz niewłaściwa regeneracja jego śluzówki.

Bardzo wygodne jest tłumaczenie, że nadkwasota oraz wrzody pojawiające się w jej konsekwencji to wina rozwijających się w żołądku bakterii. Jednakże my wiemy, że aby bakteria się uaktywniła, trzeba jej stworzyć idealne warunki. Według amerykańskich badań najbardziej zakwaszająco (niszcząco na śledzionę) działają mleko, piwo i napoje gazowane, a ja dodałabym jeszcze cukier, mąkę pszenną, potrawy zimne i bez przypraw oraz owoce.

Nadkwasota żołądka nie oznacza zakwaszenia całego organizmu, choć z pewnością może stanowić jego początek. Również zakwaszenie całego organizmu nie jest jednoznaczne z nadkwasotą żołądka. Nadkwasota to nie tylko widmo wrzodów, ale codzienne dolegliwości – uczucie palenia (zgaga), bóle głodowe, bolesne wzdęcia, niepokój, duża nerwowość, mogą pojawiać się również bóle głowy, mięśni, wymioty, biegunki, zaparcia.

Aby usunąć nadkwasotę i związane z nią przypadłości, należy bardzo zdyscyplinować swój sposób odżywiania. Powinniśmy stanowczo wyeliminować wszystko, co kwaśne, surowe i zimne, fast foody, pogryzacze (chipsy, paluszki, lody, ciasteczka, orzeszki, rodzynki, pestki) i przejść na pożywienie wyłącznie gotowane na ogniu, zrównoważone, z dużą ilością przypraw. Wbrew temu, co się sądzi, przyprawy ją łagodzą i likwidują, choć początkowo ma się wrażenie dolewania oliwy do ognia. Przyprawy pobudzają trawienie i wchłanianie oraz krążenie – aktywizujemy więc śledzionę i przyspieszamy regenerację śluzówki.

Sok żołądkowy to kompozycja kwasu solnego oraz wydzieliny alkalicznej i śluzu. Kwas solny powstaje przy udziale tzw. komórek okładzinowych, a wydzielina i śluz – nieokładzinowych.

Stężenie kwasu solnego w żołądku jest tak duże (pH), że zabija nawet złośliwe drobnoustroje i denaturuje wszelkie białka. Wydzielanie soku zależy od stanu zdrowia osoby, od bodźców emocjonalnych, smakowych i temperaturowych. Są to czynniki egzogenne (zewnętrzne) i endogenne (wewnętrzne). Silnie pobudzająco działa stres, jony wapniowe (Ca), które aktywizują również wydzielanie gastryny oraz acetylocholina i histamina. Kwas solny jest niezbędny przy trawieniu białka zwierzęcego, gdyż powoduje pęcznienie tkanki łącznej i mięsień rozpada się na pojedyncze włókna. Kwas solny ułatwia również wchłanianie żelaza i wapnia.

W komórkach okładzinowych, oprócz kwasu solnego, produkowany jest również wewnętrzny czynnik krwiotwórczy, niezbędny do wchłaniania witaminy B12 – zewnętrznego czynnika krwiotwórczego. Witamina Bl2 znajduje się wyłącznie w produktach pochodzenia zwierzęcego. Niedobór każdego z tych czynników powoduje silną niedokrwistość. Widzimy więc, że kwas solny jest niezbędny i – by mógł on spełniać swą ważną funkcję – konieczna jest również alkaliczna wydzielina żołądkowa i śluz, które chronią delikatną błonę śluzową przed samostrawieniem oraz drobnoustrojami.

Istnieje wiele czynników, które mogą spowodować niedokrwienie błony śluzowej, słabe wydzielanie śluzu i płynów zobojętniających oraz jej nieprawidłową regenerację, a są to zawsze pożywienie, problemy emocjonalne, przemarzanie. Może wówczas dojść do uaktywnienia się bakterii i ostrej penetracji śluzówki kwasem solnym.

Czy więc w przypadku nadkwasoty i zgagi możemy brać jedynie środki zobojętniające kwas, czyli doraźnie usuwające ból? Takie postępowanie może zniszczyć właściwy proces trawienia oraz przyswajania ważnych składników witaminowych i mineralnych. W chorobie tej istotą jest uruchomienie procesu wydzielania płynów zobojętniających i śluzów oraz właściwa regeneracja śluzówki. Możemy tego dokonać wyłącznie za pomocą pożywienia zrównoważonego.

Wszystko, co niszczy środkowy ogrzewacz, a głównie śledzionę i trzustkę, jest zakwaszające dla żołądka i niszczące dla śluzówki. Zgaga to uczucie palenia i ognia w żołądku oraz w przełyku.

Może pojawić się również piekące odbijanie treścią żołądkową. W sytuacji, gdy w treści brakuje płynów zobojętniających i śluzu (słabość śledziony), kwas, który dominuje w tym środowisku, w kontakcie z obolałą i przekrwioną śluzówką, daje szczególnie bolesne doznania. Gdy śluzówka jest zdrowa, odbijanie, czyli wydobywanie się gazów z żołądka, przynosi ogromną ulgę, nie powodując bólu.

Gdy w żołądku zaburzona jest naturalna równowaga (niedobór jin), przejawia się tzw. fałszywy ogień, czyli nadmiar jang. Jest to stan ściśle związany z niedoczynnością śledziony, trzustki oraz wątroby i woreczka żółciowego. Zaburzone jest wówczas krążenie energii w meridianie śledziony i żołądka. To właśnie przyczyna wzdęć i bardzo bolesnego odbijania.

Przy zgadze i nadkwasocie bardzo często występuje silny, rozpierający ból klatki, niewłaściwie kojarzony z zaburzeniami pracy serca. Gdy regulujemy pracę środkowego ogrzewacza, czyli żołądka, śledziony, trzustki, wątroby oraz woreczka żółciowego, pobudzamy krążenie energii w ich meridianach i dolegliwość ta ustępuje. Możemy tego dokonać wyłącznie za pomocą zmiany pożywienia.

Przyczyny zgagi i bolesnych wzdęć są takie same jak przy nadkwasocie, czyli pożywienie kwaśne, surowe i zimne, alkohol, piwo, słodycze, mleko.

Nawiasem mówiąc, zbyt długo trwający niedobór NaCl (zwykła sól kuchenna) w pożywieniu wywołuje zmniejszenie lub całkowite uniemożliwienie produkcji kwasu solnego. A więc solić czy nie solić? Pomyślmy, do czego potrzebny jest nam kwas solny w żołądku i nie działajmy pochopnie.

Bóle reumatyczne (reumatyzm)

Reumatyzm to choroba nerek i wątroby (zimno i wiatr). Organizm jest wychłodzony, a narządy niedoczynne, występuje niedobór płynów wewnętrznych, krwi, jest zaburzone krążenie, a ciało przykurczone.

W sytuacji, gdy organizm jest w poważnym niedoborze energii jang, włącza się termoregulacja i pojawia się tzw. gorączka reumatyczna, czyli stan zapalny tej części ciała, która jest najbardziej osłabiona. Może to być jakaś partia mięśni, stawów, kości. W żadnym przypadku nie należy tych stanów leczyć antybiotykami czy lekami przeciwzapalnymi steroidowymi. Reumatyzm może być połączony z napadowymi stanami depresji lub agresją. Tak jak w większości chorób, również w reumatyzmie, choroba bierze swój początek w zniszczonym środkowym ogrzewaczu.

Reumatyzm zawsze pojawia się u osób, które albo przemarzały przez dłuższy czas, albo ich pożywienie było natury silnie jin. Podam jeden znamienny przykład: czternastolatek całą wiosnę miał kaprys jadania wyłącznie bułek z żółtym serem. Jesienią przeleżał kilka miesięcy w szpitalu z bardzo poważnym stanem gorączki reumatycznej.

Błędy żywieniowe powodujące reumatyzm to najczęściej: wieprzowina połączona z kiszonym ogórkami i kiszoną kapustą, nadmiar owoców, kompotów, surówek, zimnych napojów i oczywiście serów oraz kurczaków.

Reumatyzm to skurcz, niedoczynny środkowy ogrzewacz, a więc należy ciało rozgrzewać i rozluźniać. Wcale nie musimy tego robić przy pomocy diety tłuszczowo-mięsnej czy też jadu pszczelego albo leków. Wystarczy przejść na pożywienie zrównoważone, z produktami w odpowiednich smakach i dużą ilością przypraw. Silnie antyreumatycznie działają: goździki, kurkuma, imbir, cebula, czosnek, lukrecja, chili.

Drugi znamienny przykład: pani po czterdziestce od dzieciństwa chorowała na reumatyzm, każdej wiosny musiała jeździć do sanatorium z powodu bardzo ciężkiego stanu. Gdy zaczęła gotować wg „Filozofii zdrowia", cała choroba minęła.

Gościec stawowy, czyli reumatoidalne zapalenie stawów

Reumatoidalne zapalenie stawów to również choroba środkowego ogrzewacza oraz nerek. Zniszczenie żołądka, śledziony, trzustki oraz wątroby powoduje niewłaściwą jakość płynów stawowych i tkanki łącznej.

Przy gośćcu należy bezwzględnie wyeliminować słodycze, ciasta, potrawy mączne, sery, jogurty, mleko, kurczaki, wieprzowinę, wszystkie surówki, owoce, soki i zimną wodę.

Rak sutka
i inne choroby nowotworowe

Każda choroba nowotworowa to osłabienie lub brak odporności immunologicznej organizmu; konsekwencja braku równowagi jin-jang oraz niedoczynności i złej funkcji środkowego ogrzewacza. Choroby te ujawniają się, gdy w naszym Centrum jest pustka energetyczna. Czynniki destrukcyjne, zewnętrzne i wewnętrzne, biorą górę nad możliwością samoobrony organizmu.

Odporność immunologiczna jest osobniczą obroną tożsamości w zakresie specyfiki struktury i ścisłego składu chemicznego przed wnikaniem z zewnątrz i powstawaniem we wnętrzu człowieka substancji obcych, szkodliwych i trujących, szczególnie pochodzenia białkowego, które zagrażają porządkowi wewnętrznemu. Z zewnątrz wniknąć mogą bakterie, wirusy, grzyby, płyny organiczne, a wewnątrz pojawiają się w sposób ciągły lub w specjalnych okolicznościach własne obumarłe komórki, uszkodzone, nowotworowe oraz niektóre wielkocząsteczkowe produkty przemiany materii. Aby stworzyć swoistą zaporę przed czynnikami egzo- i endogennymi należy je bez przerwy lokalizować, rozpoznawać, unieszkodliwiać i usuwać na zewnątrz.

W „Filozofii zdrowia" wspominałam, jak ogromną wagę dla kondycji i zdrowia człowieka ma swobodny przepływ energii i płynów (tzw. pustka taoistyczna). Właśnie w codziennej mobilizacji organizmu dla samoobrony, dla właściwego docierania czynnika broniącego (limfocytów) do miejsc, gdzie coś złego zaczyna się dziać, niezbędny jest ów swobodny przepływ.

Od czego zależy więc właściwa jakość czynników chroniących nas przed chorobami nowotworowymi i każdą utratą równowagi jin-jang? Wszystko jest kwestią naszego Centrum, czyli żołądka, śledziony i trzustki oraz właściwej jakości całego procesu krwiotwórczego, w tym głównie limfopoezy (powstawanie, różnicowanie, dojrzewanie i specjalizacja limfocytów). Pomińmy w tych rozważaniach osobiste „dary", czyli dużą energię osobniczą, pozwalającą na wieloletnie szaleństwa bez widocznych tego konsekwencji. W chorobach nowotworowych przestaje funkcjonować śledziona. W organizmie panuje całkowita anarchia, ponieważ to ona jest głównym dystrybutorem całej energii przyjmowanej z zewnątrz (oddech, pożywienie, kolory, emocje). W niej wszystko się skupia i jest rozdzielane, ona decyduje i zarządza wzmacnianiem wszystkich narządów esencją i energią.

Aby śledziona wytworzyła właściwą ilość i jakość esencji – bazę dla całej wewnętrznej substancji (krew, limfa, płyny odżywcze, śluz, soki trawienne, hormony), musi otrzymywać odpowiednie pożywienie (materię) zawierające naturę wszystkich smaków w odpowiednich proporcjach oraz odpowiednią ilość energii jang (ognia). Skład chemiczny materii, czyli zawartość białka, węglowodanów, tłuszczów, witamin, soli mineralnych nie jest w tym momencie czynnikiem priorytetowym, decydującym o właściwej przemianie energii w materię i materii w energię. Przywiązywanie wagi wyłącznie do niego czyni z odżywiania czynnik wysoce destrukcyjny i niebezpieczny. Życie daje na to najlepsze dowody.

Sam proces wytwarzania esencji wewnętrznej jest niepoznawalny, nauka do tego się przyznaje i nie jest naszym zadaniem zgłębianie jego tajemnic, lecz znalezienie sposobu, aby przebiegał właściwie. Pożywienie przekazujące śledzionie właściwą materię, energię smaków i energię jang uaktywni pracę pozostałych narządów, które będą wypełniały swoje funkcje należycie, uaktywni również krążenie energii i wytworzonych płynów. Chcąc więc pobudzić proces krwiotwórczy i obronny w organizmie, należy wzmacniać żołądek, śledzionę i trzustkę.

Choroba nowotworowa nie zjawia się nagle. Należy pamiętać, że jest to proces wieloletni, biorący swój początek w najzwyklejszych zaburzeniach przemiany materii, wyzwalanych czynnikami na pozór bardzo niewinnymi. Właśnie przemarzaniem, zmęczeniem, niedosypianiem, nadmierną pracą, stresem i problemami emocjonalnymi, niedojadaniem albo przejadaniem się, nieregularnymi posiłkami i niewłaściwym pożywieniem.

Najsmutniejsze jest to, że organizm przez wiele lat dawał i daje znaki o jego niewłaściwym traktowaniu, a my je po prostu lekceważymy. Należy pamiętać, że żyjemy wyłącznie dzięki ciału. Pędzenie do przodu z lekceważeniem podstawowych jego potrzeb grozi przerwaniem biegu, cierpieniem, a w konsekwencji śmiercią.

Zapewniając Centrum (śledzionie, trzustce, żołądkowi) bazę dla wewnętrznego tworzenia i odnowy, budujemy samoistnie system zabezpieczający. Pomyślmy o tym systemie jak o sprawnej brygadzie antyterrorystycznej. Być może właśnie takie porównanie uświadomi nam istotę właściwego postępowania i potrzebę zadbania o ciało. Brygada taka działa skutecznie, gdy czuje moc i energię sztabu głównego (Centrum) oraz gdy sama jest odpowiednio opłacana, odżywiana, ma dobry sprzęt i wysoką inteligencję. Wiemy, do czego prowadzą działania oszczędnościowe, głupota, lenistwo i tzw. półśrodki. Wiemy, do czego prowadzi bałagan, samowola, bezsilność, niemożliwość szybkiego przemieszczania się i porozumiewania. A takim właśnie środowiskiem staje się nasze ciało, gdy osłabimy Centrum i wkrada się anarchia, gdy przepływ energii i płynów zostaje zablokowany właśnie niedoborem energii, śluzami i produktami odpadowymi. Czy wprowadzając tzw. półśrodki, a nie reformując całego systemu, doczekamy się właściwych efektów? Wybór należy wyłącznie do nas. Sami decydujemy, jaką energią i zasobami będzie zarządzać nasz sztab główny.

Właściwym zabezpieczeniem przed nowotworem sutka nie może być wyłącznie badanie własnych piersi i mammografia. Nie wiem, czy ci, którzy zalecają taki tok postępowania, zdają sobie sprawę z ładunku stresotwórczego tychże zabiegów („Mam guzek? Nie, jeszcze mnie ominęło"...). Przecież to gra w ruletkę, a emocje z tym związane? Matki, żony i kochanki, jeżeli chcecie żyć bez zbędnego stresu, pomyślcie o swojej brygadzie antyterrorystycznej, czyli o właściwej odporności immunologicznej i zróbcie w tej materii wszystko, co możliwe.

Cóż to oznacza?

- bezwzględnie gotuj
- naucz się gotować posiłki zrównoważone
- jedz regularnie
- dbaj o ciało: odpoczynek, prysznic z intensywnym masowaniem, szczególnie klatki piersiowej i piersi, gimnastyka (rytuały tybetańskie, ćwiczenia siłowe)
- dyscyplina w myśli, mowie i uczynku: mało mów, myśl spokojnie, bądź skoncentrowana i rób swoje
- bądź cierpliwa i ufna w każdym poczynaniu.

Czynniki mogące przyczynić się do powstania nowotworu sutka:

- problemy emocjonalne, frustracja, permanentny stres, depresja
- nieregularne odżywianie
- chaotyczne i częste odchudzanie się
- pożywienie z nadmiarem smaku kwaśnego, blokujące krążenie i całą przemianę materii (soki, surówki, owoce, kiszona kapusta, kurczaki, sery)
- pożywienie tłuste, silnie śluzotwórcze (ciastka, kremy, tłuste mięso, sery żółte) z jednoczesnym łączeniem ze smakiem kwaśnym (np. tłuste ciastko popite sokiem lub porcja tłustego mięsa z surówką z kiszonej kapusty)
- pożywienie zimne i surowe, bez energii, śluzotwórcze i blokujące krążenie (lody, zimna woda, soki i inne napoje, piwo, owoce, surówki, kiszona kapusta i ogórki, ogórki małosolne, wędliny)
- ciastka, czekolada, batony, chałwa
- chipsy, paluszki, krakersy, chrupki, orzechy, nasiona
- pożywienie monotonne, monosmakowe, monoskładnikowe
- nadmiar mięsa wieprzowego lub z kurczaków
- nadmiar wędlin
- brak ruchu (ruch w pracy i w domu to nie to)
- długotrwałe przemarzanie
- stałe otaczanie się kolorami zimnymi (białym, zielonym, niebieskim, szarym, czarnym), nadmiar kwiatów doniczkowych w otoczeniu
- żyły wodne.

Choroba nowotworowa sutka, oprócz podstawowego osłabienia funkcji śledziony i niedoboru energii, zawiera w sobie inne wiodące niedomagania, które często dają znać o sobie długo przed kulminacją choroby, a więc bóle i mrowienie klatki piersiowej, kłucia w piersi często kojarzone z bólem serca, bóle pleców (szczególnie pod prawą łopatką), barków, niestrawność i wzdęcia połączone z rozpierającym bólem klatki piersiowej, bolesność piersi w okolicy węzłów chłonnych pod pachami, bóle głowy wynikające z osłabienia woreczka żółciowego. Często towarzyszy temu huśtawka emocjonalna, brak umiejętności koncentracji, wyciszenia i dystansu. Są to ewidentne problemy krążeniowe, czyli wątrobowe, woreczka żółciowego i osierdzia.

Dolegliwościami pojawiającymi się dużo wcześniej będą również bóle krzyżowo-lędźwiowe wynikające z przykurczu mięśni osierdziowych i jelita grubego[6]. Dołączają się do tego problemy z przemieszczaniem się miednicy i sztywność stawów biodrowych, biegunki i zaparcia.

Powyższe dolegliwości mogą przejść w stan chroniczny i tzw. przytłumienie, co jest szczególnie groźne, gdy stan niedoczynności i destrukcja środkowego ogrzewacza postępuje, a do dolegliwości się przyzwyczajamy i nie usuwamy ich przyczyn. W konsekwencji pojawią się poważne niedobory składników odżywczych, enzymów, hormonów. W tym momencie może już powstać komórka nowotworowa, której organizm, niestety, nie jest w stanie unieszkodliwić przez swój osłabiony system odpornościowy.

Duży wzrost zachorowań wiąże się z korelacją niszczących czynników w życiu współczesnej kobiety (nadmiar obowiązków, przemęczenie, stres) i całkowicie fałszywym pojęciem o zdrowym odżywianiu oraz niedocenianiem znaczenia gotowanych posiłków.

W sytuacji, gdy zaistnieje konieczność mastektomii, należy bezwzględnie wspomagać organizm właściwym odżywianiem, aby nie dopuścić do dalszego rozwoju choroby. Zalecenia służące profilaktyce i wzmacnianiu organizmu po mastektomii:

- codzienna gimnastyka w celu pobudzenia krążenia i odblokowania przykurczy mięśni
- posiłki zrównoważone, ciepłe i z przyprawami
- stosowanie wyłącznie oleju rzepakowego, oliwy z oliwek i masła
- spożywanie wszystkich produktów tzw. ciężkostrawnych, ale odpowiednio przyprawionych
- absolutne wyeliminowanie posiłków zimnych, kwaśnych i surowych
- absolutne wyeliminowanie wszystkich wędlin, wieprzowiny, kurczaków, ryb morskich, słodyczy, ciast, owoców, wody, lodów, soków, piwa
- wzmacnianie procesu krwiotwórczego poprzez zażywanie mieszanki ziołowej pana Paprzęckiego (patrz: przepisy), dwa razy dziennie po pół łyżeczki popijając ciepłą herbatą tymankowo-lukrecjowo-imbirową

Należy pamiętać, że choroba nowotworowa pojawia się zawsze w organizmie zakwaszonym, czyli takim, w którym praca środkowego ogrzewacza uległa zaburzeniu, a narządy nie spełniają swoich funkcji. Każde pożywienie, które niszczy żołądek, śledzionę i trzustkę, jest kwasotwórcze. Jeżeli mamy świadomość, że nasze ciało jest zakwaszone i trwa to przez dłuższy czas, należy bezwzględnie zmienić dotychczasowy sposób odżywiania na zrównoważony wszystkimi smakami.

W chorobie nowotworowej nie jest wskazane tzw. intensywne rozgrzewanie organizmu, gdyż problemem jest tu niedobór wewnętrznej substancji, właściwej jakości esencji i tzw. zastoje. Całą uwagę powinniśmy skupić na odbudowywaniu tej substancji pożywieniem zrównoważonym energetycznie. Powinno być neutralne i neutralno-rozgrzewające, koniecznie z przyprawami, które pobudzą właściwą przemianę materii i krążenie. Zbyt duża dawka energii jang dostarczona do organizmu bez należytego zrównoważenia jej czynnikiem jin, czyli odpowiednią ilością jarzyn, kasz, mięsa, może dać zaczątek problemom emocjonalnym, które będą niszczyć odnawiającą się substancję. Z tego względu wskazane jest odizolowanie chorego od wszelkich bodźców stresotwórczych. Uzdrowieniu bardzo pomaga bezpośredni kontakt z przyrodą.

Dla podkreślenia wagi właściwego odżywiania wymienię produkty, które są najważniejsze w profilaktyce i leczeniu chorób nowotworowych:

- warzywa zielone i żółte, czyli z dużą zawartością betakarotenu (zaznaczam, że betakaroten nie rozkłada się w czasie gotowania) i chlorofilu: zielona pietruszka, koper, liście selera, rzeżucha, liście kalarepy, liście pora, szczypiorek, szpinak, brokuły, marchewka, słodki ziemniak, pietruszka – korzeń, dynia, papryka, patisony, cukinie, kabaczki, pasternak; następnie wszystkie kapustne, w tym oczywiście brukselka, jarmuż, kalafior, kalarepa, seler, koper włoski bulwiasty (fenkuł) i strączkowe oprócz soi
- kasze – jaglana i gryczana oraz płatki owsiane
- zioła przyprawowe – bazylia, tymianek, estragon, rozmaryn, szałwia, majeranek, kozieradka, lukrecja
- przyprawy, które muszą być zawsze używane to: imbir, kurkuma, kardamon, chili, pieprz cayenne, goździki, gorczyca, kminek, cynamon, gałka muszkatołowa

- tran, oliwa z oliwek, olej rzepakowy, masło, jajka
- cebula i czosnek, pory, koper włoski.

Z wymienionych wyżej produktów przygotowujemy posiłki zrównoważone, uzupełniając je zawsze niewielką ilością mięsa o właściwej energii, czyli cielęciną, młodą wołowiną, indykiem (głównie jego ciemne części), rybami wyłącznie słodkowodnymi i w niewielkiej ilości. Wszystkie pozostałe mięsa, w tym również wędliny, są niedopuszczalne!!!

Stwardnienie rozsiane

Według medycyny konwencjonalnej jest to choroba ośrodkowego układu nerwowego polegająca na uszkodzeniu osłonek włókien nerwowych. Lekarze twierdzą, że limfocyty, rozpoznając w tychże osłonkach włókien nerwowych wroga, atakują je i uszkadzają, skutkiem czego w tych miejscach pojawiają się stwardnienia tkanki, które z kolei blokują przepływ impulsów nerwowych.

Nie uważam, aby przyczyną choroby były wyłącznie limfocyty. Skoro uznają tkankę łączną - osłonkę włókien nerwowych - za wroga, oznacza, że coś z tą tkanką jest nie w porządku lub proces limfopoezy jest zaburzony. Tkanka łączna jest bezpośrednio związana z wątrobą, a wiemy, że przy SM towarzyszącą dolegliwością jest zniszczenie, czyli zwłóknienie wątroby (marskość). Na skutek niedoboru esencji i energii wątroba nie regeneruje tkanki łącznej i osłonek włókien nerwowych. Chora wątroba to również problemy z podświadomością. Blokady emocjonalne mają szczególną wagę u chorych na SM. Pojawia się też często cukrzyca, czyli choroba śledziony, trzustki, wątroby i płuc. Reasumując - SM to choroba środkowego ogrzewacza i naszej świadomości (brak zrozumienia dla rzeczywistości, brak akceptacji).

Analizując objawy i dolegliwości SM dochodzimy do praprzyczyny całego procesu chorobowego. Jest nią niewydolność żołądka, śledziony, trzustki, a w głównej mierze wątroby oraz krążenia. Jeśli nasze pożywienie jest niszczące dla środkowego ogrzewacza, wątroba nie daje właściwej jakości tkance łącznej oraz całemu systemowi nerwowemu, a świadomość nie jest w stanie zapanować nad niezrozumiałymi emocjami, które wychodzą z podświadomości.

Można zatem określić zewnętrzne czynniki powodujące osłabienie najważniejszych narządów, które w połączeniu z predyspozycjami wrodzonymi oraz problemami emocjonalnymi mogą przyczynić się do powstania tak poważnej choroby. Z pewnością było to niewłaściwe pożywienie, przemarzanie, stres.

Na SM nie zapada się nagle. Jest to wieloletni proces degradacji i wyniszczania organizmu i jedynie pełna świadomość i właściwa profilaktyka może nas przed nim ochronić.

SM jest wyzwaniem dla osoby, która jest nim dotknięta. Być może właśnie poprzez takie przeżycia ma się wydobyć z jej wnętrza ogromna wola życia i walki z chorobą, upór i cierpliwość w szukaniu szansy na godne życie. Zawsze istnieje możliwość wyboru. Albo się poddajemy i cierpimy ponad miarę, gubiąc często sens istnienia, albo też wyzwalamy w sobie moc i energię, dzięki którym stawimy czoło temu wyzwaniu. Niezbędne jest więc bardzo rzetelne podejście do sfery świadomości, zrozumienie przyczyn powstawania emocji oraz ich jakości. Moim zdaniem, u osób chorych na SM występuje problem zrozumienia i właściwej akceptacji rzeczywistości. A na to składają się zarówno warunki życia, jak i osoby z najbliższego otoczenia. Ta rzeczywistość ma zainspirować chorych na SM do wewnętrznego przemienienia i zrozumienia siebie i swojego cierpienia.

Tak, z pewnością osoby z SM mają dużo do zrobienia, a właściwe odżywianie, mające na względzie ochronę śledziony i wątroby, wykluczające smak kwaśny oraz potrawy zimne i surowe, będzie im bardzo pomocne i może przynieść nieoczekiwane pozytywne efekty w postaci regenerowania i wzmacniania śledziony i wątroby, substancji wewnętrznej (jin) oraz pobudzania całej przemiany materii i krążenia (jang). Z pewnością jest to proces wymagający ogromnego zaangażowania i właśnie cierpliwości. Przy chorobie SM konieczne jest także stosowanie ćwiczeń ruchowych, ze szczególnym uwzględnieniem izometrycznych napięć mięśniowych.

Osteoporoza

Witamina D2 jest pochodzenia roślinnego, a D3 powstaje w skórze pod wpływem promieni ultrafioletowych. Działanie witaminy D2 i D3 jest takie samo – obie są biologicznie nieczynne i magazynowane w tkance tłuszczowej, a wchłaniane dzięki żółci. Ich przemiana do aktywnych metabolitów odbywa się w wątrobie i nerkach. Dopiero uaktywniona witamina D3 warunkuje czynne wchłanianie wapnia w jelicie cienkim.

Czynna witamina D jest inaczej zwana hormonem nerkowym, a jego stymulatorem jest hormon przytarczyczki, ale niedobór magnezu w organizmie hamuje jego syntezę. Organizm posiada zdolność przystosowywania się do niskowapniowej diety. Gdy obniża się poziom wapnia, przyspiesza się uaktywnianie witaminy D3 w nerkach i wątrobie oraz wzrost wchłaniania poprzez maksymalne pozyskiwanie wapnia z pokarmu. Uaktywnianiu witaminy D w nerkach służą również estrogeny i hormon wzrostu, co daje większe możliwości wchłaniania wapnia.

Pointa: osteoporozie nie zapobiegniemy objadając się chudym twarogiem, mlekiem i jogurtem ani zażywając preparaty wapniowe. W taki sposób zniszczymy jedynie swoje wnętrze, natomiast zapobiegać osteoporozie czy ją zatrzymać, a nawet regenerować kości możemy poprzez:

- dbałość o wszystkie narządy i całe ciało
- eliminowanie potraw kwaśnych, surowych i zimnych
- eliminowanie serów, mleka i jogurtów – im więcej ich zjadasz, tym szybciej rosną twoje szanse na osteoporozę
- zjadanie regularnie masła, jajek, tranu
- zjadanie posiłków ciepłych, zrównoważonych, dobrze przyprawionych, uwzględniających mięso o odpowiedniej naturze (smak gorzki, słodki i ostry)
- przebywanie przez cały rok choć po 15 minut dziennie na słońcu, latem nago
- regularną gimnastykę, minimum 30 minut dziennie – polecam rytuały tybetańskie i ćwiczenia siłowe, jednakże z niewielkim obciążeniem (1-2 kg)
- eliminację stresu i włączenie się w nurt życia w rozumieniu i akceptacji wszystkiego i wszystkich

- wprowadzenie ciepłych kolorów (czerwony, pomarańczowy i żół-ty) w pomieszczeniach, w których przebywamy oraz dla bielizny dziennej i nocnej.

Bóle głowy

Długo trwający lub często powtarzający się ból głowy świadczy o nieumiejętnym analizowaniu i ocenianiu bodźców energetycznych: napięć emocjonalnych, stresu, frustracji, żalu, niewłaściwych smaków, klimatów, kolorów. Bóle głowy ujawniają się często nagle, po wieloletniej penetracji niszczącego czynnika, budząc niemałe zdziwienie, bowiem w naszym mniemaniu czynnik ów był dla nas nieszkodliwy. Na przykład: jesteśmy w stresie (napięcie) wiele lat i nagle pojawia się ból głowy. Trudno wówczas – bez znajomości energii emocji – zrozumieć, że przyczyna tkwi w nawarstwianiu się skutków, czyli w tzw. zakleszczeniu i przykurczu mięśni, naczyń krwionośnych, niedokrwieniu i niedotlenieniu mózgu. Również spożywając przez wiele lat potrawy silnie wychładzające (soki, owoce, zimna woda, sery) i mając wrażenie, że nam służą, nie zwracamy uwagi, że nasza ogólna kondycja jest coraz słabsza (otyłość, złe trawienie, wzdęcia, ospałość, zaparcia). Dopiero uparte bóle głowy budzą nas z uśpienia, ale nawet ich nie kojarzymy z naszym żywieniem.

Wrażliwość na ból głowy jest sprawą indywidualną i te same czynniki niszczące nie u każdego wywołają ból. Jest to zależne od kondycji, konstytucji, usposobienia, komfortu psychicznego i od połączenia negatywnych czynników.

Z mojej obserwacji wynika, że bardziej podatne na ból głowy są osoby z grupą krwi A, gdyż są bardziej wrażliwe na bodźce o energetycznie niskiej wibracji, jak stres, zimno, kwaśne pożywienie.

Również kobiety szybciej reagują bólem głowy, głównie wówczas, gdy są przemęczone i mają problemy natury emocjonalnej (stres, frustracja, żal). W tym przypadku sprawa jest jasna, bowiem każde takie napięcie powoduje zablokowanie krwi w narządach rodnych oraz skurcz naczyń krwionośnych doprowadzających krew do mózgu i jest to typowe niedokrwienie i niedotlenienie. Napięcie emocjonalne umiejscawiające się w narządach rodnych to nie tylko problem zablokowanej krwi, ale również zablokowanej energii, którą kobiecie trudno rozładować z powodu permanentnego wychłodzenia oraz braku świadomości, iż talerz gorącej zupy i otwarty, radosny seks jest lekarstwem zarówno na ból głowy, jak i na dobry humor i urodę.

W tym przypadku uprzywilejowany jest mężczyzna – rozładowanie emocji (energii) jest u niego dużo prostsze. Poza tym kobiety częściej mają problemy z niedoborem krwi (są kobietami!) i ból głowy pojawia się również z tego powodu.

Obojętnie, jaki przypadek będziemy analizować, zawsze praprzyczyną jest nierównowaga jin-jang, która pociąga za sobą problemy krążeniowe, zastoje krwi, energii, skurcz. Jest to sygnał, że w całym organizmie, w każdym narządzie, występują jakieś zaburzenia.

Głowa jest częścią ciała, do której dochodzą meridiany energetyczne wszystkich narządów i dlatego jej ból może być wyrazem zaburzeń np: wątroby, woreczka żółciowego, jelita cienkiego, grubego, żołądka, pęcherza moczowego, potrójnego ogrzewacza, serca. Ból pojawiający się stale w tym samym miejscu świadczy, iż ciągle jesteśmy pod wpływem tego samego czynnika niszczącego.

Na bóle głowy, w tym również chroniczne, cierpią nie tylko dorośli, ale również dzieci i młodzież. Jeśli matka odżywiała się w czasie ciąży głównie pożywieniem wychładzającym (owoce, surówki, zimna woda, wędliny, jogurty, sery itd.) i żyła w stresie, wówczas dziecko przejmuje po niej cały bagaż obciążeń i predyspozycji dla tego cierpienia. Bóle ustępują, gdy dziecko przechodzi na pożywienie właściwie zrównoważone.

Ból głowy zabiera nam chęci do życia, motywację do działania, wtłacza nas w przygnębienie, smutek, żal, depresję. Już samo to świadczy, iż jest w większości przypadków bólem organizmu wychłodzonego, z niedoborem jang i zablokowanym krążeniem. Niebezpieczne jest, gdy lekceważymy i ból, i czynniki go wywołujące, gdyż mogą być początkiem poważniejszych schorzeń.

Inny charakter mają tzw. neuralgie, czyli nerwobóle, dotyczące dwu nerwów: trójdzielnego i twarzowego. Zapalenie tych nerwów daje silny ból, a przyczyną jest wychłodzenie (niedobór jang) i niedożywienie organizmu (niedobór właściwej jakości esencji – niedobory witaminowe i soli mineralnych). Główną rolę w tych dolegliwościach odgrywa oczywiście wątroba, która – gdy brakuje jej właściwej ilości krwi i składników odżywczych – obniża jakość i funkcję tkanki nerwowej. Przy bólach tego typu należy zająć się przede wszystkim właściwym odżywianiem i rozgrzewaniem organizmu.

Bóle głowy, których przyczyną są przemęczenie i stres, możemy usunąć uciskając punkty 1, 14, 20 na meridianie woreczka żółciowego, 8 i 36 żołądka, a także punkty na „mięśniach żołądkowych"[7], do których zaliczamy mięśnie szyi, dźwigacz łopatki oraz mięsień piersiowy większy część obojczykowa. Mięśnie te ulegają przykurczowi nie tylko pod wpływem stresu, ale również bodźca smakowego albo zimna. Stwarzają tym samym blokadę w przepływie krwi i energii do głowy oraz często rzutują na pracę innych mięśni i narządów. Mięśnie szyi zaś należą do układu drenującego głowy.

Częste bóle głowy mogą mieć swą przyczynę również w jelicie grubym. Ponieważ kwestia ta dotyka coraz większego kręgu ludzi, a mamy świadomość, że niesprawne jelito grube oznacza niesprawną większość narządów w naszym organizmie, zatem podchodźmy do bólów głowy rzeczowo i świadomie. Nie usuwamy bólu tylko środkami przeciwbólowymi, masażami czy akupunkturą – należy przede wszystkim odnaleźć przyczynę, usunąć ją i dopiero po tym doprowadzać organizm do równowagi właściwym pożywieniem i wyżej wspomnianymi zabiegami. Organizm bardzo nie lubi, gdy lekceważymy jego znaki, możemy być pewni, że w niedługim czasie przywoła nas do porządku.

Wymienię jeszcze raz przyczyny bólu głowy:

- zablokowana energia w meridianach
  - ból czoła – woreczek żółciowy, żołądek
  - ból między oczami – pęcherz moczowy, żołądek
  - skronie – potrójny ogrzewacz, woreczek żółciowy
  - połowa głowy –jelito cienkie
  - szczyt głowy – wątroba
  - tył głowy – woreczek żółciowy, osierdzie, nerki
  - zakleszczenie głowy – wątroba
- problemy z jelitem grubym – zaparcia, biegunki
- niedobór jang –słabe krążenie, niedoczynna wątroba i woreczek żółciowy
- niedobór jin – krwi (anemia), zimna śledziona
- przykurcz mięśni głowy i zablokowanie energii oraz krwi – nadmiar bodźców o energii wywołującej skurcz.

Wyżej wymienione blokady w meridianach oraz problemy narządowe i krążenia krwi mogą zaistnieć pod wpływem znanych nam już czynników, tj. stresu, nadmiarów smakowych i zimna, które wywołują wymienione powyżej skutki będące przyczyną omawianych bólów głowy (tzw. błędne koło chorobowe).

Reasumując, za większość bólów głowy odpowiada środkowy ogrzewacz i charakter funkcji narządów do niego należących. Mam na myśli żołądek i śledzionę oraz woreczek żółciowy i wątrobę. Jest to centralny układ stwarzający i napędzający w organizmie. Również właśnie te narządy decydują o jego stanie emocjonalnym (świadomość i podświadomość). W momencie, gdy w organizm wkrada się czynnik niszczący lub blokujący funkcję środkowego ogrzewacza, ujawniają się dolegliwości związane z faktem, iż żołądek niewłaściwie przygotowuje pokarm do dalszego trawienia, śledziona nie wytwarza esencji, lecz toksyczną wilgoć, a woreczek nie ściąga energii żołądka w dół, tym samym dając uczucie przepełnienia i wzdęcie w żołądku oraz ból głowy, wątroba zaś jest zbyt słaba, by dźwignąć wilgoć i energię śledziony, wzmacniając nimi płuca. Poza tym, w momencie osłabienia śledziony i żołądka narastają wynikające z tego skutki, czyli niedobór krwi i jang wątroby. Na tej bazie może powstawać szereg bólów głowy, chociażby z powodu problemów emocjonalnych uaktywniających się zawsze przy niedoborze krwi czy z powodów krążeniowych; które wynikają zawsze z niedoboru jang i nadmiaru wilgoci.

Nietrzymanie moczu i nadaktywność pęcherza

Do wielu cywilizacyjnych chorób dołączyły się dolegliwości pęcherza moczowego i nietrzymania moczu. Z pewnością obie te choroby, choć bez wątpienia leczone są przez jednego lekarza, mają zupełnie odmienne podłoże fizjologiczne.

Nietrzymanie moczu to dolegliwość pojawiająca się w bardzo różnym wieku, zarówno u młodych, jak i u starych, ale zawsze osoby te mają podobne predyspozycje. Początkowo nie jest ona groźna pod warunkiem, że rozpoznamy przyczyny, no i oczywiście jeśli nie stanowi objawu wtórnego poważniejszej choroby, np. SM.

Podstawową przyczyną nietrzymania moczu jest osłabienie i wychłodzenie organizmu, słabe krążenie, niedobór krwi i płynów odżywczych. Określając ten stan nierównowagi zgodnie z zasadami medycyny chińskiej, możemy powiedzieć, że w organizmie środkowy ogrzewacz nie spełnia swej funkcji (żołądek, śledziona, trzustka, wątroba). Wiadomo, że śledziona odpowiada za jakość mięśni, krwi i płynów, zaś wątroba za ich tonus, czyli skurcz i rozkurcz oraz za krążenie energii w meridianie śledziony.

W organizmie, w którym środkowy ogrzewacz jest w niedoborze jang (stan ten dotyka w głównej mierze śledziony), dochodzi do tzw. rozdzielenia energii, kiedy płyny i substancje idą w dół, energia zaś w górę. Objawem tego są zastoje w nogach, „obsuwanie się" dolnej części brzucha oraz wypadanie narządów. Bezpośredni z tym związek ma również wątroba, która odpowiada za stan tkanki łącznej.

Narządy, które odpowiadają za gromadzenie, trzymanie lub wydalanie moczu, są zbudowane zarówno z mięśni gładkich (pęcherz moczowy), jak i prążkowanych (cewka moczowa), kontrolowanych w całości przez wątrobę. Znaczącą rolę w tym schorzeniu odgrywają mięśnie pasa biodrowo-lędźwiowego, w tym mięśnie dna miednicy oraz brzucha. Na skutek przykurczów mięśni pośladkowych (osierdziowych)[8], które mogą uciskać również nerw kulszowy, dochodzi do osłabienia centrum nerwowego, znajdującego się na pograniczu lędźwi i krzyża w rdzeniu kręgowym i odpowiadającego za gromadzenie się moczu w pęcherzu i jego wypływ.

Niemałe znaczenie w procesie trzymania i nietrzymania moczu ma również system hormonalny i jego reagowanie na bodźce idące ze znanych nam już niszczących czynników zewnętrznych, takich jak zimno, stres, nadmiary smakowe. Niedoczynność gruczołów wydzielania wewnętrznego, zaburzenia w ich funkcji są stałe w organizmie narażonym na wymienione czynniki niszczące. Dowiedziono, że niedobory estrogenów przyczyniają się do zwiotczenia mięśni.

Bardzo poważnie przyczyniają się do nietrzymania moczu nasze zaniedbania. Jest rzeczą jasną, że mięsień nie używany wiotczeje i zanika. Przypomnijmy sobie, jak stoimy, założę się, że nie „trzymamy" dolnej partii brzucha i znajdujących się w niej narządów. Zatem gimnastyka izometryczna (skurcz i rozkurcz mięśni), którą można uprawiać w każdym miejscu i każdym momencie, pozwoli nam na szybsze zregenerowanie tych partii naszego ciała.

Nadaktywność pęcherza moczowego to wbrew pozorom poważny problem, a jego nagminność i rozprzestrzenianie się budzi niepokój. Z jednej strony świadczy o tym, że stres dopada nas bez względu na wiek, bowiem na dolegliwość tę cierpią zarówno dzieci, jak i dorośli, z drugiej zaś o naszym wychłodzeniu pożywieniem i ciągłym przemarzaniem.

Nadaktywność pęcherza moczowego to częste oddawanie moczu i ból przy tym oraz pobolewanie w dole brzucha. Dolegliwości takie można mieć nawet przez całe życie. W pewnym przypadku osoba przez trzydzieści lat swojego życia była leczona bez skutku różnymi sposobami, a przyczyną były ciągły stres, przemarzanie oraz oczywiście pożywienie kwaśne, surowe i zimne.

Bóle przy oddawaniu moczu, które pojawiają się, gdy jesteśmy w stresie, to mechanizm obronny chroniący serce przed nadmiarem jang. Energia tego typu jest przechwytywana przez jelito cienkie i pęcherz moczowy. Stres to czynnik, który blokuje, daje przykurcz naszego zewnętrza (mięśnie szkieletowe, śledziona, nerki, głowa), natomiast narządy wewnętrzne, w tym serce, wątroba, trzustka zwiększają swój metabolizm – zużywając esencję i uzyskując w ten sposób większą energię. Ponieważ stres jest często stanem, nad którym świadomie nie panujemy, w związku z tym taki system obronny jest dla serca bardzo korzystny. Gdy wyciszamy organizm relaksem, odpoczynkiem, można również masażami, gimnastyką, akupresurą i oczywiście pożywieniem zrównoważonym, problem bólu przy oddawaniu moczu mija.

Każdy z tych trzech czynników, czyli stres, przemarzanie i niewłaściwe pożywienie powoduje rozregulowanie wszystkich narządów, a głównie osłabienie śledziony i nerek, a jeżeli stan jest chroniczny, dochodzi również do rozregulowania systemu hormonalnego (np. niedobór wazopresyny), czego efektem jest upośledzone wtórne wchłanianie moczu, co objawia się częstym i obfitym jego wydalaniem. Dolegliwość ta zazwyczaj ujawnia się u kobiet w momencie silnego niedoboru jin, w każdym wieku, zawsze w połączeniu z uderzeniami gorąca, często zupełnie bezpodstawnie u kobiet 35-40 letnich określana jako zaburzenia menopauzalne.

Bywają też bóle pęcherza moczowego i przy oddawaniu moczu spowodowane wyłącznie przemarzaniem (zimno zewnętrzne i np. zimne napoje), ale tutaj nie radziłabym korzystać z antybiotyków czy z leków przeciwzapalnych, gdyż grozi to przejściem w stan chroniczny, a leki spowodują jedynie rozregulowanie naszego systemu obronnego i odkładanie śluzu. Uaktywnienie bakterii to sprawa wtórna, najpierw musimy doprowadzić organizm do równowagi. Polecam tu rosoły cielęce, wołowe, wywary z korzenia pietruszki, zupę cebulową, duszoną marchewkę i całkowitą eliminację pożywienia kwaśnego, surowego i zimnego.

Bolesność przy oddawaniu moczu może być pierwszym objawem zapalenia prostaty, które jest również skutkiem niedoboru wilgoci. Nadaktywność i nietrzymanie moczu to wtórne dolegliwości osłabienia i niedoczynności środkowego ogrzewacza (żołądek, śledziona, trzustka, wątroba), połączone zawsze z poważnym niedoborem jin i jang.

Na zakończenie chcę podkreślić, że najczęściej nadaktywność pęcherza moczowego dotyka osób żyjących w stresie. Warto dodać, że przy tej dolegliwości, spowodowanej tym właśnie czynnikiem, może dochodzić do silnych, napadowych bólów głowy w części czołowej i z tyłu. Często bóle te pojawiają się nad ranem i są zbieżne z silnym parciem i aktywnością pęcherza.

Ruchome narządy

Dolegliwość ta ujawnia się u osób z niedoczynnym środkowym ogrzewaczem, a głównie śledzioną i wątrobą. Problem dotyczy jakości tkanki mięśniowej i łącznej. Gdy narządy te osłabione są niedoborem energii jang, niewłaściwą energią pożywienia, czyli nadmiarem smaku kwaśnego, słonego, słodkiego (cukier), wówczas substancja (mięśnie i tkanka łączna) nie spełnia swej roli, nie ma swojego tonusu. Przy dolegliwościach związanych z ruchomymi narządami, oprócz osłabienia środkowego ogrzewacza, niedoczynne są również płuca i nerki. W takim stanie organizmu może pojawić się także wypadanie narządów, zrosty jelitowe, nietrzymanie moczu, nadaktywność pęcherza moczowego, sztywnienie stawów, jak również zła jakość wszystkich mięśni szkieletowych oraz skóry. Dołącza się problem krążeniowy oraz nadmierna pobudliwość, wrażliwość, zaburzenia snu i zła kondycja.

Przyczyną takiego zniszczenia jest stres, przemęczenie, brak gimnastyki, ale głównie pożywienie zimne i kwaśne oraz surowe, które sprawia, iż organizm jest wychłodzony i przykurczony, a substancja złej jakości (mięśnie i tkanka łączna).

Depresja

Depresja jest stanem emocjonalnym, ale wiele również mówi o kondycji ciała fizycznego. Charakteryzuje się brakiem woli do życia i witalności, a ciało i psychika odmawiają reakcji na bodźce aktywizujące – występuje brak apetytu, niechęć do ruchu i kontaktów z otoczeniem.

Depresja to określenie znane, dotyczy czegoś, co jest poniżej przyjętego poziomu. Tym samym jest w życiu człowieka. Niedobór energii jang (czi i ciepło), osłabienie krążenia, dominacja ruchu energii w dół, ku ziemi, sprawiają, że czujemy się przytłoczeni, zgarbieni, nie mamy sił i ochoty oddychać, mówić, ruszać się. Kołaczą się myśli o beznadziejności i bezsensie istnienia. Pojawia się całkowity brak akceptacji otoczenia i samego siebie, a w następstwie myśli samobójcze, kończące się nierzadko śmiercią.

Z „Filozofii zdrowia" wiemy, że narządy mogą przejawiać pozytywne lub negatywne emocje, w zależności od stanu ich równowagi. Depresja to stan emocji i ciała związany z pracą i energią płuc oraz nerek. W nerkach gromadzi się cała nasza energia życiowa (jang) i esencja (jin), które pobudzają wolę życia. Narządy te charakteryzują się ruchem energii w kierunku ziemi, z jednoczesnym skupianiem i zamieraniem. Ale z drugiej strony, gdy płuca i nerki są w równowadze, przejawiają ogromną wolę życia, otwartość, przebojowość.

Depresja nieleczona w porę lub leczona nieprawidłowo prowadzi do poważnych zaburzeń umysłowych i zniszczenia narządów. Często, na pozór podleczona, na skutek intensywnego wychłodzenia, przeżycia czy nawet niewłaściwego posiłku, wybucha niespodziewanie, dając szokujące skutki, np. wyniszczający smutek lub czyn samobójczy. W dzisiejszych czasach depresja jest chorobą społeczną, a jej nasilenie przypada zawsze latem. Dzieje się tak dlatego, że o tej porze roku spożywamy nadmiar pożywienia wychładzającego, np. lodów i zimnych napojów.

Przyczyny depresji

- Silne i tragiczne przeżycie. Smutek i żal mają naturę energii jesieni, która skierowana jest ku ziemi – to energia zamierania. Obciąża ona płuca i następuje blokada w przepływie energii, pojawiają się trudności w oddychaniu. Jeśli ten stan się przedłuża, to po smutku i żalu pojawi się depresja jeszcze niedająca zbyt groźnych następstw. Osobę, która tkwi w żalu i przedłuża ten stan, należy dyskretnie odżywiać posiłkami wyłącznie rozgrzewającymi, dobrze jest od czasu do czasu podać imbirówkę lub kilerkę, nawet czasem kieliszek koniaku, aby nie dopuścić do zastoju energii. Zabronione są soki, owoce, surówki, zimne napoje, lody, nadmiar słodyczy, kwaśne potrawy oraz głodówki.

- Pożywienie zbyt jednostronne, zimne, kwaśne i surowe, przy czym najbardziej niszczące są produkty o smaku kwaśnym i słonym (kurczaki, wieprzowina bez przypraw, wędliny, śledzie, kiszona kapusta i ogórki, jogurty, zimne napoje, lody). Neutralizowanie negatywnego oddziaływania wymienionych produktów przez picie alkoholu (energia smaku ostrego) jest jedną z głównych przyczyn alkoholizmu. Niektórzy neutralizują ten problem słodyczami.
- Odchudzanie się – powodujące permanentny niedobór energii – wiąże się z całkowitym rozhuśtaniem emocjonalnym i częstymi stanami depresyjnymi.

Proszę mi wierzyć, nikt z własnej woli nie popada w stan depresji. Wyłącznie nieznajomość natury oddziałujących na nas czynników powoduje, że jesteśmy tak emocjonalnie niezrównoważeni. Uważam, że szczególnie dzieciom i młodzieży należy się pomoc i skupiona uwaga.

Z pewnością do ujawnienia się depresji przyczyniają się osobiste, wewnątrzrodzinne problemy emocjonalne, czyli brak ciepła, akceptacji, miłości, współczucia ze strony najbliższych. To dziwne, w większości przypadków cierpimy, ale bardzo trudno nam nauczyć się dawać to, czego najbardziej nam brakuje. Ale to my, dorośli, powinniśmy sobie w pierwszej kolejności uświadomić, że jest przy nas ktoś, kto czeka na dotyk i uśmiech. Nawet jeśli sami nie doświadczyliśmy tego jako dzieci, czas, by takie momenty stały się naszą codziennością.

Lekarstwem na każdą depresję i problem emocjonalny jest eliminacja pożywienia ochładzającego (kwaśne, zimne, surowe) oraz wprowadzenie pożywienia gotowanego, zrównoważonego smakami, z przyprawami oraz uświadomienie sobie, iż ciągła skłonność do wpadania w depresyjny smutek jest tym problemem emocjonalnym, z którym musimy się uporać, a przede wszystkim go zrozumieć. Pomyślmy, czy nie tkwią w nas jakieś stare, zakorzenione może jeszcze w dzieciństwie żale, pretensje, smutki? Trzeba, je po prostu zrozumieć i przetransformować na energię radości, otwartości, akceptacji, tolerancji. Pomyśl: gdybyś nie miał tego smutku, nie potrafiłbyś wzbudzić w sobie energii miłości. Właśnie dzięki cierpieniu stale się uczysz.

Strach

Strach jest stanem emocjonalnym związanym z nerkami. Jeżeli skutki oddziaływania na organizm depresji (smutku, żalu) kończą się najczęściej depresją lękową, to oddziaływanie strachu zazwyczaj kończy się agresją. Strach to niska wibracja skupienia, dominująca w organizmach wychłodzonych i niedożywionych.

Energia strachu jest wpleciona w naszą podświadomość i świadomość już w momencie narodzin. Podobnie jak miłość. Energia miłości jest naturalną ufnością, oddaniem i akceptacją, poczuciem jedności z wszystkim i wszystkimi. Tak czują dzieci.

Strach powinien istnieć tylko dla naszego bezpieczeństwa, ochrony naszej indywidualności, tożsamości, życia fizycznego. To nasze Ego. Ego zawsze się boi. Jeśli myśli przelatują przez umysł jak szalone, to znaczy, że Ego przypomina, iż możemy nie zdążyć, nie umieć, możemy się zabić, nie zostać zaakceptowani, nie podobać się, może jesteśmy za grubi, może stracimy pracę, zostaniemy potępieni, może, może, może... Trzeba z tego chaosu ostrzeżeń wybrać te niezbędne, które nas chronią. Pozostałe należy wyciszyć. Koniecznym jest wzmocnienie ciała przez wypełnienie go energią jang.

Każdy lęk ciągnie w swoją stronę, chce być najważniejszy. Dziewczyna rozwodzi się z mężem alkoholikiem i jest w totalnym stresie. Pytam ją: „Czego się boisz?" „Boję się, że sobie nie poradzę". Świetnie. Ego jest przewidujące, troskliwe. Ale nie dajmy się zwariować. Może na siłę powinniśmy wyzwalać w sobie radość i ufność, aby się do nich przyzwyczaić. Inny przykład. Młody człowiek chce koniecznie pojechać na obóz. Jednak przed wyjazdem, zamiast się cieszyć, przeżywa lęk, czy zostanie zaakceptowany przez rówieśników, co psuje całą radość z przygotowań do wyjazdu i samego pobytu na obozie. Tracimy kontakt z partnerem, nie rozmawiamy, gdyż Ego pisze scenariusz niezwykłych historii, które przelatują przez nasz umysł, i powoduje, że stale jesteśmy obrażeni.

Strach odzwierciedla się zarówno w naszym ciele emocjonalnym, jak i fizycznym, jako bodziec pozytywny, chroniący nasze życie, wyzwalający ogromną moc w sytuacjach nagłego zagrożenia. Wiemy, że wówczas wydzielany jest hormon adrenalina. Wywołuje on skurcz mięśni, podniesienie ciśnienia, przyspieszenie pracy serca, podwyższenie poziomu glukozy we krwi. Stan ten jest zawsze związany z uaktywnieniem metabolizmu. Jest to mobilizacja organizmu chwilowa i bardzo pozytywna.

W sytuacji, gdy silne pobudzenie przechodzi w stan chroniczny, następuje wyniszczenie organizmu. Napięte mięśnie blokują swobodny przepływ energii i krwi, a jednocześnie wątroba cierpi na niedobór krwi (jin), co z kolei wywołuje agresję. W stanie tym zużywa się zarówno jang, jak i jin, gdyż odnowa substancji jest zablokowana, a napięcie pochłania również naszą energię. Postępuje tzw. wypalanie wnętrza i organizm wchodzi w stan „ognia". Jeżeli napięcie i stres trwają długo, grozi to poważnymi konsekwencjami: atakiem serca, pęknięciem śledziony, krwotokami, wylewem, nadciśnieniem, wrzodami żołądka. Jest to typowy zespół emocjonalny dotykający szefów, dyrektorów, właścicieli firm.

Każdy strach jest jin, różnice dotyczą jego intensywności, bo inny jest strach przed ojcem alkoholikiem, agresywnymi kolegami czy przed utratą pracy. Jest to energia ubezwłasnowolniająca, połączona z bezsilnością, blokująca pracę narządów, przemianę materii, krążenie, normalne funkcjonowanie. Pojawiają się zawały, otyłość, przepukliny, problemy z płucami, niestrawność, biegunki, bóle głowy.

Zarówno w pierwszym, jak i w drugim przypadku właściwe, rzetelne odżywianie może zneutralizować nawet duże napięcie emocjonalne. W sposób naturalny dystansujemy się do problemu, który nas dręczy. Pożywienie zrównoważone zapewnia ochronę przed grożącymi konsekwencjami przedłużających się stresów i lęków.

Dyscyplina wprowadzona w codzienny rozkład zajęć, z uwzględnieniem czasu na relaks, gimnastykę, wzmacniające posiłki spożywane w spokoju oraz sen, bardzo pomoże w odcięciu się od dręczących myśli i jednocześnie pozwoli uwolnić się od niszczącej energii strachu.

Istnieje jeszcze jeden typ lęków, ale te wiążą się już ściśle z elementem serca i są przejawem zaburzeń umysłowych. Pojawiają się w organizmie z niedoczynną śledzioną i brakiem jin wewnętrznego, a niedobór krwi dotyka serca. Umysł wówczas jest bardzo pobudzony.

Stan ten jest jednoczesnym niedoborem krwi również w wątrobie, co powoduje „wypuszczanie" z podświadomości różnych lęków i fobii, które, gdy wątroba jest w równowadze, są głęboko ukryte, co jest stanem normalnym. Musimy pamiętać, że nasza podświadomość gromadzi niewyobrażalną dla nas ilość uczuć oraz emocji i nie naszą sprawą jest zagłębiać się w nie, odgrzebywać i próbować usuwać. Są niegroźne, gdy jesteśmy w równowadze. Źle czynimy próbując coś „naprawiać", nie mając pewności, czy nasz organizm wytrzyma taką próbę.

W sytuacji, gdy lęki z podświadomości „wnikają" do umysłu, należy pomyśleć o pilnym odbudowaniu jin wewnętrznego, aby narządy (wątroba, serce) uzyskały stan równowagi. Doprowadzimy do tego poprzez eliminację pożywienia wychładzającego, zastępując je zrównoważonym i rozgrzewającym. Bardzo ważna jest też praca nad usunięciem napięcia mięśni, które pojawia się jako odruch bezwarunkowy jeszcze przed myślą. Nie sądzę, aby chore osoby same mogły sobie z tym poradzić.

Kręgosłup

Problemy z kręgosłupem ma przejściowo każdy człowiek. Są one wypadkową tego, co dzieje się w organizmie, odzwierciedlają kondycję wszystkich narządów i mięśni szkieletowych. Całkowitym nieporozumieniem jest traktowanie kręgosłupa jako „narządu" odrębnego i samostanowiącego. Ból w jego okolicy świadczy o napięciu mięśni i zaburzeniu w którymś z narządów. Może być ściśle umiejscowiony lub też promieniować na większą część ciała.

Aby kręgosłup właściwie funkcjonował, jego części składowe powinny mieć właściwą jakość, tzn. kręgi powinny być należycie wykształcone, a tkanka łączna (dyski) sprężysta i wilgotna. Ponieważ kręgosłup cały czas „pracuje", a dyski są poddawane ogromnym naciskom i ścieraniu, zużywają się bardzo szybko, więc ich regeneracja i odnowa to jeden z najważniejszych procesów odbywających się w organizmie.

I znów wracam do kwestii podstawowej, wielokrotnie już omawianej: aby regeneracja tkanki mogła odbywać się w sposób niezakłócony, muszą być dostarczane wraz z krwią odpowiednie czynniki budulcowe, energetyczne i regulujące. Krew musi mieć właściwą jakość i ilość. Niezbędna do tego jest energia jang, która pobudzi śledzionę i krążenie krwi oraz limfy. Rola limfy ma tu ogromne znaczenie, gdyż to ona odbiera zużyte komórki, które w procesie regeneracji dysków powstają w dużej ilości. Za odnowę i odbudowę tkanki łącznej oraz krążenie, jak wiemy, odpowiada wątroba, a za podstawową esencję budulcową śledziona.

Drugą niezmiernie ważną kwestią w prawidłowym funkcjonowaniu kręgosłupa jest zachowanie pionowej postawy umożliwiającej swobodne krążenie energii w kanale centralnym, a w kolejności w całym ciele. Sylwetka powinna być symetryczna i proporcjonalna, a naszym zadaniem jest takie jej zachowanie poprzez mądre odżywianie, właściwe ćwiczenia ruchowe i siłowe oraz przez dyscyplinę emocjonalną.

Prawidłową pionową postawę utrzymujemy dzięki mięśniom szkieletowym i od ich kondycji zależy, czy będziemy się garbić, ciągnąć nogami, czy będziemy skrzywieni i nieproporcjonalni. To mięśnie nadają wygląd zewnętrzny i rzeźbę sylwetki. Przypominam, że jakość mięśni to śledziona, a za ich podstawową funkcję motoryczną (skurcz-rozkurcz) odpowiada wątroba.

Według badań i analiz J.F. Thie wszystkie narządy mają „swoje własne" mięśnie umiejscowione w najróżniejszych częściach ciała. I tak, zaburzenie pracy narządu lub silny bodziec emocjonalny powodują przykurcz w odpowiadającym mu mięśniu, który, gdy trwa zbyt długo, blokuje krążenie krwi i energii.

Przykurcz mięśni może pojawić się po zjedzeniu posiłku bardzo tłustego, kwaśnego lub zimnego. Może wystąpić zarówno w pasie biodrowo-lędźwiowym, jak i w okolicy kręgów szyjnych, piersiowych. Mogą również wystąpić bóle klatki piersiowej, duszności, bóle „reumatyczne" rąk, ud, łydek i „pęciny".

Mdlące bóle kręgosłupa na odcinku między piątym a szóstym kręgiem piersiowym oraz dolnym piersiowym, połączone często z wymiotami i bólami głowy, to przede wszystkim osłabienie wątroby. Osłabienie wątroby, które występuje praktycznie u każdego, objawia się również stałym, ściągającym, piekącym, swędzącym bólem pod prawą łopatką, między piątym a szóstym kręgiem piersiowym, 2,5 cm w prawo od linii kręgosłupa[9]. Miejsce to może być zaczerwienione i przy dotyku bardzo bolesne. Uciskając ten punkt będziemy czuli ogromne rozluźnienie w pasie lędźwiowo-biodrowym, w nogach, w barkach, w głowie.

Problemy związane z bólami kręgosłupa możemy usunąć, jeśli zdyscyplinujemy się i, oprócz właściwego odżywiania, wprowadzimy codzienne ćwiczenia (min. pół godziny). Dają one gwarancję, że bóle, które są skutkiem blokad i nieprawidłowego ukrwienia stawów i mięśni, będą ustępować. Najważniejsze jest to, aby przy ćwiczeniach nie bać się bólu stawów, które w momencie silnego naprężania i naciągania będą się uelastyczniać i regenerować. Codzienne (a nie np. 2-3 razy w tygodniu aerobik) ćwiczenia zapewnią nam właściwą kondycję na cały dzień.

Cellulitis

Jest to dolegliwość polegająca na zwyrodnieniu tkanki łącznej komórek tłuszczowych oraz zaleganiu chłonki (limfy) w przestrzeniach międzykomórkowych. Wygląd zewnętrzny ciała przypomina skórkę pomarańczową. Nie jest to choroba sama w sobie, lecz, podobnie jak w przypadku innych dolegliwości, jest skutkiem zaburzeń przemiany materii, które zostały wywołane przez następujące czynniki:

- nieregularne i zimne posiłki
- nadmiar fast foodów i słodyczy
- nadmiar pożywienia kwaśnego i surowego (kiszona kapusta i ogórki, surówki, jabłka, soki, jogurty owocowe, serki)
- nadmiar zimnych napojów
- pożywienie monosmakowe lub monoskładnikowe (sery, jogurty owocowe, owoce, soki)
- przemarzanie (mini w każdą pogodę)
- stres i problemy emocjonalne
- brak ruchu
- odchudzanie się.

Cellulit to osłabienie żołądka, śledziony i trzustki, właściwego trawienia i wchłaniania, procesu odnowy komórkowej. Śledziona nie produkuje właściwej esencji, pojawia się patologiczna wilgoć, która umiejscawia się w różnych częściach ciała. Niewłaściwe pożywienie i niedobór jang osłabia krążenie energii, krwi i limfy sprawiając, że samoczynne oczyszczanie przestrzeni międzykomórkowych z produktów przemiany materii oraz patologicznej wilgoci nie jest możliwe. Tworzą się zastoje, jednocześnie ulega degeneracji tkanka łączna komórek tłuszczowych na skutek niewłaściwego „dowozu" czynników budulcowych i energetycznych.

Za proces regeneracji tkanki łącznej i krążenie w organizmie, jak wiemy, odpowiada wątroba. Cellulitis jest pierwszym objawem osłabienia i złej funkcji wątroby, więc możesz być, dziewczyno, pewna, że doigrasz się niedługo poważniejszej choroby (trawienne, otyłość, problemy z narządami rodnymi, z piersiami), bo taka jest kolej rzeczy. Kosmetykami, maściami zewnętrznymi nie poprawisz funkcji wątroby ani krążenia.

Co może pomóc w tym schorzeniu? Z pewnością nie picie dużej ilości zimnej wody, zjadanie w nadmiarze owoców lub surówek, lecz:

- codzienny ruch, gimnastyka, ćwiczenia siłowe
- pożywienie ciepłe z energią jang, pobudzające krążenie
- pożywienie zrównoważone wszystkimi smakami i z przyprawami, aby pobudzić właściwą przemianę materii.

Zaparcia

Według medycyny konwencjonalnej zaparcie nie jest chorobą, lecz objawem spowodowanym różnymi czynnikami, a jego najczęstszą przyczyną jest nawykowe zaparcie atoniczne lub spastyczne. Atoniczne objawia się osłabieniem lub całkowitym ustaniem ruchu robaczkowego jelit, a spastyczne bolesnymi skurczami. Czynniki, które dla medycyny są przyczynami, są już niestety skutkami poważnych zaburzeń przemiany materii i utraty równowagi jin-jang w organizmie. Medycyna zapomina, że zaparcia są początkiem bardzo poważnych chorób jelita grubego, dotykających coraz więcej osób. Same zaparcia lub rozwolnienia można właściwie zakwalifikować jako chorobę społeczną.

Jelito grube nie jest odrębnym narządem funkcjonującym niezależnie od całego przewodu pokarmowego i od kondycji pozostałych narządów. Jego działanie jest dokładnym przejawem pracy żołądka, śledziony, trzustki, jelita cienkiego, wątroby, nerek, płuc oraz krążenia (osierdzia). Jednakże główny ciężar odpowiedzialności spada na żołądek, śledzionę i trzustkę (Centrum), gdyż od tych narządów zależy cały proces trawienia oraz wydzielania wewnętrznych płynów i śluzów. Jelito grube jest narządem pustym, a więc jang, i do właściwej pracy wymaga energii oraz wilgoci (śluzu).

Praca jelita grubego polega na przesuwaniu – dzięki ruchowi robaczkowemu (perystaltyka) jego mięśni gładkich – niestrawionych lub strawionych, ale niewchłoniętych części pokarmowych z jednoczesnym formowaniem kału i wydalaniem go. Podczas tego procesu następuje wchłanianie wody, niektórych soli mineralnych oraz „dotrawianie" enzymami z jelita cienkiego niestrawionych części pokarmu. Dotrawianie zachodzi, gdy przewód pokarmowy jest zbyt wychłodzony i treść pokarmowa przemieszcza się za szybko. W jelicie grubym mogą być wchłaniane niektóre aminokwasy, jeżeli stężenie ich jest odpowiednie. Dla właściwego formowania kału niezbędna jest obecność śluzu. Przez ścianę jelita grubego zostają usuwane substancje, które nie są wydalane z moczem, takie jak żelazo, wapń, magnez fosfor, rtęć, bizmut.

Drobnoustroje znajdujące się w jelicie grubym powodują fermentację głównie cukrów i gnicie niestrawionego w pożywieniu białka. Dzięki wodorowi powstającemu w procesie fermentacji dokonują się różne przemiany chemiczne polegające na redukcji, np. zmiana barwników żółciowych. Gnicie zaś jest procesem mogącym przynieść duże szkody organizmowi (zatrucie toksynami), jeśli kał zalega w jelicie zbyt długo, a produkty końcowe tego procesu nie mogą być neutralizowane ze względu na ich nadmiar. W normalnych warunkach związki trujące są unieszkodliwiane przez ścianę jelita lub w wątrobie.

Naturalnym bodźcem wyzwalającym ruch robaczkowy jest mechaniczne rozciąganie ścian miazgą pokarmową oraz odpowiednie pobudzenie chemioreceptorów. Jest to proces ściśle uzależniony od pracy układu nerwowego, od pobudzania przywspółczulnych włókien nerwu błędnego i współczulnych włókien nerwu trzewnego oraz od samej pracy mięśni gładkich jelita. Za cały ten układ zależności odpowiada wątroba. Napięcie mięśni gładkich i ruchy jelita oraz pobudzenie układu przywspółczulnego zwiększa żółć i wiele związków chemicznych. Osłabiająco działają impulsy współczulne oraz adrenalina i atropina. W związku z tym pokarm tzw. lekkostrawny, czyli soki, owoce, jogurty owocowe, surówki, sery oraz słodycze wyciszają ruch robaczkowy i rozleniwiają jelito.

Proces wydalania z jelita grubego uformowanego kału jest związany energetycznie z funkcją nerek. Niedobór energii jang i esencji w nerkach przejawia się między innymi właśnie zaburzeniami pracy jelit. Kał powinien być uformowany i mieć jednolitą konsystencję. Postać kaszkowata z niestrawionymi częściami pożywiania świadczy o zaburzeniach i osłabieniu śledziony, żołądka, trzustki i jelit. Ewidentne zaparcie występuje wówczas, gdy nasze wypróżnienia są rzadsze aniżeli co dwa-trzy dni.

Gazy, które często powoduje nasz dyskomfort, nie są związane z funkcją jelita grubego, lecz jelita cienkiego i jego możliwościami trawiennymi. Niestrawiona w jelicie cienkim treść pokarmowa ulega bowiem fermentacji w jelicie grubym. To również niedobór energii jang w żołądku, śledzionie, trzustce i jelicie cienkim daje zaburzenia trawienne, które najszybciej i najczęściej objawiają się właśnie gazami.

Silne skurcze w dole brzucha powodowane zaburzeniami pracy jelita grubego świadczą o blokadzie w krążeniu energii w jego meridianie. Pomocny będzie ucisk punktów na dłoni. Ta blokada energii wpływa bezpośrednio na pracę żołądka, a jej usunięcie poprawia jego funkcjonowanie.

Analizując wnikliwie problemy jelita grubego (czy to zaparcia, czy rozwolnienia) dochodzimy do wniosku, że są one potęgowane przez pożywienie zimne, kwaśne, surowe i niedobór energii jang w tym pożywieniu. Właśnie przez nadmiar surówek, owoców, kwaśnych potraw, przez zimną wodę, piwo, soki, nadmiar serów, makaronów, ryżu, białego pieczywa, kurczaków, wędlin, wieprzowiny, słodyczy, czekolady, no i oczywiście brak przypraw, stwarzamy warunki dla rozwoju chorób jelita grubego (dotyczących, głównie uszkodzenia śluzówki oraz niedoborów śluzów w jelicie): wrzodziejące zapalenia, hemoroidy, przetoki, nowotwory i zwykłe zaparcia.

Pamiętajmy:
- jeśli proces wydalania kału z jelita grubego zależy od pracy nerek, ich energii jang, to z pewnością osłabimy ją, jedząc owoce, surówki i pijąc zimną wodę
- jeśli ruch robaczkowy jelita jest zaburzony – a jest on ściśle powiązany z funkcją wątroby (mięśnie gładkie i układ nerwowy) – to jedząc kwaśne i zimne potrawy tylko sobie zaszkodzimy
- jeśli jelito grube „przerabia" to, co zostało strawione lub niestrawione w żołądku i jelicie cienkim, to na pewno pokarm zimny, bez przypraw, proces trawienia pogorszy
- jeśli do pracy jelita grubego niezbędny jest śluz wytwarzany przez śledzionę, to głodówki, lewatywy, detoksy, spożywanie samych owoców i picie zimnej wody jelito wyjałowi i zniszczy śluzówkę oraz pozbawi jelito śluzu (niedobór witaminy A, D3, E, magnezu, cynku i żelaza).

Groźne jest namawianie przez wielu „specjalistów" do częstych lewatyw, detoksów, głodówek z jednoczesnym spożywaniem specjalnych mikstur, płynów czy ziół. Owszem, można taki zabieg zrobić raz – w momencie przełomowym – kiedy decydujemy się na całkowitą zmianę sposobu odżywiania i stylu życia. Taki proces oczyszczenia ma wówczas właściwy sens. Pozwala nam pozbyć się starego i wejść w nowe z większym komfortem psychicznym.

Czas, aby wreszcie dopuścić do świadomości, że nasze ciało jest perfekcyjnie skonstruowane i wszystkie procesy i przemiany zachodzą w nim tak, by było stale wzmacniane energią, odżywiane, regenerowane, z należytą dbałością o samoczynne oczyszczanie z toksyn, czyli wydalanie.

Zaiste, dziwne jest nasze podejście do mocy i miłości Stwórcy. Z jednej strony uwielbienie, z drugiej zaś poddawanie w wątpliwość Jego rzetelności i fachowości. Czyżby Stwórca był brakorobem i stworzywszy człowieka na wzór i Swoje podobieństwo zapomniał o tym, że to wspaniałe ciało musi również wydalać nieczystości? Zastanówmy się, czy robimy wszystko, co należy z naszym ciałem, aby samo się oczyszczało i wydalało zbędne produkty przemiany materii.

Róbmy, co do nas należy, a nie będzie problemów z zaparciami i pozbywaniem się toksyn. Wielu twierdzi, że w jelitach gromadzą się ogromne ilości złogów, tzw. mydeł i innych. Dobrze, ale one powstały na skutek złej przemiany materii, niedoborów energii jang, czego przyczyną jest zawsze niewłaściwe pożywienie. Nieumiejętność łączenia smaków, brak przyprawiania, błędne zestawianie składników pokarmowych, z eliminacją jednych, a preferencją drugich, powodują zawsze powstawanie w procesie przemiany materii toksycznych związków, które na skutek niedoborów energii jang nie mogą zostać usunięte z krwi i przewodu pokarmowego.

Lewatywy były znane od starożytności i przynosiły ulgę w cierpieniu, ale nie mogą być sposobem na zdrowie i codzienne wypróżnienia. Jeśli z góry zakładamy, że muszą być robione często, gdyż gromadzą się w nas toksyny, to oznacza, że popełniamy kardynalne błędy w żywieniu i nasza przemiana materii jest niewłaściwa, a zaburzenia te grożą nie tylko zaparciami, lecz także bardzo poważnymi chorobami.

Podkreślam raz jeszcze, że samo zjedzenie mięsa (białko) nie wywołuje i nigdy nie wywoła w organizmie zrównoważonym szkodliwych procesów gnilnych pod warunkiem, że jest spożywane w potrawie zrównoważonej wszystkimi smakami, z uwzględnieniem natury samego mięsa. Proces gnilny zachodzi w dwóch przypadkach: jeśli mięso znajduje się w potrawie niezrównoważonej, bez przypraw, w obecności surowych, kwaśnych warzyw, surowych owoców, soków, zimnych napojów i słodyczy oraz w organizmie osłabionym, wychłodzonym, z niedoborem energii jang.

Inną, niezwykle istotną sprawą jest fakt, iż proces gnilny nigdy nie zachodzi w żołądku. Tutaj pokarm może jedynie zalegać na skutek osłabienia żołądka, a głównie jelita cienkiego oraz trzustki i wątroby. Procesy gnilne, jeśli zachodzą, to wyłącznie w jelicie grubym, więc obawy przed jedzeniem mięsa są zupełnie nieuzasadnione.

Lekarze przestrzegają przed zażywaniem tabletek przeczyszczających, twierdząc, że jelito pod ich wpływem się rozleniwia. A czymże jest jabłko zjadane na noc lub zimna woda wypijana rano? Niczym innym, jak właśnie tabletką przeczyszczającą. Natura energii tych czynników jest silnie ochładzająca i powoduje, że niestrawiona treść pokarmowa „przelatuje" przez jelita, oczywiście wyłącznie z samego środka światła jelita, natomiast w jego zakamarkach wszystko zostaje i zalega. Jabłko czy woda nie regulują procesu trawienia ani pracy jelita grubego, lecz właśnie je rozleniwiają.

Praca jelita grubego zależy od siły i energii żołądka, śledziony i trzustki, sprawności jelita cienkiego, wydolności wątroby, no i oczywiście nerek. Ogromną rolę spełnia również krążenie (osierdzie), nie tylko biorąc pod uwagę przemieszczanie się z krwią składników energetycznych i budulcowych umożliwiających regenerację jelita, ale ze względu na umiejscowienie w pasie biodrowo-lędźwiowym mięśni osierdziowych[10], które przykurczając się mogą powodować blokadę w krążeniu krwi i pracy jelita. Zjawisko to może być potęgowane przez skurcze mięśni przynależnych do jelita grubego[11], które znajdują się również w pasie biodrowo-lędźwiowym.

Przy problemach z jelitem grubym:

- zjadaj zawsze posiłki ciepłe, gotowane, zrównoważone
- używaj przypraw, niezależnie od tego, jaką masz dolegliwość jelitową
- potrawy przygotowuj głównie z produktów w smaku słodkim: marchewka, korzeń pietruszki, pasternak, dynia, kabaczki, cukinie, patisony, ziemniaki, tran, masło
- zjadaj niewielkie ilości mięsa (cielęcina, młoda wołowina, ciemne części indyka), aby poziom hormonów umożliwił regulację przemiany materii i regenerację tkanki jelitowej

- uważaj na błonnik – jego nadmiar (np. otręby) wiąże cenne składniki mineralne, osłabia pracę narządów, niebezpiecznie drażni śluzówkę jelita, może również wpływać na poziom insuliny
- uważaj na gluten (białko pszeniczne), które jest wysoce niszczące dla śluzówki jelit
- uważaj na stres oraz nadmiar smutku i żalu – te emocje mogą spowodować bardzo poważne komplikacje
- pamiętaj, że każde osłabienie naszego Centrum pociągnie za sobą problemy z płucami oraz jelitem grubym.

Jak wspomniałam, zaparcia mogą być początkiem poważniejszych chorób i dochodzi do nich, gdy w organizmie zjawia się tzw. fałszywy ogień, który, jak wiemy, zawsze jest konsekwencją poważnego uszkodzenia lub osłabienia Centrum, a głównie śledziony. Wówczas w organizmie pojawia się niedobór enzymów trawiennych, śluzów, osłabiona jest krew, co wpływa na proces trawienny, a więc bezpośrednio na pracę jelita grubego.

Krwawienia z jelita grubego to chora śluzówka i suchość, czyli niedobór śluzu, która tę śluzówkę osłania oraz brak warunków dla jej regeneracji (niedobory hormonalne, witaminowe i mineralne). Regenerowanie śluzówki to problem wątroby i oczywiście odpowiedniej ilości witaminy A w organizmie. Jednakże pękanie samych naczyń krwionośnych to już funkcja śledziony. Krwawienia ustępują, gdy przejdziemy na pożywienie zrównoważone, lecz powracają, gdy zjadamy np. surowe owoce, kiszone ogórki. Bardzo dobrze na tę dolegliwość wpływają również nasiadówki w wywarze ziela ostrożenia.

Porcja rozsądku

Diety

Dieta jest to specyficzny sposób żywienia oparty na wybiórczym stosowaniu pewnych produktów z całkowitym wyeliminowaniem pozostałych oraz na ograniczeniach ilościowych. Dietę powinno się zalecać w ekstremalnych przypadkach – gdy nasze zdrowie wymaga radykalnych zabiegów. Ponieważ współczesny człowiek ma mnóstwo problemów ze zdrowiem, pojawiło się również mnóstwo diet i zaleceń żywieniowych.

Wiele z nich wywodzi się z prastarych przekazów ludowych, w których chory zażywał konkretny specyfik na konkretną dolegliwość, ze ścisłym określeniem czasu trwania kuracji, po czym wracał do zdrowia. Zalecenia współczesne rzadko przestrzegają przed pochopnym lub zbyt długim stosowaniem kuracji. Często ludowe receptury dotyczące leczenia konkretnej dolegliwości wykorzystuje się do stworzenia bazy dla „diet życia", nowych sposobów odżywiania czy sposobów na podtrzymanie zdrowia. Jest to działanie nieprzemyślane i groźne w skutkach. Dawniejsze przyczyny chorób różnią się od dzisiejszych i jeśli któryś ze specyfików lub sposobów eliminuje jakąś dolegliwość lub ratuje życie, to nie znaczy, że może on być przepisem na zdrowie na całe życie i dla wszystkich. Pamiętajmy zawsze, że czym innym jest usuwanie dolegliwości czy ratowanie życia, a czym innym ochrona i zachowanie zdrowia.

Podawanie nawet najwspanialszego specyfiku przez dłuższy czas grozi poważnymi zaburzeniami, bowiem po osiągnięciu przez organizm równowagi następuje znowu jej zachwianie i utrata możliwości samoobrony. Pamiętajmy, że każdy specyfik traktowany jest przez organizm jako konkretna energia o konkretnym działaniu.

Nasze zdrowie jest uzależnione od wielu czynników zewnętrznych, ale przede wszystkim od regularnych, urozmaiconych, odpowiednio przygotowanych i ciepłych posiłków.

Medykamenty ludowe dają ulgę w cierpieniu, ratują życie, natomiast nie zachowują równowagi i zdrowia. Właściwym byłoby po zastosowaniu tegoż i ustąpieniu dolegliwości przejść na pożywienie zrównoważone, aby odbudować wewnętrzną energię i esencję, uzyskać właściwą równowagę, gdyż dopiero ona w rzeczywistości przywraca zdrowie.

Dieta może być wsparciem specyfików, jednak powinien zostać określony jej cel i czas trwania. Stosowanie wybiórczego sposobu odżywiania przez dłuższy czas musi skończyć się – podobnie jak przy stosowaniu preparatów – utratą równowagi, zaburzeniami pracy narządów i problemami emocjonalnymi. Diety nie mogą być sposobem na życie, lecz mają służyć wyprowadzeniu organizmu z „dołka" energetycznego.

Oczyszczania, głodówki, wegetarianizm

Czy ty stwarzasz, czy niszczysz? Dag Hammarskjöld

Czy lęk jest dobrym doradcą, szczególnie gdy chodzi o własne życie czy ciało? Nasze intencje kierują naszymi wyborami, a jedne i drugie zsyłają nam doradców. Jeśli nosisz w sobie lęk o cel i sens swojego życia, emanujesz energią o specyficznej częstotliwości, a więc będziesz przeżywać sytuacje na miarę swoich oczekiwań, a wokół ciebie znajdą się osoby, które je zaspokoją. Wszystko zaczyna się od nas. Jeśli nie zaufamy i nie zaakceptujemy tego, kim i jacy jesteśmy, tego, co przeżyliśmy i przeżywamy, kim się stajemy, jeśli nie zrozumiemy, w jaki sposób możemy siebie wzmacniać, nie niszcząc jednocześnie ciała, to nigdy nie odnajdziemy siebie i nie będzie w nas miłości, a słowo „kocham" będzie puste jak dzwon.

Gdybyś kochał siebie prawdziwie, nie niszczyłbyś ciała, nawet gdyby namawiał cię do tego wspaniały, uduchowiony guru. Pomyśl, przecież sam dla siebie jesteś guru. Nosisz w sobie mądrość całego Wszechświata. Przystań i posłuchaj, co mówi twoje ciało. Ono powie ci wszystko.

Głodówki stają się modne, a oczyszczanie wręcz obsesją. W normalnych warunkach, gdyby nasze ciało było właściwie odżywiane i dostarczalibyśmy z pożywieniem energię jang, takie zabiegi byłyby zupełnie zbyteczne – ciało samo by się oczyszczało.

Podczas głodówki, w pierwszej jej fazie, zużywane są materiały zapasowe, głównie tłuszcze oraz białkowe struktury żywych komórek. Druga faza polega na tym, że zaczyna brakować cukru, wobec czego tłuszcze nie spalają się do końca, prowadząc do zatrucia ciałami ketonowymi, zużycie białka jest wówczas minimalne. Trzeci okres to pokrywanie wydatków energetycznych kosztem własnych białek, co prowadzi do wyniszczenia i zużywania własnych mięśni, gruczołów wydzielania wewnętrznego i narządów. Najsilniejsze są płuca, serce i układ nerwowy. Wszystkie te etapy prowadzą do silnego zakwaszenia organizmu oraz zatrucia produktami nieprawidłowej przemiany materii; ciało wydaje wówczas bardzo nieprzyjemny zapach.

Zawartość tłuszczu w zdrowej wątrobie wynosi ok. 3%. W pewnych okolicznościach, np. dieta wysokotłuszczowa, głodówka, ciężka praca fizyczna, przy cukrzycy, przy zmniejszonej ilości choliny i metioniny (niejedzenie jajek, dieta surówkowo-owocowa), w wątrobie może być od 30 do 40% tłuszczu i jest to stan tzw. stłuszczenia.

Czy wiemy, dlaczego ponad miarę gromadzimy tzw. toksyny? To proste – nasza przemiana materii nie odbywa się na właściwym poziomie energetycznym i reakcje biochemiczne nie zachodzą do końca, tworząc związki uboczne oraz zapasowe. Osłabione z powodu niedoboru energii jang i złej pracy narządów krążenie powoduje zaleganie produktów przemiany materii w przestrzeniach międzykomórkowych, z których powinny być przejmowane najpierw przez chłonkę, a później przez krew i neutralizowane lub wydalane z organizmu. Stan niewłaściwej przemiany materii to związane z nim bardzo poważne zaburzenia hormonalne. Wszystkie te zaburzenia są pobudzane przez problemy emocjonalne i stres.

Przeprowadzając jakiekolwiek oczyszczenie, najczęściej z wykorzystaniem wyłącznie wody, soków lub owoców albo różnych ziół i preparatów, doprowadzamy do narastania problemu, ponieważ potęgujemy wychłodzenie, osłabienie krążenia i zaburzenia przemiany materii. Owszem, w czasie procesu oczyszczania wyrzucimy z ciała większość toksyn, ale proces ten trwa określony czas, po czym wracamy do normalnego życia. Historia się powtarza, ale startujemy już z niższego poziomu. Jest w nas zarówno mniej substancji, czyli jin, jak i energii, czyli jang. Proces przemiany materii rozpoczął produkcję nowych toksyn, które nie zostaną wydalone samoczynnie, ponieważ jesteśmy osłabieni. A więc będą się odkładały. Potem następne oczyszczanie i znów jesteśmy o poziom niżej, a w głowie rodzi się totalny chaos.

Są osoby, które po głodówce czują się źle, jest im zimno, są słabe, źle trawią, mają bóle głowy i są wewnętrzne rozbite. Pojawiają się różne dolegliwości – wiadomo – osłabiony organizm. Głodówka i oczyszczanie są monstrualnym jin, który niszczy równowagę ciała. Duchowość natomiast to jang. Komu zależy, aby przez głodówkę i oczyszczanie dochodzić do „właściwej formy"? Pamiętajmy, że samoczynne oczyszczanie organizmu będzie następowało, gdy zadbamy o ciało, chroniąc je przed przemarzaniem i nadmiernym stresem oraz odżywiając pożywieniem zrównoważonym z energią jang.

U pewnych osób może pojawić się fałszywy jang, szczególnie jeśli głodowały już i przemarzały wielokrotnie. Podczas głodówki zostaje zablokowana praca śledziony i następuje przykurcz mięśni szkieletowych. Uruchamia się wówczas tzw. awaryjny metabolizm w narządach, głównie w sercu, płucach, wątrobie i trzustce, który wyzwala kosztem ich wilgoci energię. Właśnie ta energia daje efekt oczyszczenia organizmu oraz wrażenie, że jest się bardzo silnym i zdrowym. Jest to jednak uczucie bardzo krótkotrwałe. Na skutek niedoboru energii i materii śledziona nie produkuje esencji i wilgoci. Organizm wysycha. Ale jeszcze mamy w sobie nasze jang urodzeniowe. Znika równowaga, dominuje ogień. I cóż się dzieje? Taka osoba jest w euforii, podekscytowana, pełna energii, może mieć nawet odloty. Często pozbywa się typowych chorób zimna (przeziębienia, katary, grypy, anginy, alergie). Jest cudownie. Trwa to jakiś czas. Próbuje niekiedy zjeść normalny posiłek, jednak organizm go odrzuca. Takie osoby jedzą wyłącznie owoce, jarzyny surowe lub gotowane, piją dużo wody i soków. Po jakimś czasie tracą kondycję i fundują sobie kolejne oczyszczanie, następne i następne... Mają wrażenie, że są już bardzo blisko. Niestety. Pojawiają się poważne problemy ze zdrowiem, zaburzenia emocjonalne, szybkie starzenie. Spalają się od wewnątrz. Okazuje się, że to wszystko było ślepą uliczką. Refleksja i żal, że ktoś wpuścił w maliny. Nikt! Sami tam wleźliśmy, chcąc być bardziej...

Wegetarianizm i makrobiotyka to szczególne sposoby odżywiania, których wspólnym mianownikiem jest eliminacja produktów pochodzenia zwierzęcego. Różnica między nimi polega na wybiórczym stosowaniu produktów roślinnych. Makrobiotyka bowiem opiera się głównie na kaszach i zbożach, zaś wegetarianizm włącza wszystkie produkty pochodzenia roślinnego. Makrobiotyka, podobnie jak wegetarianizm i dieta warzywno-owocowa, zakwasza organizm. Jest to szokujące, ale prawdziwe, wbrew rozpowszechnionym poglądom, że produkty mięsne zakwaszają, a roślinne są zasadotwórcze. Ale jest to szokujące wyłącznie dla specjalistów akademickich, nie dla nas, którzy wiemy, że wszystko, co osłabia śledzionę i trzustkę, jest zakwaszające.

Obydwie diety – bo tak je trzeba nazwać – przy dłuższym stosowaniu powodują poważne zaburzenia w pracy środkowego ogrzewacza, a w kolejności całego organizmu. W makrobiotyce niszcząca jest jej wyjątkowo śluzotwórcza, stwarzająca zastoje energia, zaś w wegetarianizmie groźba wychłodzenia ze względu na stosowanie dużej ilości surówek, owoców, zimnych napojów. Diety te w poważnym stopniu uszkadzają śledzionę, a więc zaburzona jest cała odnowa ciała, jego regeneracja, a głównie proces krwiotwórczy. Największym problemem jest tu obniżona jakość i ilość krwi. Jakże mówić przy takich sposobach odżywiania o duchowości, skoro siedlisko naszego Ducha, czyli krew, jest zagrożona?!

Decydując się na głodówki, oczyszczania, wegetarianizm lub na jakąkolwiek dietę minimum, kierujesz się wolną wolą oraz pewnymi przekonaniami. Masz prawo. Jednakże czy zdajesz sobie sprawę, co było twoją pierwotną intencją? Czy uświadamiasz sobie, w jakich stereotypach myślowych funkcjonujesz i jakim schematom ulegasz? Podpowiem ci. Jesteś wmanewrowany, drogi Czytelniku, w poczucie winy i strach przed odrzuceniem i potępieniem. Tak właśnie działają wzorce, w których tkwimy od wieków, które niszczą nasze radowanie się życiem, stwarzanie. Masz poczucie winy, że jesteś pełen toksyn, nieczysty, skalany, a więc nie dostąpisz duchowości, będziesz chorował, będziesz brzydki. Musisz się oczyszczać i to w końcu staje się twoją obsesją.

A jak jest naprawdę? Twoją toksyczną nieczystością są przekonania i wzorce blokujące duszę (podświadomość) przed otwieraniem się na Dobrą Nowinę, na świat, na siebie, na miłość. Żyjesz w strachu. Podnieś wibrację ciała, a zobaczysz, jakie nieczystości będą z ciebie wychodzić. Ile emocji i cierpienia gromadzi twoje ciało.

Zabijasz zwierzęta i je zjadasz, rodzi się ogrom poczucia winy, bo wiesz, że nie wolno zabijać. Drżysz przed Bożą karą, więc chcąc Go udobruchać i przypodobać Mu się, składasz w ofierze swoje ciało. Wybierasz ascetyzm, głodówkę, oczyszczanie, wegetarianizm. Już nie zabijasz, ale czy masz świadomość, że zabijasz wówczas siebie, swoje ciało i Boga w sobie? Twoim przesłaniem, przez ciebie samego wybranym, jest stwarzanie siebie i Boga w sobie. Czynisz to przez szacunek i uznanie wszystkiego, co zostało ci dane oraz stwarzanie w sobie esencji, która będzie cię przebóstwiać na wzór i podobieństwo Boga. Nie zabijaj! Ale siebie w sobie. Nie zabijaj Boga w sobie. Pozwól Mu doświadczać przez siebie. Bóg nie potrzebuje twojej ofiary, On się chce radować z tobą życiem. Pozwól Mu!

Wracając na chwilę do zabijania. Nie wolno nam zabijać dla przyjemności! I na pewno nie wolno nam tak traktować zwierząt hodowlanych, jak traktujemy. Tego właśnie mamy się uczyć.

Potwierdzeniem, iż wszelki ascetyzm oddala nas od Boga, jest fakt, że obniżanie własnej wibracji – a tym właśnie są wegetarianizm, głodówki, oczyszczania, diety minimum – powoduje samoczynne i niekontrolowane uwalnianie się Ego. Wówczas nasza świadomość ma ograniczoną możliwość kontrolowania pychy, wywyższania się, samozadowolenia, braku tolerancji, strachu, poczucia winy, agresji, smutku i żalu. Bardzo trudno w takim stanie przejawiać empatię, akceptować odmienność, ufać i radować się, mieć poczucie własnej wartości. Takich stanów świadomości doświadczamy wyłącznie w wyższej wibracji, gdy nasze Ego i emocje z nim związane są już podporządkowane wyzwolonej ze starych wzorców świadomości:

„Wystrzegaj się też pomyleńców, którzy uważają, iż przez jakieś szczególne odżywianie ciała czy przez praktyki fakirów można swoistym jedzeniem i oddychaniem uzyskać wstęp do wyższych sfer duchowych[12].

Tabletka na odchudzenie

Otyłość jest chorobą – to pewnik. Jeśli medycyna twierdzi, że właśnie otyłość jest przyczyną cukrzycy, arteriosklerozy, zawałów, zatorów, nadciśnienia, chorób nerek, wątroby itp., to znaczy, że nic nie rozumie. Czy choroba może być przyczyną choroby? Może, ale tylko wówczas, gdy zostały zlekceważone pierwsze jej objawy.

Nikt nie tyje dlatego, że ma takie widzimisię, że chce utyć. Nawet osoby, które wszystkim wokół wmawiają, że jest im bardzo dobrze z nadwagą, że czują się z nią szczęśliwe, w głębi duszy łkają. To nieprawda, że z otyłością można być szczęśliwym.

Nie można wymagać od otyłych schudnięcia, twierdząc, że to jedyna ich szansa na zdrowie. Jeśli lekarz stawia takie ultimatum, musi wskazać właściwy i skuteczny sposób, przemyślany, działający i wspomagający.

I co proponuje? Hasło: „przestań się objadać", dietę 1000 kalorii lub pigułki. Jak można „przestać się objadać", gdy ciało domaga się energii? Wiemy, jak działa dieta 1000 kalorii i jakie są jej skutki.

A co z tabletkami? Funkcjonowały do niedawna dwa rodzaje tabletek: pochodna amfetaminy i druga, o podobnym działaniu. Po dwudziestu latach (sic!) „pomagania" zostały wycofane, gdyż wywoływały zbyt poważne skutki uboczne.

Od dwóch lat funkcjonują dwa kolejne rodzaje pigułek, o których producenci i służba zdrowia twierdzą, że te właśnie mają łagodne działanie, a skutki uboczne są minimalne... Jedna z nich miała służyć leczeniu depresji, jednak okazała się nieskuteczna (!), teraz stwierdzono, że będzie doskonała jako środek na schudnięcie (!). Działa w ten sposób, że można nawet „jeść to, co lubisz", a lek sprawi, że zadowolisz się małymi porcjami. Jedynymi (sic!) ubocznymi skutkami tego leku jest zwiększona potliwość, suchość w ustach, bezsenność, czasem podwyższenie ciśnienia lub przyspieszenie akcji serca. Producent uważa, że tabletka spowoduje nie tylko utratę wagi u otyłego, ale jeszcze zainspiruje go do zmiany nawyków żywieniowych. Na jakie??!!

Drugi rodzaj tabletek blokuje w przewodzie pokarmowym rozkład tłuszczów i osoba otyła musi je ograniczać, gdyż grozi jej biegunka tłuszczowa. Producent radzi również, aby cenne witaminy rozpuszczalne w tłuszczach, takie jak A, D, E, K, uzupełniać zjadając warzywa i owoce (w warzywach i owocach nie ma takich witamin!!!). Jedyny „niewinny" uboczny skutek to częste biegunki lub wręcz nietrzymanie stolca, lecz producent twierdzi, że właśnie one wymogą na osobach otyłych konieczność odżywiania się niskokalorycznym pożywieniem, czyli wyłącznie owocami i surówkami. Twierdzi również, że pigułka nie działa na system nerwowy, gdyż nie przedostaje się do krwioobiegu!

Chcę tylko nadmienić, że nerwy obwodowe to w 10% wypustki komórek nerwowych, w 30% osłonki mielinowe, czyli substancja lipidowa (tłuszczowa), a 60% to tkanka łączna. Podobnie jak wszystkie tkanki w organizmie, również i te wymagają ciągłej regeneracji i odnowy, a więc dostarczania niezbędnych składników budulcowych, regulujących, energetycznych. Do tego niezbędne jest właściwe krążenie i odpowiednia ilość krwi.

Co Państwo o tym sądzicie? Ja jestem przerażona całkowitym brakiem znajomości fizjologii człowieka. Dla przypomnienia:

- suchość w ustach to objaw osłabienia i niedoczynności śledziony na skutek niedoboru energii jang i materii (pożywienia) – śledziona nie produkuje esencji i wilgoci, a więc nie nawilża organizmu od wewnątrz
- nadmierna potliwość oznacza brak w organizmie równowagi pomiędzy jin i jang oraz poważne zagrożenie dla serca
- bezsenność – ewidentny objaw braku równowagi jin-jang, niedobór wilgoci (krwi) w wątrobie i sercu
- nadciśnienie – problemy wątrobowe lub nerkowe, ujawniające się na bazie zaburzeń hormonalnych, a głównie niedoboru jin
- pożywienie bez tłuszczu grozi poważnym zaburzeniem w pracy układu nerwowego, systemu hormonalnego oraz przemiany materii
- pożywienie wyłącznie surówkowe-owocowe grozi zapaścią jang w organizmie, przyspieszonym procesem starzenia oraz wyniszczeniem całego organizmu, mogą pojawić się zawał, cukrzyca, marskość wątroby, nieżyt jelit, astma, alergia, reumatyzm itd.

Gotowanie jest twórczością

Fantazja, wyobraźnia, skupienie, radość to atrybuty kreowania. Jakie myśli, takie tworzenie i takie jego skutki. Koło się zamyka. Człowiek, który niewłaściwie się odżywia, nie jest w stanie tworzyć, jest mu wszystko jedno, nie ma woli działania i zmieniania swego życia i rzeczywistości, w której funkcjonuje. Jest zaklęty w gęstej energii niemożności.

Dziwna sprawa z tym gotowaniem. Społeczności, kultury, które mogą się poszczycić wielusetletnimi tradycjami kulinarnymi, stawiają człowieka, dom na pierwszym miejscu nie dlatego, że muszą, że przykazania, lecz w ten właśnie sposób przejawia się ich radość życia, pogoda ducha. Czyżby tak się działo za przyczyną ich kuchni, która jest niemalże doskonałą i dla nich właściwie zrównoważoną?

Spójrzmy na siebie. My, Polacy, ze swoją ułańską fantazją, odwagą, pomysłami, poczuciem humoru dawno już powinniśmy zawojować świat. Dlaczego stoimy w miejscu? Dlaczego wcisnęliśmy się w bylejakość i szaroburość? Dlaczego nie stawiamy na siebie, a zapatrzeni jesteśmy na Zachód? Skąd w nas tyle kompleksów? Może za sprawą naszego sposobu odżywiania? Z pewnością nasza współczesna kuchnia dostarcza nam energii o bardzo niskiej wibracji, ale i kuchnia naszych przodków, choć dużo zdrowsza, była uboga w przyprawy rozgrzewające, nie tyle z powodu niewiedzy, ile raczej biedy.

Przeżyliśmy dziwny czas, kiedy nie wypadało przyznać się do tego, że lubimy smakować, gotować, karmić najbliższych, dogadzać im, wspólnie zjadać posiłki. Domy z ciemnymi kuchniami są tego najlepszym dowodem. Kobieta miała spełniać się poza domem. Współczesność niczym nie różni się od tamtych czasów – również nie wypada gotować, być w domu z dziećmi. Zachłystujemy się kiczami kulinarnymi, nowoczesnością w sensie półproduktów, byle nie tracić czasu na jedzenie, na gotowanie. W restauracjach, barach wszystkie potrawy smakują podobnie. Nikt ich nie tworzy, nie dosmakowuje.

Skutków zaniedbania najważniejszej dla nas dziedziny sztuki, jaką jest twórczość kulinarna, właśnie doświadczamy. Zacznijmy uważniej patrzeć na ludzi i tych małych, i tych dojrzałych, i tych już starych. Na ich twarzach widać wszystko. Skąd tyle smutnych oczu, skąd w nich tyle cierpienia? Kto nauczył nasze dzieci agresji, nieżyczliwości, braku tolerancji? Dlaczego mamy tak mało cierpliwości dla nich i dla swoich rodziców? Skąd u ludzi starych tyle beznadziei, rezygnacji? Czy wiecie, że to są emocje, które przejawiają się, gdy narządy nie są w równowadze, że jest to stan fizjologiczny?! To można zmienić!!!

Nasza rzeczywistość, to, co przeżywamy, jest wyrazem naszej świadomości, energii naszego ciała, która zależy od odżywiania, od chęci otaczania pięknymi przedmiotami, od stwarzania sobie i najbliższym radosnych, przepojonych serdecznością chwil.

Poddajemy się magicznemu działaniu energii muzyki, pięknych obrazów czy też słowu pisanemu. Dzieła te potrafią skutecznie podnieść naszą wibrację, wprowadzając w stan radości, upojenia, euforii, miłości. Dlaczego tak trudno nam zaakceptować znaczenie kompozycji energetycznej właściwie przygotowanego pożywienia? Ono również podnosi naszą wibrację wprowadzając w stan radości i chęci życia. Nie powinniśmy przecież traktować po macoszemu zmysłu smaku – jest on równie ważny! Malarz tworząc obraz wybiera najpiękniejsze kolory z palety barw, muzyk wsłuchuje się w wibrację tonów, poeta dobiera słowa, rzeźbiarz zna tajemnice materii i potrafi doskonale wyczuć, która odda najlepiej jego przekaz. Gotując – skupiamy energię, która ma dać życie naszym najbliższym. Czy kobieta gotująca zupę jest kurą domową czy artystką?

Każdy artysta zgłębia tajniki warsztatu, ucząc się u mistrza przez wiele lat. Czy chcąc osiągać właściwe skutki tworzenia kompozycji smakowych nie powinniśmy się najpierw tego nauczyć?

Żywienie kobiet w ciąży, niemowląt i małych dzieci

Miłe kobiety, chcecie rodzić zdrowe dzieci i mieć radosne macierzyństwo, patrzeć, jak dziecko z rozkoszą ssie pierś, rośnie w oczach i jest szczęśliwe? Tak? To weźcie się do roboty i do nauki! Najpierw musicie zdecydować, czego właściwie chcecie: zdrowia czy choroby, przespanej nocy czy zdenerwowania, lęku i niepewności: „dlaczego płacze?" Potem trzeba zrozumieć, jak działają energie, które determinują nasze życie i nauczyć się gotowania potraw zrównoważonych.

Stan zdrowia niemowląt zależy przede wszystkim od tego, co matka zjadała w czasie ciąży. Dziecko w życiu płodowym jest jak owoc na drzewie, który tym piękniej się rozwija i dojrzewa, im silniejsze jest drzewo czerpiące z nieprzebranych zasobów esencji ziemi i słońca. Życie płodowe jest bardzo ważnym momentem. Wykształcają się wówczas wszystkie narządy i przygotowują do samodzielnego pełnienia życiowych funkcji. Choć po urodzeniu nie od razu są w pełni dojrzałe, jednakże pozwalają niemowlęciu żyć i pięknie się rozwijać, pod warunkiem jednakże, że jego pożywienie stanowi pokarm matki.

Pożywienie kobiety w ciąży i jego energia decydują o właściwym rozwoju dziecka i jego narządów, a to, co zjada w czasie karmienia, decyduje o jakości mleka. Jakość ta bezpośrednio wpływa na zdrowie i rozwój dziecka.

Karmienie sztuczne niemowląt to odrębny temat. Po tym, co oferują niemowlętom producenci odżywek i instytuty żywienia, możemy sądzić, że fizjologia jest wiedzą tajemną, a zdrowy rozsądek na wagę złota. Radzę każdej matce, a może również specjalistom, zjadać przez miesiąc typowe pożywienie proponowane niemowlętom. Oczywiście w odpowiednio powiększonych, proporcjonalnych do wagi ciała porcjach. Mam na uwadze nie tylko walory smakowo-zapachowe popularnych odżywek, ale przede wszystkim naturę, czyli energię tego pożywienia. Proszę przy tym nie zapomnieć, że niemowlęta i dzieci są smakoszami.

Znając energię smaków możemy doskonale określić właściwe pożywienie dla kobiet w ciąży. Z pewnością nie powinny to być produkty i posiłki o smaku kwaśnym, jak soki, kiszona kapusta, kiszone ogórki, sery, jogurty, kwaśne zupy, owoce, kurczaki, ponieważ ma on działanie skurczające, blokujące rozwój, budowanie, dojrzewanie dziecka.

Ważne też jest, aby pożywienie nie było zimne, ponieważ wystąpią duże problemy z wytwarzaniem właściwej ilości i jakości esencji oraz przykurczem narządów, a głównie jelit. Dolegliwości będą się kumulować, a skutki mogą się ujawnić zarówno u matki, np. w spadku kondycji po porodzie, bardzo groźnych stanach depresyjnych, jak i u dziecka. Będą dotyczyły chorób jelitowych oraz dolegliwości górnych dróg oddechowych (kaszle, katary, sapki).

Kobieta w ciąży nie powinna zjadać surowych potraw, gdyż są ciężkostrawne i trudno się wchłaniają, w związku z czym mogą wystąpić bardzo poważne zaburzenia w pracy jelita grubego, zaparcia lub biegunki. Surówki początkowo pomagają w wypróżnianiu, bo przeczyszczają, jednakże ich energia blokuje pracę śledziony i wydzielanie przez nią wilgoci, przez co jelita stają się suche. Surówki nie regulują wypróżnień ani pracy jelita grubego. Bardzo osłabiają wątrobę, zanika wówczas perystaltyka jelit. Zjadanie surówek w czasie ciąży może spowodować problemy z niedoborem energii jang i krążeniem, a na skutek osłabionego trawienia pojawią się niedobory podstawowych składników odżywczych, witamin, minerałów:

Dla kobiet w ciąży niebezpieczne są również suplementy, wzmacniacze witaminowe, ponieważ rozregulowują pracę środkowego ogrzewacza. Przyswajanie witamin i soli mineralnych to procesy bardzo skomplikowane i dla ich prawidłowego zaistnienia muszą być spełnione odpowiednie naturalne warunki i parametry (sprawne narządy).

Takie warunki zapewnia pożywienie ciepłe, zrównoważone, dobrze przyprawione i bardzo urozmaicone, ponieważ zawiera właściwe energie (smaki), katalizatory (przyprawy), energię jang (czi i ciepło) oraz cały zestaw niezbędnych składników, witamin i soli mineralnych.

Kobieta w ciąży powinna być rozsądna, świadoma i zdawać sobie sprawę z wagi podejmowanych decyzji. Jeżeli właściwie przemyśli wszystko i ustawi sobie hierarchię ważności, to zadbanie o to, aby ciąża właściwie się rozwijała, nie musi stanowić dodatkowego obciążenia, a okres ten może być czasem ogromnej radości. Mając pewność, że żywienie zrównoważone jest najważniejsze i najbardziej wartościowe, można sobie zawsze pozwolić na małe „co nieco", wykorzystując przy tym z umiarem zasadę, że „kobiecie w ciąży wszystko wolno".

Jednak powinno to być ograniczane ilością i neutralizowane. Mamy ochotę na ciastko, dobrze, jednak nawet to kupne zawsze możemy posypać imbirem, cynamonem, kardamonem i do tego pozwalamy sobie na kawę gotowaną, również z przyprawami lub naszą herbatę. Jabłko czy gruszkę należałoby raczej ugotować z przyprawami, można nawet dodać czerwonego wina. Można również upiec jabłka, lecz nie należy stosować ich jako deser, ale raczej dodatek do obiadu mięsnego (smak kwaśny). Zimnej wody nie pijemy, a jeśli już będzie taka konieczność, to łyk trzymamy w ustach tak długo, aż się ogrzeje i mieszamy ze śliną. Z sokami podobnie. Mamy ochotę na biały serek, bardzo proszę, ale tylko na śniadanie, z dużą ilością przypraw, cebuli lub czosnku i zjadany z grzanką do owsianki. Pizza lub zapiekanka z żółtym serem, tak, od czasu do czasu, ale zawsze z dużą ilością przypraw. Zupa pomidorowa – nasza narodowa – jeśli mamy na nią wielką ochotę, owszem, ale trzeba ugotować ją wg przepisu, z dużą ilością czosnku, cebuli, na cielęcinie lub wołowinie.

Spodziewając się dziecka kobieta powinna pamiętać, że jej „chciejstwa" smakowe, czyli nieposkromiony apetyt na coś kwaśnego, słodkiego, słonego czy gorzkiego mówi tylko i wyłącznie o zaburzeniu równowagi jin-jang w organizmie, a ujmując to najprościej świadczy o złej funkcji śledziony (niedobór jin – wilgoci), o słabym lub zablokowanym krążeniu, o niedoborze energii jang. Takie wyskoki apetytów na różne smaki są spowodowane dużo większym zapotrzebowaniem na esencję (budowanie ciała dziecka), a modne sposoby odżywiania się i dogadzanie sobie; niestety, jej nie zapewniają. Jeśli będzie się odżywiała pożywieniem zrównoważonym, ma gwarancję, że powyżej opisane sensacje nie będą jej dotyczyły.

Kilka dobrych rad na początek ciąży:

- odstaw, dziewczyno, wszystko, co surowe, kwaśne i zimne
- przy silnym łaknieniu smaku kwaśnego zjedz talerz zupy jarzynowej, wypij szklankę herbaty (patrz: „Filozofia zdrowia"), zjedz kanapkę z marchewką, cielęciną, szczypiorkiem, zjedz talerz świeżo ugotowanych ziemniaków z masłem, szparagi, duszone jarzyny lub sałatkę z jarzyn gotowanych – pozwoli to na pobudzenie

śledziony do produkcji wilgoci, która zrównoważy cierpiącą wątrobę i pragnienie smaku kwaśnego minie

- przy silnym łaknieniu na smak słodki pomyśl, czy nie jesteś w stresie. Jeśli tak, odizoluj się, wycisz, zrelaksuj i – podobnie jak przy smaku kwaśnym – zjadaj co dwie godziny mały, ciepły, zrównoważony posiłek
- przy łaknieniu smaku słonego (np. wędliny), jeśli możesz, wyeliminuj ją zupełnie, a wprowadź zupę z fasoli, ciecierzycy, soczewicy (pamiętaj o dobrym przyprawieniu) oraz małe ilości ryb, najlepiej słodkowodnych i dalej postępuj tak jak przy problemach ze smakiem słodkim i kwaśnym
- jeżeli masz ogromną ochotę na kawę, przygotuj ją według przepisu – możesz być spokojna: kawa gotowana nie wpływa negatywnie na wątrobę ani tym samym na twój system nerwowy. Nie obawiaj się o dziecko.
- twoim zadaniem jest jeść często, ale niedużo, a posiłki powinny być naprawdę bardzo urozmaicone. Każdy powinien zawierać maksimum składników, które dostarczą ci cały komplet witamin grupy B, witaminę A, D, E, ważne sole mineralne, takie jak magnez, cynk, żelazo, chrom, wapń, potas. Pamiętaj, że w jogurcikach, serkach, soczkach, owocach, słodyczach, surówkach tych składników jest naprawdę bardzo niewiele. Potrzebne ci jest mięso (cielęcina, wołowina, indyk, ich podroby), wszystkie strączkowe, dużo cebuli, czosnku, porów, trochę kapustnych, stale marchewka, pietruszka, pasternak, dynia, kabaczki, słodkie ziemniaki (topinambury), jajka, masło, miód, kasza, zielone części roślin, a smaku kwaśnego używaj tylko dla równoważenia potraw.
- dziewczyno, musisz w czasie ciąży poskramiać swoje „chciejstwa", ponieważ owe nadmiary smakowe (kwaśne, słodkie, słone) nie pozwolą na prawidłowy rozwój narządów dziecka; poznałaś już przecież energie tych smaków i to, jakie spustoszenie mogą one poczynić w jego organizmie. Folgowanie zachciankom wprowadza ogromny chaos energetyczny.
- nie bój się również przypraw – w twoim zrównoważonym pożywieniu są nieodzowne, delektuj się nim, posiłki zjadaj często, w spokoju i zawsze do syta. Nie bój się, że przytyjesz, przy jedzeniu zrównoważonym nie jest to możliwe.

Matka karmiąca powinna odżywiać się z jeszcze większym reżimem, gdyż dziecko reaguje natychmiast na każdy niewłaściwy smak. Może to być plasterek pomidora, plaster szynki, ciastko, kwaśna zupa, nadmiar tłuszczu (masła, tłustego sosu). Proszę pamiętać, że energia mleka matki jest dokładnie energią pożywienia, które wkłada do ust.

Dziecko może reagować niepokojem i płaczem, potrzebą ciągłego ssania, ulewaniem, biegunkami, śluzowatym stolcem, kolkami, zaparciami, sapką, katarkiem, kaszelkiem, bólami uszu, wysypką, temperaturą. Dla matki pierwszym niepokojącym sygnałem jest sapka – znak, że jej pożywienie było zbyt śluzotwórcze (słodycze, sery, owoce) i mleko przejęło te same właściwości. Organizm dziecka produkuje śluz patologiczny, który odkłada się w płucach, przez co stają się osłabione – reakcją jest sapka, katar, potem kaszel, a w kolejności ból uszu.

Ale nie panikuj! Twoje jedzenie musi być teraz naprawdę akuratne (żadnych słodyczy, żadnych owoców, surówek, nic tłustego ani kwaśnego, broń Boże sery, kurczaki, wieprzowina, wędliny!), jedz czosnek, dużo cebuli, pij herbatę, również imbirówkę i kilerkę, a wszystko wróci do normy. Antybiotyki naprawdę nie są tutaj potrzebne. Sama wyleczysz swoje dziecko!

Ulewanie pokarmu przez dziecko również ma swą przyczynę w błędach żywieniowych matki. Pojawia się, przy nadmiarze słodyczy, ciasta, budyni, słodkich potraw, chleba z miodem oraz pożywienia tłustego.

Matka powinna już przy pierwszym niepokojącym objawie zorientować się, co zjadła lub zjada niewłaściwego. Musi natychmiast wykluczyć błędy i wprowadzić do swojego menu pożywienie, o którym wspomniałam wyżej. Na przykład ropne krostki na policzkach niemowlęcia świadczą o odkładaniu się śluzu w jego płucach, a jest to związane z nadmiarem tłuszczu i słodyczy w pożywieniu.

Dziecko karmione piersią leczymy wyłącznie mlekiem matki. Dziecko jest tym, co przejawia i wytwarza matka. Powstające w nim zaburzenia są przejawem zaburzeń matki. Jej mleko jest dokładnie kwintesencją energii jej pożywienia i jej emocji. Wiemy już, jak energia pożywienia może leczyć ciało. Również dziecka.

Dajmy sobie długą chwilę na refleksję. Nie matczyną jednakże, bo jej serce i tak jest całe w bólu, lecz świata nauki. Czy tutaj wyobraźnia i wiedza muszą się kończyć na antybiotykach, lekach hormonalnych, genach, przeszczepach, produkcji sztucznych narządów?

Wytwarzanie wilgoci i odkładanie śluzu w organizmie niemowlęcia i traktowanie tego antybiotykami i lekami hormonalnymi przeciwzapalnymi są prapoczątkiem najpoważniejszych chorób. Dla pamięci wymienię: brak odporności immunologicznej, alergie, astma, porażenie mózgowe, padaczka, autyzm, cukrzyca, guzy, nowotwory, choroby sercowo-krążeniowe, niewydolność nerek i płuc, zaburzenia trawienne i wchłaniania, niedorozwój fizyczny, umysłowy, nadpobudliwość, apatia, otyłość.

Czy niemowlęciu dwu-trzymiesięcznemu, karmionemu piersią, mającemu katarek i kaszelek – bo matka objada się ciastkami, jogurtami i serami – w usunięciu zgromadzonego śluzu pomoże antybiotyk? Absolutnie nie, bo antybiotyk sam jest śluzotwórczy, a dodatkowo ma naturę wychładzającą i ściągającą. Ściąga śluz, zagęszcza, ale go nie usuwa, przyczyniając się do jeszcze większego osłabienia organizmu, a głównie zniszczenia śledziony. Ilość śluzu w organizmie z pewnością się zwiększy. Po zastosowaniu antybiotyku następuje tylko chwilowa poprawa, po pewnym czasie śluz znów daje znać o sobie w postaci kataru, kaszlu i chorych uszu lub wysypki. Następuje eskalacja choroby napędzana seriami podawanych coraz silniejszych antybiotyków. Po roku lub dwóch dochodzi do załamania sił fizycznych dziecka, które zaczyna już stale chorować.

Podam konkretny przykład, jak mądra matka radzi sobie z niedyspozycjami swego pięciomiesięcznego synka. Karmi go oczywiście piersią. Gdy pojawiła się u dziecka sapka, uświadomiła sobie od razu, że łakocie, które podjadała w niewielkiej ilości, ale systematycznie, są przyczyną zgromadzenia się śluzu u dziecka. Rozpoczęła delikatne rozgrzewanie, wypiła raz kilerkę (patrz przepisy „Filozofia zdrowia"), zjadała rosoły wołowe, cielęce lub z dodatkiem indyka, była już bardzo uważna. Dziecko zaczęło kaszleć. Początkowo kaszel był suchy. Zastosowała sól emską, wypiła trzy razy – rano, w południe i wieczorem – po jednej tabletce rozpuszczonej w małej ilości ciepłej wody. Na drugi dzień kaszel u dziecka się zmienił, stał się mokry. Teraz należało tę wilgoć z dziecka usunąć. Czym? Na pewno nie antybiotykiem, pomimo że został zapisany przez lekarkę dwukrotnie, przy okazji wizyt kontrolnych. Mama popijała małymi porcjami imbirówkę, bacznie obserwując synka. Od czasu do czasu wypijała kilerkę, ale przede wszystkim bardzo pilnowała jedzenia. Piotruś kaszlał początkowo dosyć intensywnie, trzeba było częściej trzymać go na rękach lub kłaść w łóżeczku tak, by leżał z wyżej uniesionym tułowiem i główką. Z uszka dziecka co jakiś czas wyciekała kropla ropy, jednakże mama wiedziała, że to bardzo dobry objaw, ponieważ dziecko się oczyszczało. Zakraplała je jedynie po dokładnym oczyszczeniu olejkiem kamforowym.

Czy zatem to, że śluz w postaci kaszlu, kataru czy drobnego wycieku z uszu wydostawał się z dziecka, jest czymś negatywnym czy pozytywnym? Jest to właściwe leczenie, ponieważ usunięta została i przyczyna, i skutek. Lekarstwem w momencie choroby były bardziej bogate w energię jang napoje i potrawy spożywane przez matkę. Stanowiły one niezbędny bodziec do tego, aby dziecko oczyściło się ze śluzu.

Piotruś wracał do równowagi, był coraz spokojniejszy, dobrze spał, w dzień był radosny, uśmiechnięty, miał dobry apetyt. A jak zareagowała pani doktor przy okazji następnej wizyty? Zbadała dziecko, stwierdziła, że jest absolutnie zdrowe, płuca i uszy ma czyste i że pięknie się rozwija. Matka poinformowała ją jednak, że nie podała dziecku żadnego antybiotyku. Wówczas zdziwiona lekarka odpowiedziała, że nie wie, jakimi się to stało sposobami, ale żeby dalej tak trzymać.

Która matka może pozwolić sobie na takie podejście do dziecka? Tylko ta, która jest pełna ufności, że to, co robi, jest najlepsze dla niej i dla dziecka. I tylko ta, która zna niuanse żywienia zrównoważonego oraz ma odwagę przeciwstawić się niejednokrotnie opiniom rodziny czy znajomych.

Znaną większości młodych matek dolegliwością niemowlęcia jest kolka jelitowa i bolesne wzdęcia. Dziecko płacze skręcając się z bólu, nie może spać, nie może jeść. Ulgę przynosi puszczenie gazów lub odbicie. Przyczyną kolki jest przede wszystkim pożywienie o smaku kwaśnym oraz z nadmierną zawartością wapna, jogurty, mleko, potrawy z pszenną mąką, soczki i owoce. Pod jego wpływem zaburzona zostaje funkcja śledziony, trzustki i wątroby, powodując przykurcze mięśni jelitowych oraz zastój w przepływie energii i krwi. Znanym sposobem usuwania kolki jest podawianie dziecku wody z cukrem. Wiadomo, że smak słodki rozluźnia wątrobę, ale czy taki smak słodki jest odpowiedni dla wątroby maluszka? Ulgę przyniesie zjadana przez mamę lub podawana dziecku marchwianka (jako lekarstwo), a następnie pożywienie zrównoważone, ze szczególnym uwzględnieniem produktów w smaku słodkim.

Gdy dziecko jest karmione piersią, jego płacz wywołany kolką jest ewidentnym dowodem błędów żywieniowych matki, bowiem nie może ona odżywiać się rybami, serami, mlekiem, jogurtami, dżemami, słodyczami, owocami, sokami, czyli pożywieniem natury wychładzającej. W momencie, gdy matka zmienia swoje pożywienie, dolegliwości dziecka mijają i śpi spokojnie. Można też maluchowi podać pipetką lub łyżeczką kilka łyków herbatki tymiankowo-anyżowo (koperkowo)-imbirowej, która złagodzi dolegliwość.

Opiszę inny przykład: matka karmiąca odżywiająca się pożywieniem zrównoważonym, nierozważnie do zupy śniadaniowej dodawała suszone morele i rodzynki. Po pewnym czasie na policzkach jej dwumiesięcznej córeczki (wcześniaka) zaczęły pojawiać się ropne krostki. Lekarz oczywiście zalecił antybiotyk, a dziecko po prostu nagromadziło śluz w płucach i trzeba było, by mama wypiła kilka razy imbirówkę i by była uważna w swych posiłkach. Wszystko minęło, ale po jakimś czasie popełniła następny błąd: do śniadaniówki zjadała chleb z własnej roboty powidłami. Na policzkach i brodzie dziecka pojawiła się już dużo większa wysypka; osłabienie śledziony, wątroby i płuc było wyraźne. Lekarz zaordynował jeszcze silniejszy antybiotyk, bo stwierdził ropne zapalenie skóry, z jednoczesnym poleceniem podawania dziecku jabłuszka. I tym razem matka wykluczyła błąd żywieniowy, doprowadziła się do równowagi, a Wiktoria odzyskała urodę. Nie muszę nadmieniać, że ani antybiotyki, ani jabłuszko nie zostały dziecku podane. Wysypka pojawiła się jeszcze raz, gdy mama zjadała za dużo masła.

Kolejny przykład. Kilkumiesięcznemu niemowlęciu karmionemu piersią, lecz mającemu po mamie skłonności do zaniżonego poziomu krwi, lekarka – po tym, gdy usłyszała wywołane tą dolegliwością szmery w sercu – zaleciła podawanie jabłuszka i gotowych zupek ze słoiczków. Miała na myśli oczywiście poprawienie procesu krwiotwórczego (!!!!). Rodząc dziecko musisz, mamo, być naprawdę czujna i ufać swojej intuicji.

Matki, które bacznie obserwują reakcje swoich małych, karmionych piersią dzieci, na zjadane przez nie posiłki, zauważyły, że po „grzechach" słodyczowych, potrawach kwaśnych, słonych lub nadmiernie tłustych pojawiają się nie tylko dolegliwości fizjologiczne (zaparcia, kolki, bolesne wzdęcia, temperatura, brak apetytu), ale również ogólny niepokój dziecka i niespokojny sen, szczególnie nocą. Dziecko budzi się z krzykiem, nie chce zasypiać w ciemnym pokoju tak, jakby się czegoś bało. Gdy mama bierze je do siebie i przytula, zasypia spokojnie. Pamiętajmy, że zawsze, gdy osłabimy wątrobę (dotyczy to każdego), wychodzą z podświadomości zadawnione lęki, które przy silnej wątrobie są niegroźne.

Zdaję sobie sprawę z tego, że większość kobiet odda zdrowie swego dziecka we władanie mocy antybiotyków i będzie szczęśliwa, że nie ma ono kaszlu, kataru, a uszy są czyste, spokojna, że dziecko jest pod dobrą opieką. A że za miesiąc będzie powtórka...

Niezmienny od zarania fakt, że mleko matki jest dla dziecka i pokarmem, i lekarstwem, jest cudem. Ale bez świadomości natury pożywienia ten cud, niestety, nie działa!

Zapamiętaj, mamo

- Nie myśl, że masz zły pokarm, bo tak twierdzą ciotki, babcie, mamy, teściowe, lekarze. Zmień jedynie pożywienie, a wszystko będzie dobrze.
- Jeśli ktoś burzy twój spokój i radość z macierzyństwa, wyłącz telefon i zamknij drzwi.
- Nie opowiadaj nikomu, czy dziecko spało dobrze, czy krzyczało, że miało brzydką kupę lub sapkę – to problem tylko twój i twojego partnera. Odpowiadaj zawsze: „Dziękuję, wszystko dobrze".
- Bądź zawsze wyważona w chwaleniu się, a narzekać, skarżyć w ogóle nie powinnaś. Macierzyństwo to twoje przebóstwianie, rozumienie świata inaczej, ono jest dla ciebie, a nie dla babć, dziadków, ciotek, sąsiadek czy przyjaciółek. To twoje Pięć Minut.
- Jeśli nie masz sił, ogarnął cię fatalny nastrój i czujesz, że to wszystko jest bez sensu, nie martw się, to nic strasznego, masz tylko depresję. Osłabiłaś organizm ciążą, porodem i twoja energia znalazła

się na poziomie pięt. Nie rób nic, tylko gotuj wg książki, jedz, śpij i karm dziecko, potem znowu gotuj i jedz i po tygodniu poczujesz się lepiej. Sprawdź, zobaczysz, że to działa!

- Dziecko jest tobą, odbiera twoje napięcie, a więc puść, włącz na luz! Nie patrz, czy oddycha, czy śpi czy nie śpi, nie zastanawiaj się, dlaczego je co dwie godziny, a potem nagle co cztery. Masz jeść, karmić i spać. A jeżeli dziecko chce i domaga się krzykiem, abyś je tuliła i trzymała przy sobie lub spała z nim – zrób to. Po dwóch dniach mu przejdzie. Nasyci się tobą i będzie chciało samo spać. Przytulaniem nie można stworzyć terrorysty i histeryka! Takie myślenie to straszny stereotyp.
- Karm dziecko piersią – tak długo, jak się da. Będzie to zawsze zależało od twojego wewnętrznego przyzwolenia (intencji) oraz, oczywiście, od twojego właściwego odżywiania, należnego ci wypoczynku i komfortu psychicznego. Pamiętaj, że twój pokarm jest dla ciebie i dziecka najlepszym sposobem na wasz spokój.
- Niektóre dziewczyny karmią nawet dwa-trzy lata, ale nie ma tu przymusu, to tylko twoja decyzja. Gdy wprowadzisz już dokarmianie zupkami czy kaszkami, twoje mleko będzie cudownym uzupełnieniem, napojem do gaszenia pragnienia, możesz karmić nim wówczas dziecko wieczorem, rano, również w nocy, a jeśli praca ci pozwoli, to także w ciągu dnia.
- Gdybyś z ważnych przyczyn miała za mało pokarmu, dokarmiaj dziecko naszą owsianką. Proporcje ustalasz sobie w zależności od wieku dziecka, wiadomo, że im starsze, tym bardziej treściwego potrzebuje posiłku.
- Pamiętaj, gdy karmisz piersią i dziecko rozwija się pięknie, nie podawaj mu niczego dodatkowego, tym bardziej soczków, tartych owoców, herbatek ani witaminek. Wszystko, czego ono potrzebuje, jest w twoim mleku, a ty masz myśleć, co by dobrego zjeść.
- Przy karmieniu piersią w wieku 5-6 miesięcy możesz dodatkowo zacząć podawać zupki warzywne z przewagą marchewki i „owsiankę" skomponowaną z kasz, nawet z dodatkiem marchwianki.
- Pierwsze zupki przez dwa tygodnie gotujemy codziennie, po tym czasie możemy już zupę gotować na dwa dni.
- Zasady gotowania są takie same jak dla dorosłych, jedynie produkty są bardziej dostosowane do potrzeb dziecka. Będą to głów-

nie produkty w smaku słodkim, czyli marchewka, pietruszka, pasternak, dynia, ziemniaki, ziemniaki słodkie (topinambury), kabaczki, patisony, buraczki (ale niewiele!), masło, żółtko, cielęcina, polędwica z młodej wołowiny, miód; smak ostry – zawsze cebula, czosnek lub por, koper włoski (fenkuł), listeczek kapusty włoskiej lub pekińskiej, różyczka kalafiora lub brokuła; w smaku kwaśnym – zielone części roślin, czyli młode listki pietruszki, kalarepy, selera, botwinki; w smaku gorzkim liście świeżego majeranku.

- Stosujemy również przyprawy we wszystkich smakach, lecz oczywiście w mniejszych ilościach (zawsze szczypta kminku, imbiru, sól do smaku, smak kwaśny dla zrównoważenia – parę kropel soku z cytryny, pomidora lub gałązka pietruszki albo innej zieleniny oraz szczypta kurkumy i tymianku).
- Zupy nie mogą składać się z samych jarzyn, muszą być zagęszczone węglowodanami, czyli wszystkimi kaszami, np. gryczaną, jaglaną, jęczmienną, płatkami owsianymi, również kaszą kukurydzianą, rzadziej ryżem. Wsypujemy więc łyżeczkę lub dwie kaszki, pamiętając o smaku i kolejności. Od 12 miesiąca do zagęszczania stosujemy również lane kluseczki z żółtka i mąki pszennej z dodatkiem kurkumy, samo żółtko, ziemniaki i oczywiście – po kilku tygodniach – dodajemy do miksowania ugotowane wraz z zupką mięsko wielkości nie większej niż orzech włoski. Pamiętajmy, że taki posiłek musi dziecku wystarczyć na trzy-cztery godziny. Z czasem oczywiście zwiększamy porcje dodawanych składników.
- Zupki zawsze miksujemy lub przecieramy, zawsze w elemencie smaku słonego. Po tej czynności zupę jeszcze gotujemy, dodajemy smak kwaśny, gorzki i kończymy zawsze na słodkim. Bardzo ważne: zupki muszą być smaczne! Dziecko jest urodzonym smakoszem.
- W doborze produktów do zupek niemowlęcych powinniśmy kierować się rozsądkiem i świadomością energii produktów (smaków), np. jeśli zupka jest na cielęcinie (smak słodki), nie możemy do niej dodawać nadmiaru produktów o smaku słodkim, bo dziecko może dostać rozwolnienia lub wymiotować, a będzie to zwykła blokada energetyczna, na przykład:

Nie – cielęcina, marchewka, pietruszka, pasternak, dynia (smak słodki), czosnek (ostry), sól, a w smaku kwaśnym jedynie gałązka zielonej pietruszki. Zupka taka nie jest zrównoważona właściwie, widać wyraźny nadmiar smaku słodkiego, brakuje dodatków w smaku ostrym, w smaku kwaśnym (cytryna lub sok pomidorowy), no i smaku gorzkiego (kurkuma, tymianek).

Tak – tymianek, cielęcina, kminek, marchewka, pietruszka, ziemniaki, cebula, seler lub kapusta pekińska, imbir, pół ząbka czosnku, sól, gałązka zielonej pietruszki, parę kropli cytryny, kurkuma. Do zagęszczenia użyjemy zmielonych płatków owsianych.

Tak – tymianek, kminek, marchewka, pietruszka, pasternak, kaszka kukurydziana lub jaglana, indyk, cebula, imbir, odrobina kapusty włoskiej, sól, gałązka zielonej pietruszki, łyżeczka soku pomidorowego własnej roboty lub cytryna.

Należy być ostrożnym z buraczkami – można dodawać je do zupek – ale muszą być to ilości bardzo niewielkie, np. plasterek, są bowiem bardzo wychładzające i mogą spowodować problemy jelitowe. Podobnie jest z selerem i kapustnymi, najlepiej, aby to były kapusta włoska lub pekińska, ewentualnie różyczka kalafiora lub brokuła.

- Najlepszym czasem, kiedy powinniśmy rozpocząć podawanie dziecku zupek, jest wiek ok. 6-7 miesięcy, wtedy możemy już karmić łyżeczką.
- Dziecko do trzech lat potrzebuje, aby wszystkie jego posiłki były gotowane, półpłynne, przecierane, miksowane lub dokładnie rozdrobnione widelcem. W przeciwnym wypadku będzie niedożywione, wystąpią u niego niedobory składników, gdyż w tym wieku nie ma jeszcze nawyku dokładnego gryzienia i przeżuwania. Jest to bardzo ważna zasada.
- Dopóki dziecko karmione jest mlekiem matki, nie ma potrzeby podawania mu innego mleka, nawet wówczas, gdy karmienie piersią odbywa się tylko wieczorem, w nocy i rano, a pozostałe posiłki są przygotowywane wg przepisów książkowych.
- Jeżeli zachodzi konieczność podania dziecku dla lepszego trawienia paru łyków herbaty po posiłku, to przyrządzamy ją wg znanego przepisu (tymianek lukrecja-imbir) i podajemy pipetką lub łyżeczką.
- Dziecku starszemu, które nie jest już karmione piersią, podajemy przed spaniem mleko świeże, pełne, krowie lub kozie, z dodatkiem miodu, czosnku lub imbiru, dodajemy je również do owsianki w ilości 1/3.

- Dziecko do trzech lat powinno mieć gotowane swoje odrębne posiłki (inne produkty, inne przyprawianie).
- Chleb zwykły pszenno-żytni, czerstwy, aby zmusić dziecko do gryzienia. Powinien stanowić jedynie uzupełnienie i dodatek do pozostałego menu. Podawanie świeżego chleba może być groźne w skutkach, bo niestrawione węglowodany (brak śliny) zniszczą śledzionę, trzustkę, jelita i wątrobę (celiakia).
- Uwaga: kanapka z szynką lub parówką to nie jest posiłek dla dziecka!
- Dziecku ok. 12-13 miesięcy włączamy drugie danie, a więc o 8 śniadanie (owsianka), o 12 zupka, między 15 a 16 drugie danie lub ponownie zupka, między 19 a 20 kolacja (owsianka), a mleko jest do napijania się w nocy lub przed snem.
- U dzieci starszych (2-3 lata) mogą być podawane do śniadania lub kolacji dodatkowo jajko na miękko, kanapka z mięskiem i jarzynami z obiadu itp.
- Można do zup i duszenin dodawać już po kilka ziaren grochu lub fasoli (uprzednio namoczonych), oczywiście dobrze roztartych.
- Drugie dania dla małych dzieci powinny się składać z węglowodanów (ziemniaki, kluseczki własnej roboty) oraz gulaszu – może to być duszenina warzywna z dodatkiem niewielkiej ilości mięska, roztartego lub posiekanego, ewentualnie w postaci klopsików. Dodajemy te same produkty co do zupek, oczywiście w innych proporcjach, a jedynie w sezonie korzystamy z większej ilości zielonych części roślin. Przyprawy są, rzecz jasna, niezbędne.
- Możemy przygotować maluchom od czasu do czasu deser, korzystając z sezonowych, dojrzałych, słodkich owoców, gotując je w małej ilości wody z dodatkiem przypraw i miodu, a następnie miksując. Dziecko nie ma się tym najadać, a jedynie posmakować.
- Mamo, nie podawaj dziecku kupowanych soczków, jogurcików, serków, owoców, przecieranek, kupnych zupek. Są to posiłki bez energii, a znasz działanie smaku kwaśnego i wiesz, jak może mu zaszkodzić. Twoje mleko, gotowane właściwie kaszki i zupki to absolutnie wszystko, co twojemu dziecku potrzebne jest do pełnego rozwoju.

- Nie dawaj dziecku słodyczy. Broń je przed naporem rodziny, znajomych, którzy tylko dla własnej przyjemności i radości obdarowują je kilogramami łakoci. Twoje dziecko, gdy jest właściwie karmione, naprawdę nie odczuwa potrzeby jedzenia słodyczy. To my, dorośli, uczymy je tego. Dzieci nie wiedzą, że słodycze istnieją na świecie. Dla nich słodyczą jest zupa i każdy inny posiłek.
- Nie ucz dziecka pogryzania między posiłkami. Twój maluch, gdy jest najedzony, nie myśli o jedzeniu. Myśli o zabawie. W zasięgu jego wzroku nie powinno leżeć nic kolorowego, co się nadaje do zjedzenia. Dziecko, gdy nie widzi, nie chce. To ty mu proponujesz ciasteczko, paluszka, chrupkę, banana, bułkę, drożdżówkę...
- Gdy dziecko raz posmakuje słodyczy, to pamiętaj, że już nigdy ci nie powie, że jest głodne, tylko że chce cukierka. Musisz być twarda. Bardzo twarda!

Nie denerwuj się, co będzie potem. Zacznij od dzisiaj i myśl najwyżej o jutrze. Niech cię nie przeraża ogrom zaleceń, tak naprawdę to jest proste, wymaga tylko rozsądku, dyscypliny i żelaznej konsekwencji.

Żywienie ludzi starych

Ile trzeba mieć lat, żeby być starym? Dobrze wiemy, że jest to sprawa względna, w głównej mierze zależna od tego, czy już sobie „pozwalamy" na starość. Dając sobie owo przyzwolenie, przyspieszamy ten czas, bowiem programujemy nasze ciało na procesy katabolizmu, czyli rozpadu, a nie anabolizmu, czyli syntezy. Przeważa wówczas niszczenie komórek nad ich regeneracją.

Ale czy tylko nasze nastawienie wewnętrzne, pogoda ducha, radość życia mogą o tym decydować? Jedni uważają, że tak, ale moim zdaniem to nie wystarcza. Ważne jest bowiem również to, co zjadamy. Choćby z tego względu, że nasze pożywienie, czyli energia, którą dostarczamy do organizmu, rodzi lub zabija naszą pogodę ducha i wolę życia. O ścisłym związku funkcji narządów i naszych emocji z nich wynikających pisałam już w „Filozofii zdrowia".

Zakładamy więc, iż niezależnie od tego, ile mamy lat, nie jesteśmy starzy i nie dajemy na starość przyzwolenia. Żyjemy do końca radośnie, twórczo, z całą świadomością tego, że każdy wiek w życiu człowieka ma inne przywileje i możliwości.

Jeżeli starość kojarzy się nam z zamieraniem, obumieraniem, wygaszaniem ognia życia, róbmy wszystko, aby do tego nie dopuścić, aby nasz ogień ochraniać.

Czy zatem mając już w świadomości podstawową wiedzę na temat energii pożywienia, nadal możemy spokojnie polecać ludziom starszym w dużej ilości owoce, soki, surówki, chude twarogi, chude mleko, jogurty, kleiki, budynie, kisiele itp.? Czy uważasz, drogi Czytelniku, że to jest właściwa energia dla organizmu najczęściej bardzo wychłodzonego, schorowanego, z niedoczynnością każdego narządu, z osłabionym krążeniem? Moim zdaniem, czas najwyższy położyć kres – być może nieświadomemu – wyniszczaniu i odbieraniu witalności ludziom starym. Pora na normalne, ciepłe, urozmaicone pożywienie.

Ludzie starzy muszą jeść wszystko, aby dostarczać organizmowi właściwe składniki budulcowe (białko), energetyczne (węglowodany i tłuszcze) i regulujące (sole mineralne i witaminy). Niestety, tych właśnie składników w owocach, surówkach, budyniach, soczkach, twarogach i herbatce z cytryną jest bardzo niewiele. My już wiemy, że siłę daje pożywienie o właściwej energii, napędzającej nasze funkcje życiowe. Kluczem do „młodej starości" jest takie skomponowanie każdej potrawy, aby została ona w całości strawiona i wchłonięta, a jej składniki właściwie zregenerowały i wzmocniły organizm.

Mam jednakże pełną świadomość, że z naszymi ukochanymi „starszymi" sprawa nie będzie taka prosta. Są przecież „zaprogramowani" na jedzenie „zdrowych" produktów.

Pamiętam, jak musiałam przez kilka sezonów przekonywać mojego ojca (ma teraz 86 lat), że świeże owoce z własnego ogródka (maliny, truskawki, jabłka, wiśnie), własne przetwory, kwaśne mleko, kwaśne zupy (pomidorowa, kapuśniak) i kurczak nie służą mu, a wręcz powodują choroby. Właśnie zjadając jesienią i zimą dużo owoców i przetworów (bo witaminki!) już od stycznia zaczynał chorować. Najpierw niedająca się wyleczyć grypa, potem depresja i chęć umierania, aż raz przyszedł półpasiec twarzowy. Po wyeliminowaniu wszystkiego, co kwaśne, wrócił do zdrowia. Wiele razy dzwonił latem, mówiąc „Hanka, masz rację, nie mogę jeść surowych owoców". Gdy sama dzwonię do niego, wyczuwam, w jakim jest nastroju, zawsze związanym z tym, co zjada. Wie, że musi unikać smaku kwaśnego, bo po nim czuje się naprawdę źle, dochodzi nawet do zaburzeń pracy serca.

Gdy rozmawiam z ojcem o jego ogrodzie, zdaję sobie sprawę, że nie może poradzić sobie ze świadomością, iż praca, którą włożył w jego pielęgnowanie, szczepienie drzewek, okazuje się nikomu niepotrzebna. My – jego dzieci – tych owoców nie chcemy.

Zastanówmy się, ile na statystycznego Polaka powinno przypadać krzaków truskawek, jabłoni, gruszy, czereśni? Ile jeden człowiek powinien (może!) w sezonie (!) zjeść owoców? Mój ojciec pogodził się z myślą, że ani on, ani my nie będziemy zjadać jego jabłek. I również z myślą, że lepiej się czuje po świeżych ziemniakach z masłem, po zupie jarzynowej, po duszonej marchewce.

Moim zdaniem, powinniśmy skupić swą uwagę na uprawie cebuli, czosnku, marchewki, pietruszki, kopru włoskiego (fenkuł), pasternaka, dyni, kabaczków, słodkich ziemniaków (topinambur).

A teraz parę konkretnych, bardzo ważnych, zaleceń dotyczących żywienia osób starszych:

- Posiłki i potrawy równoważymy wg zasad Pięciu Przemian i jin-jang.

- Stosujemy wszystkie przyprawy; jeśli będą dodawane do potraw przeze mnie polecanych, nie istnieje obawa, że mogą zaszkodzić. Bardziej szkodzi zbyt mała ich ilość, bo wtedy wiadomo, że potrawa nie będzie właściwie strawiona.
- Posiłki powinny być mniejsze objętościowo, ale należy spożywać je co dwie-trzy godziny.
- Jeśli jest to możliwe, posiłki powinny być gotowane, ciepłe; chleb ma być tylko dodatkiem.
- Osoby starsze powinny zjadać wyłącznie chleb czerstwy.
- Bardzo ważne jest mięso, ale o odpowiedniej energii; sugeruję, aby była to przede wszystkim cielęcina, młoda wołowina, indyk, baranina oraz podroby z tychże.
- Warzywa o smaku słodkim powinny być podstawą wszystkich potraw, cebula i czosnek włączane jako konieczny dodatek smakowy i leczniczy, zaś kapustne bez zbytniego nadmiaru.
- Z nowalijek dla osób starszych proponuję wyłącznie szczypior, ewentualnie od czasu do czasu sałatę w sosie czosnkowym do potrawy mięsnej.
- Koniecznie trzeba uwzględnić jajka, masło, tran, strączkowe, kasze.
- Bardzo polecam tzw. zupy śniadaniowe, których bazą są płatki owsiane, gdyż zawierają najlepiej przyswajalne białko zbożowe, pod warunkiem, że są gotowane co najmniej 40 min.
- Nie polecam: wędlin, kurczaków, chudych twarogów, potraw kwaśnych, surowych owoców i warzyw, zimnych napojów i czarnej herbaty, białego ryżu, grubych makaronów, ciast z kremami, surowymi owocami i drożdżowych.

A więc dotychczasowe menu składające się kanapek z margaryną i chudą szynką lub chudym twarogiem, jogurtów, surówki z kurczakiem lub rybą, popitych kompotem, zjedzonego na deser ciacha i kawy ze śmietanką, jabłek, pomarańcz, wody należy zastąpić czerstwym chlebem z masłem i pieprzem ziołowym, jajkami na miękko z pieprzem i chrzanem, owsianką, gulaszami mięsno-warzywnymi z dużą ilością cebuli, czosnku i przypraw, zupami jarzynowymi na kostce cielęcej lub indyczej, mięskiem do chleba własnej roboty, dobrze przyprawionymi sałatkami z jarzyn gotowanych.

Istnieje przekonanie, iż ludzie starsi powinni jadać niewiele, obojętnie, czy dotyczy to osoby otyłej, czy też o normalnej wadze. Tak, pod warunkiem, że będą zjadali posiłki częściej, co najmniej co trzy godziny. Jest to absolutnie konieczne dla regeneracji i odnowy organizmu, w przeciwnym wypadku będą chudli, gdyż pożywienie zrównoważone, aktywizując właściwą przemianę, pociąga za sobą konieczność uzupełniania składników budulcowych i regulujących. Wówczas mamy pewność, że objawy zewnętrzne tzw. starzenia się (marszczenie się skóry i wiotczenie mięśni) nie będą przybierały tak ostrej formy.

Szkodliwe – nieszkodliwe

Docierają do nas zalecenia, sugestie żywieniowe, najczęściej wypływające ze środowisk medycznych i naukowych, mówiące o wyższości jednych produktów i szkodliwości innych. Zalecenia te zmieniają się bardzo często, w zależności od koniunktury i mody. Nie są oparte na rzetelnej analizie wpływu natury (energii) tych produktów na fizjologię człowieka i jego równowagę jin-jang (homeostazę).

Wobec tego nasuwają się bardzo ważne pytania:

- czy może być jakiś produkt zdrowy dla wszystkich lub dla wszystkich niezdrowy?
- czy może być jakiś produkt zdrowy raz na zawsze i czy możemy zjadać go do woli?

Na te pytania odpowiedź powinna znaleźć medycyna, bowiem właśnie zalecenia dietetyczne lekarzy są szczególnie niebezpieczne. Przejęte z Zachodu bezkrytyczne zafascynowanie owocami, surówkami, jogurtami i zimną wodą skutkuje bardzo poważnymi chorobami zarówno u dzieci, jak i u dorosłych. Wystarczy przyjrzeć się tamtym społecznościom i nam samym.

Większość wysoce zalecanych przez lekarzy i dietetyków produktów czy też napojów organizm traktuje jako monosmak, czyli energię oddziałującą tylko na jeden narząd, wprowadzając blokady w obiegu energii i krwi, pociągając za sobą cały zespół zaburzeń w organizmie.

Pożywienie w momencie, gdy znajdzie się w ustach, a zaraz potem w żołądku, emanuje energią, która ustala warunki dalszego trawienia. Zatem to, co pisała p. Gumowska wraz z prof. Aleksandrowiczem – że nieważne jest, co jemy ani zawartość soli mineralnych czy witamin, lecz jak trawimy – stanowi podkreślenie wagi dobrze trawiącego i wchłaniającego przewodu pokarmowego. Nie zapewnimy ciału właściwej ilości składników odżywczych, gdy będziemy zjadać pożywienie w jednym smaku (owoce, kiszona kapusta, surówki, soki, jogurty, serki), ponieważ energia tego smaku uniemożliwia właściwe trawienie, wchłanianie i całą przemianę materii.

Jeśli mamy wątpliwości w zrozumieniu sensu powyższych wywodów i zasady właściwego żywienia, spójrzmy znów na przyrodę.

Czy dla Ziemi – która rodzi, karmi, chroni – któryś z czynników klimatycznych czy żywiołów przedstawia jakąś szczególną wartość? Cóż ziemi po słońcu, gdy nie będzie wilgoci? Cóż po wietrze, gdy nie będzie pyłków i nasion, które może roznieść, bo trawy i drzewa nie zakwitły bez słońca? Cóż ziemi po deszczu, gdy stale jest bardzo zimno?

Podobnie rzecz ma się ze smakami. Po cóż zimna woda, gdy brakuje nam energii jang w nerkach? Po cóż nam owoce, gdy organizm mamy bardzo wychłodzony, ze słabym krążeniem i chorą wątrobą? Po co surówki, gdy i tak ich nie trawimy i mamy problemy z jelitami, i jogurty owocowe, skoro mamy alergię i nasze płuca ledwo dyszą?

Ziemia, by rodziła, potrzebuje wszystkich klimatów, no i słońca, tej energii jang, która daje i pobudza życie. A czy nas pobudzi do życia samo tylko słońce, jego energia, energia kosmiczna? Mamy go tak mało. Niestety, aby rodzić w nas życie – esencję, która będzie odnawiała ciało – potrzebna jest zarówno energia wszystkich smaków, jak i energia jang (ognia). Tworzy się wówczas kompozycja energetyczna, której nie zawiera pożywienie kwaśne, surowe, zimne, nie daje mikrofala czy gotowanie na prądzie.

Poniżej postaram się wyjaśnić, dlaczego szkodzą lub nie szkodzą pewne produkty.

Tłuszcze

Jeśli jeszcze pozytywnie mówi się o oliwie z oliwek ze względu na nienasycone kwasy tłuszczowe, które wspomagają pracę wątroby, serca, krążenia, to na temat oleju lnianego i rzepakowego, które mają wyjątkowo wysoką zawartość kwasów omega-3 nienasyconych, wspomina się tylko w kontekście margaryn. Uważam, że to jakieś nieporozumienie, bo olej olejem, a margaryna margaryną i tych dwóch produktów nie powinniśmy porównywać. Nasze rodzime oleje w niczym nie ustępują oliwie z oliwek i powinniśmy stale ich używać do przyrządzania posiłków. Temat jedzenia margaryny zamiast masła czy smażenia na margarynie zamiast na oleju pominę milczeniem, bo sprawa jest nazbyt oczywista.

Najwięcej negatywnych opinii słyszymy na temat tłuszczów zwierzęcych, które traktowane są wszystkie jednakowo. Jest to duży błąd, gdyż każdy tłuszcz zwierzęcy ma naturę (energię) mięsa, z którym jest związany. I tak smalec ma naturę smaku słonego, masło smaku słodkiego, tłuszcz z kaczki smaku kwaśnego, tłuszcz z gęsi smaku słodkiego i tłuszcz rybi smaku słonego. Jeżeli tłuszcz staje się niszczący, to tylko dlatego, że zjadamy go w nadmiarze, bez przypraw i w niewłaściwym zestawieniu z innymi produktami.

Z pewnością masło jest najbardziej neutralne i mogą jeść je wszyscy, bez względu na wiek. Rzecz jest jedynie w ilości. Jego cenne składniki (witamina A, D, E) czynią je niezastąpionym dla nas produktem odżywczym.

Każdy tłuszcz spełnia ważną rolę i jako energia, i jako nośnik specyficznych składników mineralno-witaminowych, a jest niezbędny szczególnie w okresie dorastania młodzieży. Tłuszcze są konieczne dla właściwego budowania i funkcjonowania systemu nerwowego, właściwego tworzenia i regeneracji tkanki łącznej, a przede wszystkim dla właściwej równowagi hormonalnej. Cała bowiem grupa hormonów steroidowych kory nadnercza (m.in. żeńskie hormony płciowe) powstają z cholesterolu. Z tłuszczowców, cholesterolu i jego estrów budują się błony komórkowe i wewnętrzne struktury submikroskopowe. Czy w ogóle możemy nie jeść tłuszczu? Nie jest to dobry pomysł.

Jeśli w organizmie dzieje się coś złego z przemianą tłuszczową, zalecenie diety beztłuszczowej niczego nie zmieni. Ograniczenie tak, i to jeszcze odpowiednich gatunków, ale nie wykluczenie. Należy zrozumieć przyczynę tych zaburzeń, być może to nie tłuszcze je powodują, lecz raczej, a nawet na pewno, pożywienie kwaśne, surowe i zimne. Tłuszcz szkodzi, gdy zjadamy:

- w nadmiarze, np. zupy na tłustych kościach wieprzowych, tłuste sosy na margarynie lub smalcu, rosoły z tłustych kur, tłustą wieprzowinę (często karkówkę), tłuste kaczki i gęsi. Przeważa tu niestety tłuszcz o energii smaku kwaśnego i słonego
- wyżej wymienione potrawy bez przypraw
- potrawy tłuste z cukrem – słodycze, ciasta z kremami, dania obiadowe (ryż lub makaron z masłem i cukrem, placki ziemniaczane z cukrem, naleśniki z cukrem)
- potrawy tłuste bez węglowodanów lub nawet sam tłuszcz – w obu przypadkach nie jest trawiony i tworzy w jelitach tzw. mydła (patrz: „Fizjologia człowieka")

- potrawy tłuste w połączeniu z surówkami, surowymi owocami lub innymi kwaśnymi dodatkami
- tłustą potrawę popitą wodą, piwem lub kompotem
- ciacho popite sokiem, zimną wodą lub herbatą z cytryną
- ciastko z kremem, a zaraz potem jabłko.

Dlaczego może nam to szkodzić? To proste – bez przypraw i zrównoważenia nie ma właściwego trawienia, wchłaniania, krążenia, oczyszczania, wydalania. Produkujemy patologiczny śluz, tworzą się zastoje, np. guzy, nadwaga i cały szereg bardzo groźnych chorób.

Węglowodany

Są niezbędne w pożywieniu, bowiem bez nich nie strawimy właściwie białka i tłuszczów. Tłuszcze zaś są niezbędne – ich niedobór zaburza system hormonalny i nerwowy, zaś mięso jest niezbędne, bo dostarcza aminokwasów egzogennych, z których budowane są enzymy i hormony, oraz bardzo ważnego czynnika krwiotwórczego, jakim jest witamina B12. Jemy zatem wszystko, również węglowodany, ale na pewno nie słodycze.

Węglowodany to: mąka, chleb, kasze, makarony, ciasta, ziemniaki. Jeśli możemy, dodajemy do nich przyprawy, nie łączymy ze smakiem kwaśnym i nie zjadamy w nadmiarze, ponieważ możemy mieć problemy z tonusem mięśni (zwiotczenie), a przy ich całkowitym braku może pojawić się przykurcz i zesztywnienie.

Kasza jaglana

Wbrew opinii ogółu, że jaglanka jest uniwersalna, twierdzę, że może być niebezpieczna dla osób z niedoborem energii jang, a głównie z osłabionym żołądkiem i śledzioną, szczególnie zjadana w nadmiarze.

Jaglanka jest w smaku słodkim i bardzo dobrze nadaje się do uaktywnienia produkcji wilgoci przez śledzionę, ale należy pamiętać, że nadmiar tej wilgoci może osłabić wątrobę. Można stosować ją dla niemowląt, ale w połączeniu z płatkami owsianymi. Podobnie u osób dorosłych.

Z pewnością nie polecę nikomu kaszy jaglanej jako lekarstwa regenerującego, gdy będę pewna, że osoba ta ma niedobór jang w organizmie i osłabione krążenie, a takie mamy niemal wszyscy.

Objawy zablokowania środkowego ogrzewacza po zjedzeniu porcji jaglanki to najczęściej: „ogień" w żołądku, zgaga, ucisk z tyłu głowy. Stan ten dotyczy zablokowania energii w meridianie śledziony i żołądka, a wiemy, że za to odpowiada wątroba i woreczek żółciowy.

Płatki owsiane

Dostarczają nam najwyższej jakości najlepiej ze wszystkich kasz strawnego białka, pod warunkiem jednak, że są gotowane minimum 40 minut. Szkodzą natomiast:

- zjadane na surowo; są wówczas ciężkostrawne, białko i węglowodany nie są dobrze wchłaniane
- podane z zimnym mlekiem – zimne mleko zabija zdolności trawienne żołądka i jelit oraz niszczy energię śledziony
- surowe z zimnym jogurtem
- surowe z surowymi owocami
- gotowane bez zrównoważenia smakami, chodzi głównie o smak kwaśny (cytryna), który chroni przed „gubieniem" minerałów.

Potrawy z mąki pszennej

Określenie „mączne" dotyczy wyrobów z mąki pszennej, białej. Zawiera szkodliwy gluten, w którym obecny jest toksyczny związek niszczący śluzówkę jelita. Osoby odżywiające się pożywieniem kwaśnym, surowym i zimnym są szczególnie podatne na jego działanie.

Mączne szkodzą, gdy zjadamy:

- w nadmiarze makarony, kluski, chleb pszenny, kaszkę mannę, ciasta i ciasteczka, sosy zagęszczane mąką pszenną
- bez przypraw (kurkuma, imbir, cynamon, kardamon)
- w niewłaściwym zestawieniu z innymi produktami:
  - z nadmiarem tłuszczu
  - surowymi owocami, jogurtami owocowymi, niewłaściwie przygotowanym sosem pomidorowym
  - kwaśnym mięsem (kaczka, kurczak)
  - z mlekiem i cukrem (zestaw silnie zakwaszający)

Wymienione niewłaściwe zestawienia są przyczyną jednej z groźniejszych chorób –celiakii.

Słodycze

Jeden cukierek oczywiście nie zaszkodzi, ale 10 dag na pewno.

Rzecz jasna, chodzi o nadmiar smakowy, jak również o to, że smak słodyczy jest smakiem cukru, który zawsze osłabia narządy wewnętrzne, a przede wszystkim żołądek, śledzionę, trzustkę i wątrobę. Jeśli nie weźmiemy tego pod uwagę i będziemy zjadać słodycze, gdy tylko przyjdzie nam na nie ochota, popijając lub przegryzając je czymś kwaśnym, surowym lub zimnym (jabłko, woda, jogurt, soki, piwo, lody), bardzo szybko zorientujemy się, że mamy nadkwasotę, wrzody, alergie, blade, ciastowate, niedożywione ciało, skłonność do przeziębień itd.

Błędy dorosłych skrzętnie powielane przez dzieci:

- zjadanie słodyczy przed posiłkiem
- wchodzenie „na głodniaka" do sklepu
- niezabieranie do szkoły i do pracy drugiego śniadania
- śniadanie: baton + soczek lub woda
- zjadanie nadmiaru ciasta drożdżowego w przeświadczeniu, że jest zdrowsze (drożdżówki, pączki, placek drożdżowy)
- zjadanie „nadmiernie słodkich" słodyczy – czekoladek, bezów, batonów
- kupowanie dzieciom słodyczy na każdą okazję.

Czy wiecie, kto uczy dzieci jedzenia słodyczy? Nasze Ego. Dlaczego? Bo to my – dorośli – mamy z tego największą przyjemność.

Wieprzowina

Sama w sobie wieprzowina nie jest zła, pod warunkiem jednak, że będziemy świadomi jej słonego smaku (energii). O szkodliwości nadmiaru tego smaku już wiemy, zatem czas na refleksję, jakie błędy popełniamy, zjadając to mięso.

Są nimi:

- nadmiar i mięsa, i wędlin
- potrawy bez przypraw (m.in. kurkumy, kminku, imbiru)
- łączenie ze smakiem kwaśnym, głównie kiszoną kapustą i ogórkami
- kwaśne zupy na kościach wieprzowych
- potrawy smażone na smalcu
- chleb z nieprzyprawionym smalcem
- dużo wieprzowiny (np. wędliny), a zaraz potem słodycze, kompot, jabłko, zimna woda

Wieprzowiny nie jemy: przy reumatyzmie, gośćcu, osteoporozie, cukrzycy, chorobach wątroby (marskość, stany zapalne), zagrożeniu zawałowym, otyłości, alergiach, przy karmieniu niemowląt, astmie, autyzmie, porażeniu mózgowym, depresji i innych zaburzeniach emocjonalnych.

Wołowina

Współcześni dietetycy nie zalecają spożywania czerwonego mięsa. Amerykanie wręcz twierdzą, że przyczynia się ono do powstania nowotworów, miażdżycy, zawałów i wielu innych chorób cywilizacyjnych. Ich zdaniem korzystniejsze jest mięso białe, czyli z kurczaków i ryb. Wyjaśnię króciutko, dlaczego jest to bardzo niebezpieczne zalecenie. O tym, czy służy naszemu zdrowiu, decyduje nie kolor mięsa, ale jego energia.

Mięso czerwone to m.in. wołowina i wieprzowina, mięsa o całkowicie odmiennym wpływie na nasz organizm. Mięso wołowe to energia smaku słodkiego, a wieprzowe – słonego.

Mięso wołowe, jeśli jest młode i właściwie dojrzałe po uboju (48 godzin) oraz cielęcina bardzo dobrze odżywiają śledzionę i pozwalają jej na stwarzanie właściwej esencji. Ale bywa również wołowina ze starej sztuki, której nie polecam szczególnie osobom, u których ujawniło się zniszczenie środkowego ogrzewacza, głównie śledziony i poważny niedobór wilgoci (esencji). Ciało jest na pograniczu suchości i ognia i należy wówczas cierpliwie, przez dłuższy czas odbudowywać wilgoć pożywieniem zrównoważonym, ale bardzo delikatnym. Zjadanie takiej wołowiny może się przyczynić do nadmiernego pobudzenia metabolizmu i przejawów gorąca.

Osoby zdrowe mogą pozwolić sobie na zjadanie takiej wołowiny pod warunkiem dyscypliny w równoważeniu potrawy dużą ilością jarzyn, odpowiedniego sposobu obróbki cieplnej (duszenie, gotowanie) oraz właściwego przyprawienia.

Polecane w zamian za „niebezpieczną" wołowinę kurczaki i ryby nigdy nie zregenerują narządów i nie odbudują wewnętrznego jin. Przyczynią się jedynie do nasilenia tych chorób, do których dołączą się również inne, dużo groźniejsze, jak martwica wątroby, problemy funkcji mózgu i całego systemu nerwowego.

Kurczaki

Dobrze jest teraz być kurczakiem – jest się ptakiem szanowanym, z białym mięskiem polecanym wszystkim – od małego do starego – na każdą chorobę. Pomiędzy zapryszczonymi świniami i wściekłymi krowami wygląda się naprawdę niewinnie.

A tymczasem mięso kurczaków niszczy naszą wątrobę, cichutko i skrycie. Niestety. Jest to smak kwaśny, który działa zawsze skurczająco, skupiająco, blokująco, stwarzając nie tylko problemy narządowe, ale i emocjonalne.

Z tym kurczakiem to dziwna sprawa. Można go posypać i kilogramem ostrych przypraw, a jego energia smaku kwaśnego ani drgnie – będzie działała na wątrobę tak jak zawsze. Zrobi z niej zakalec. Decydując się na obiad z kurczaka, dodawajmy dużo przypraw, będzie chociaż smaczniejszy. Dlaczego nie na kolację? Bo na kolację kurczaków się nie jada.

Pewna rodzina pracowała na kurzej fermie, w związku z czym kurczaki przeważały w ich menu. Mężczyzna zmarł w wieku niecałych 40 lat na marskość wątroby, a kobieta cierpiała na depresję lękową i w końcu się powiesiła.

Ostatnio rozmawiałam z kobietą, która opisała tragiczną sytuację w rodzinie, gdzie zarówno dzieci, jak i ona sama cierpią od lat na depresję i stale muszą przyjmować leki, również mąż ma poważne problemy zdrowotne. Rodzina ta zjada od wielu lat głównie mięso kurze, hoduje bowiem kurczaki.

Inna sytuacja. Babcia w najlepszej wierze karmiła swą wnuczkę rosołkami z tłustych kurczaków swojego chowu. U dziecka w wieku 7 lat wykryto zaawansowaną marskość wątroby.

Szokujące, ale prawdziwe. Dlaczego o tym piszę? Dla uświadomienia niebezpieczeństwa.

Kurczaki szkodzą jeszcze bardziej, gdy zjadamy je bez przypraw, z surówkami, makaronami, pomidorami, gotując kwaśne zupy na ich mięsie.

Rosoły

Kiedyś nie rozumiałam, dlaczego ludzie starzy mają biegunkę po rosole z kury. Nic w tym dziwnego, skoro energia tej potrawy jest energią smaku kwaśnego. Dla osób wychłodzonych, ze zniszczoną śluzówką żołądka i jelit rosoły z kurczaka są bardzo niewskazane. W kuchni staropolskiej nie gotowano rosołów jedynie z mięsa kurzego, ale zawsze w połączeniu z mięsem wołowym.

Szkodzą nam więc rosół z kury oraz intensywne wywary z kości wieprzowych (smak słony), w dodatku najczęściej przygotowywane bez przypraw równoważących (kurkuma, tymianek, kminek, cebula, czosnek, imbir). Szczególnie szkodliwe jest przyrządzanie z nich zup kwaśnych – ulubionej pomidorowej, ogórkowej, żurku, kapuśniaku.

Czynnikiem niszczącym w takich wywarach jest zarówno energia smaku tego mięsa, jak i dodatków warzywnych oraz wapń, który znajduje się w wywarach mięsno-kostnych zawsze w dużej ilości. Wszystkie powyższe czynniki mają naturę skupiającą, skurczającą, blokującą krążenie. Nie byłoby problemu, gdyby zupy te były należycie przyprawione, bez nadmiaru dodatku smaku kwaśnego, no i nie zjadane zbyt często.

W związku z tym najkorzystniejsze dla nas są rosoły i zupy na cielęcinie, wołowinie oraz indyku, ewentualnie gęsi, również odpowiednio zrównoważone i jak najrzadziej kwaśne, by nie osłabiać się zawartym w nich wapniem, lecz optymalnie go wykorzystywać.

Surówki

Kto wpadł na pomysł, że kwaśne, surowe, zimne jest zdrowsze dla człowieka od talerza zupy jarzynowej z czosnkiem, cebulą i przyprawami? A gdzież przysłowiowa iskra takiego pożywienia, którą w przyrodzie jest słońce? Skąd czerpać energię jang, skoro wszystko mamy zjadać na surowo i zimno? Pożywienie z ziemi jest przecież zawsze jin.

To, jak zdrowe są surówki, widzimy obserwując schorowane społeczeństwa zachodnie i nasze niemowlęta, których matki objadały się nimi w czasie karmienia, sądząc, że to samo zdrowie. Widać też po młodzieży, zwłaszcza po dziewczynach, które są blade, chude i mają problemy hormonalne. Widać również u dorosłych, już bardzo schorowanych, którzy intuicyjnie przestają jeść surówki.

Kiedy jeść surówki? Nie wiem. Na pewno nie do mięsa, bo będziemy je trawić 10 godzin, ani do makaronu, nie rano, bo nasza śledziona tego nie lubi, ani nie wieczorem, bo możemy mieć problemy z wątrobą. Po prostu nie wiem.

Surówka zrównoważona, z przyprawami, bez cukru, z dodatkiem cebuli i czosnku, będzie lepiej strawna, ale jeszcze lepiej strawne będą jarzyny gotowane i również z przyprawami, cebulą i czosnkiem.

Możecie mieć, moi mili, wątpliwości dotyczące kiszonej kapusty i kiszonych ogórków, wiecie bowiem, że są one zjadane, przynajmniej w Polsce, od niepamiętnych czasów. Tak jest w istocie. Tylko należy pamiętać, że zarówno kiszona kapusta, jak i ogórki, były w tamtych czasach jedynym smakiem kwaśnym zimą i wiosną. A poza tym nie spożywano wówczas przez cały rok w tak ogromnych ilościach owoców, mrożonek, kompotów, cytrusów, soków, lodów, jogurtów owocowych, takiej ilości ciast, słodyczy, fast foodów, zimnych napojów, serów, mleka, kurczaków, wieprzowiny, wędlin, pomidorów, surowych ogórków, a kiszoną kapustę gotowano lub duszono, a nie jedzono na surowo. I co wy na to?

Rzecz nie w tym, aby całkowicie wyeliminować i kiszoną kapustę, i ogórki, ale aby umiejętnie połączyć je z resztą pożywienia. Ogórek –jak najbardziej – do dania obiadowego, np. smażone ziemniaki z cebulą, przyprawami i jajkiem, ewentualnie do dania mięsnego, ale tylko do wołowiny, cielęciny lub dobrze przyprawionej wieprzowiny. Zawsze też można dodawać go do potraw jako smak kwaśny. Kiszoną kapustę polecam wyłącznie duszoną z pieczarkami, marchewką i jako danie do klusek ziemniaczanych lub dań mięsnych – ale nie do kurczaka ani ryby!

Mleko

Jeśli kobieta karmi dziecko piersią i zje coś niewłaściwego (np. słodycze), dziecko staje się niespokojne i pojawia się u niego sapka, a potem katar. Mądra matka zmienia swoje pożywienie, odstawia słodycze, wprowadza herbatę ze smakiem gorzkim i ostrym, aby rozproszyć śluz nagromadzony w płucach i zatokach dziecka. Dziecko po paru dniach wraca do zdrowia. Leczenie odbywa się mlekiem matki. O tym piszę w jednym z rozdziałów.

Jeśli tak się dzieje u człowieka, mniemam, że tak samo dzieje się u krów. Podobno fizjologia człowieka i innych ssaków jest zbliżona. Rozważajmy dalej. Mleko krowie budzi kontrowersje, jest postrzegane jako główny alergen, dzieci często trzeba zmuszać do picia, młodzież go nie lubi, a dorosłym po prostu szkodzi.

Ale czy to dzisiejsze mleko, od współczesnej krowy, ma tę samą naturę (energię), co mleko krowy żyjącej sto lat temu i zjadającej co Bozia przykazała? Z pewnością nie. Jeśli przez całą zimę to stworzenie karmione jest kiszonkami i paszami z mączką mięsno-kostną, bo hodowca jest nastawiony tylko na zysk, trudno, aby mleko miało właściwą energię. A my wiemy już, w jaki sposób pożywienie wpływa na jakość mleka ssaków!

Poza tym, o jednej kwestii wszyscy zapomnieliśmy. Podobnie jak człowiekowi potrzebne jest dla wzrostu i rozwoju mleko własnej matki i bezpośredni z nią kontakt, tak również krowa powinna karmić swoje cielę mlekiem, będąc z nim w bezpośrednim kontakcie. Mówimy, że żal nam zwierząt, że nie będziemy ich zjadać, ale naprawdę nie umiemy właściwie traktować nawet tych krów, które mają nam dawać tylko mleko. Odstawienie cielęcia zbyt wcześnie od matki jest tak ogromnym stresem i dla niego, i dla krowy, że jestem przekonana, iż ten właśnie moment decyduje o utracie przez nie odporności i coraz słabszym gatunku, a z pewnością ogromnie obniża jakość mleka.

Odstawiamy zbyt wcześnie cielę, aby zwiększyć uzysk mleka, podając mu w zamian preparaty mlekopodobne lub mieszanki o podejrzanym składzie. Niemowlęta sztucznie karmione są słabsze i nieustannie chorują, podobnie rzecz się ma z cielakami.

A nadwyżki mleka spędzają sen z powiek wielu producentom. Czyżby zapomnieli, że mleko jest dla cieląt? Teraz Natura wytyka błędy ostatnich kilkudziesięciu lat, kiedy chciwość odebrała nam rozum.

Cóż zatem robić? Pozwolić krowie karmić swoje małe, karmić krowy właściwie, niech mleko będzie mlekiem. Niech krowa będzie traktowana z szacunkiem i miłością, podobnie jak powinno być traktowane każde inne zwierzę hodowlane.

Jeśli chcesz wypić mleko, bo je lubisz, to pij gorące na noc, z masłem, miodem, czosnkiem, zawsze pełne. Jeśli masz ochotę na zupę mleczną, zjadaj ją zawsze na kolację, nie rano. Do gorącego mleka lub zupy zawsze możesz dodać kardamonu, cynamonu lub imbiru. Nie naśladuj stylu Kanadyjczyków czy Amerykanów, którzy podają swoim dzieciom mleko prosto z lodówki lub zalewają nim płatki kukurydziane czy musli. To jest karygodne. Niech oni tak jedzą – to ich wybór. Nie łącz mleka z owocami, z mięsem, a przede wszystkim z żadnym kwaśnym produktem.

Jak wykorzystywać mleko? Możesz je dolewać w niewielkiej ilości do owsianki, możesz zrobić na tłustym mleku beszamel lub dodać do puree ziemniaczanego. Możesz ugotować ryż na mleku, a potem zapiec go z jabłkami i przyprawami.

Daj kotu, ale najpierw zawsze daj cielęciu. To jego mleko!

Jaja

Czy jajka mogą szkodzić? W nadmiarze tak, podobnie jak każdy inny nadmiar. Oprócz skrajności jest normalność i tutaj jajka oddają nam ogromną przysługę, gdyż są doskonałością żywieniową. Zawierają bardzo dobrze strawne białko, szczególnie białko żółtka (podajemy je już kilkumiesięcznemu dziecku razem z zupką). Posiadają również wiele cennych mikro- i makroelementów, m.in. fosfor, siarkę, wapń, magnez, potas, sód, mangan, cynk, miedź, krzemionkę, chlor, a nawet jod i fluor oraz żelazo w najlepiej przyswajalnej formie. W jajku zawarte są także bezcenne, rzadko spotykane w produktach w takim stężeniu witaminy A, D, B, K.

To, co czyni je wyjątkowymi, to duża zawartość choliny, której niedobory mogą spowodować poważne zaburzenia funkcji wątroby oraz systemu nerwowego, w tym mózgu, jak i funkcji mięśni gładkich budujących naczynia krwionośne i narządy. Z choliny powstaje acetylocholina, która jest przekaźnikiem impulsów nerwowych.

Cholesterol, który również jest zawarty w jajku, nie jest żadnym zagrożeniem, gdyż wzrost jego poziomu w naszym organizmie jest skutkiem zaburzeń pracy wątroby (pożywienie kwaśne, surowe, zimne).

Jajka są więc koncentratem spożywczym, ale stworzonym przez Naturę, czyli doskonale zrównoważonym.

Osoby, których praca szczególnie eksploatuje wewnętrzne jin (sportowcy, pracownicy fizyczni, nauczyciele), matki karmiące, kobiety w ciąży, młodzież intensywnie ucząca się oraz rekonwalescenci i wszyscy ci, którzy mają na nie ochotę, powinni zjadać jajka na miękko codziennie.

Woda

Zimna woda szkodzi – to jasne. Ale dlaczego? Spójrzmy na pięć żywiołów w zasadzie Pięciu Przemian. Woda jest tu przedstawiona jako żywioł, który w nadmiarze może zniszczyć życie. Zawsze będzie zalewać i osłabiać nasz „ogień życia" (energię jang) oraz narządy i funkcje należące do elementu ognia.

Lekarze i dietetycy twierdzą, że potrzebna nam jest, aby nawilżać i oczyszczać organizm – jesteśmy przecież wodą w 70%! Ale według zasady Pięciu Przemian żywioł Wody w nadmiarze „rodzi" w organizmie zimno, zastój, depresję, a wewnętrzną wilgoć (nawilżanie) stwarza element Ziemi (żywioł), czyli śledziona. Ten narząd stwarza właściwą jakość i ilość esencji (krwi, płynów wewnętrznych, śluzów, hormonów, enzymów) wówczas, gdy w pożywieniu znajdują się energie wszystkich smaków, z dodatkiem energii jang (ognia), a nie wtedy, gdy dostarczamy nadmiary smakowe (woda). Nie można zatem oczekiwać aktywizacji życia i przemiany materii, pijąc po kilka litrów zimnej wody dziennie.

I jeszcze mała ciekawostka: w prasie pojawiają się medyczne uzasadnienia picia dużej ilości wody. Ponoć jest to dla nas koniecznością, gdyż nerki wymagają przepłukiwania dużą ilością krwi, a pijąc wodę stwarzamy jej większą ilość! To jest zgroza! Jeżeli brakuje krwi i nerki przestają właściwie funkcjonować, to my już wiemy z jakiej przyczyny – pożywienie kwaśne, surowe i zimne zniszczyło śledzionę i cały proces krwiotwórczy jest zaburzony. Potrzebne jest zatem silne regenerowanie i odbudowywanie narządów i naszego metabolizmu pożywieniem ciepłym i zrównoważonym, nie zaś za pomocą wody!

Wiara w oczyszczającą moc wody jest złudą, bowiem wystarczy uświadomić sobie potrzeby naszej wątroby, która jest głównym narządem oczyszczającym – jej siła i moc zależy nie od ilości wypijanej wody, lecz od jej „zakorzenienia" i czerpania esencji z Ziemi oraz właściwej ilości krwi.

Mam nieodparte wrażenie, że zalecenia, by wypijać dziennie 2 litry zimnej wody pojawiły się wraz z firmami ją produkującymi, również w postaci mineralizowanej. Nie porównujmy dzisiejszego picia wody z leczniczym piciem wód zdrojowych, gdy na określoną dolegliwość polecany jest odpowiedni rodzaj wody.

A co z ludźmi, którzy żyją w krajach, gdzie jest deficyt wody? Oni nie umierają z pragnienia, lecz po prostu gotują pożywne zupy.

Sery

Na temat wapnia, którego jest w każdym serze nadmiar i który nie może być przyswojony z powodu uwarunkowań fizjologicznych, mam własne zdanie, poparte wieloletnią obserwacją. Większa porcja sera (ok. 10 dag twarogu lub mniej sera żółtego) może wywołać w organizmie bardzo poważne dolegliwości, np. „wędrujące" bóle mięśniowe (wiatr wątroby) i duże napięcie emocjonalne, przykurcze mięśniowe, np. w łydkach, bolesność i zaczerwienienie okolic stawowych, silny ból głowy, senność, ból gardła, biegunkę u dzieci.

To właśnie wapń jest silnym czynnikiem jin dla organizmu, wywołującym przykurcz mięśniowy i sztywność ciała, blokującym jednocześnie produkcję esencji w śledzionie i wyłączającym proces termoregulacji w organizmie.

Sery powinny być zakazane w takich chorobach jak osteoporoza, reumatyzm, gościec, w porażeniu mózgowym, autyzmie, epilepsji, alergiach, astmie, cukrzycy, zawałach, problemach krążeniowych oraz niemowlętom, małym dzieciom i ludziom starym, a także w przypadkach zaburzeń emocjonalnych typu depresje, nadmierna pobudliwość, agresja, stany lękowe.

Jedzmy sery z umiarem i ostrożnością. Wspominałam już w „Filozofii zdrowia", że sery są koncentratem wapniowo-białkowym. Mając to na uwadze, zawsze stosujmy do serów dużą ilość przypraw, tzn. kurkumę, kminek, kozieradkę, pieprz, cebulę, czosnek. Najważniejsze, aby serów nie jeść na kolację ani, oczywiście, po posiłku.

Starajmy się jeść głównie sery białe tłuste, dodając do nich śmietankę i przyprawy, do tego grzanka – jako dodatek do zupy śniadaniowej. Natomiast sera żółtego używamy do dań typu zapiekanki, zawsze pamiętając o dodatkowej ilości przypraw. Sery topione pominę milczeniem.

Kawa

Kiedy kawa nam szkodzi? Gdy pijemy ją w nadmiarze, bez cukru, „po turecku" i ekspresową. Z pewnością ekspresowa szkodzi mniej od „zaparzanki", ale swą energią nie dorównuje kawie gotowanej.

W związku z tym bywają momenty, gdy energia kawy zaparzanej lub ekspresowej blokuje pracę wątroby (obieg niszczący), może wówczas wystąpić silne pobudzenie nerwowe lub też wzdęcie i mdłości.

O wyższości energii kawy gotowanej z przyprawami nad kawą rozpuszczalną i bezkofeinową nie trzeba nikogo przekonywać...

Przestrzegam przed nadmiarem kawy zarówno zbożowej, jak i naturalnej, nawet gotowanej w sposób przeze mnie polecany, gdyż, jak każdy nadmiar smakowy, może doprowadzić do sensacji wątrobowych i sercowych. Znakiem rozpoznawczym dla właściwej pracy wątroby jest fakt, iż kawa bardzo nam smakuje. 2-3 kawy dziennie to jeszcze nie jest nadmiar.

Przyprawy

Często słyszę w telefonie: „Czuję się nienajlepiej, czy to aby nie od nadmiaru przypraw?" Odpowiadam wówczas: „Nie!" I dalej: „Pomyśl, popełniłaś jakiś błąd – może zjadłaś jabłuszko przed obiadem lub wypiłaś zimną wodę, a może ciasteczko?" I słyszę ciche: „Tak??? Więc to nie od przypraw?"

Nigdy nie zaszkodzi nadmiar przypraw, szkodzi raczej zbyt mała ich ilość lub błędy w sztuce, czyli nieznajomość mocy energii i brak dyscypliny. Przyprawy mogą ewidentnie zaszkodzić w następujących przypadkach:

- dodawane w dużej ilości do potraw wegetariańskich lub bez tłuszczu, wtedy ich duża energia nie jest przyjmowana małą pojemnością energetyczną pożywienia roślinnego
- organizm odżywiany wyłącznie pożywieniem roślinnym ma również zbyt małą pojemność energetyczną dla potraw o wysokiej wibracji
- najbardziej jednak szkodzą, gdy ktoś jest niezdecydowany i zjada raz posiłek zrównoważony i dobrze przyprawiony, a po nim wypije zimną wodę lub zje lody.

Sól

Czy sól szkodzi? Jak może szkodzić, skoro daje życie? Skupia energię i esencję w nerkach, daje stabilność, zakorzenienie, wolę życia. Zupełne wyeliminowanie soli prowadzi do zaburzeń w produkcji krwi, a tym samym do zaburzeń świadomości, o czym intuicyjnie wiedzieli już nasi przodkowie. Sól była bezcenna i, podobnie jak przyprawy, sprowadzana nawet z bardzo daleka. Jest szczególnie ceniona w krajach o gorącym klimacie. Przykładem jest Afryka, gdzie pozyskuje się ją starymi sposobami (odparowywanie). Z dawien dawna w sposób nieuświadomiony stosowana jest do ochrony nerek oraz jako środek zapobiegający utracie wilgoci (lizanie grudek, dodawanie do kawy, herbaty).

Nasza rodzima sól kopalniana zawiera bardzo cenne składniki mineralne i powinna być używana w postaci pierwotnej – bez oczyszczania, a tym bardziej jodowania. Nasze problemy tarczycowe nie wynikają z niedoboru jodu, lecz z błędów dietetycznych, m.in. z pożywienia wychładzającego, jak również nadmiaru kapusty białej.

Sól jest niezbędna, gdyż dzięki niej uaktywniają się w śluzowce żołądka gruczoły wydzielające odpowiednią ilość kwasu solnego. Jest on niezbędny w procesie krwiotwórczym i we wstępnym procesie trawienia, głównie mięsa.

Sól jest elementem koniecznym w obiegu odżywczym energii smaków i w tworzeniu przez śledzionę esencji. Zalecenia dietetyczne dla rekonwalescentów, nadciśnieniowców, polegające na stosowaniu posiłków bezsolnych, są wielkim nieporozumieniem. Jeśli wykluczymy sól z naszego jadłospisu, a przy tym pozostałymi produktami nie stworzymy niezbędnej dla rekonwalescenta równowagi energetycznej, nie tylko zniszczymy nerki, ale i osłabimy proces krwiotwórczy, a także z pewnością pojawią się problemy emocjonalne. Należy pamiętać, że zabraniając jedzenia soli, a jednocześnie zezwalając na spożywanie jakiegokolwiek (choćby dietetycznego) mięsa, przyczynimy się do zaburzeń trawienia i wchłaniania.

Ryby

Ryby morskie mają energię smaku słonego i nie zmieni tego faktu uzasadniana naukowo moda na ich jedzenie zamiast tzw. mięsa czerwonego (wołowiny). Śledziona nie jest w stanie stworzyć z nich odnawiającej nas esencji. Oczywiście, dotyczyć to będzie ich nadmiaru. U osób, które podporządkowują się takim zaleceniom, prędzej czy później ujawniają się poważne dolegliwości – problemy emocjonalne i funkcji narządów, np. choroby jelit i układu krążenia.

Energia ryb jest wychładzająca, skupiająca, powodująca zastój. Jeżeli gdzie indziej jada się więcej ryb aniżeli u nas, a ludzie są tam zdrowi, to nie z powodu ryb, lecz dlatego, że tamtejsza kuchnia jest bardziej zrównoważona w swej tradycyjnej formie. Z pewnością ogromne znaczenie ma niezmieniony od wielu pokoleń sposób żywienia, bez bardzo widocznej w krajach Europy Zachodniej i również u nas fascynacji nowinkami naukowo-dietetycznymi.

Ryby szkodzą, gdy:

- zjadamy je w nadmiarze w przeświadczeniu, że są zdrowe
- łączone z surówką, kiszoną kapustą, kiszonymi ogórkami
- popijane wodą, sokiem, kompotem lub innym zimnym napojem
- zupełnie bez przypraw (smak gorzki i ostry)
- łączone ze smakiem kwaśnym (ryba w pomidorach, w occie, wędzona makrela z twarogiem).

Przykład obiadu stołówkowego dla dzieci i młodzieży: zupa pomidorowa, ryba, surówka z kiszonej kapusty. Oceń, drogi Czytelniku, energię takiego posiłku.

Zatem jeść czy nie jeść ryby morskie? Jeść, ale mądrze – z przyprawami, czosnkiem, duszonymi, słodkimi warzywami, no i niezbyt często. Nasza aktualna kondycja nie pozwala na nadmiar ryb, bowiem spowoduje on nasilenie stanów depresyjnych, agresję, choroby układu krążenia (serca), jelit, nerek, wątroby, alergie, astmę, choroby reumatyczne, procesy starzenia.

Ryby słodkowodne są dla nas z pewnością korzystniejsze. Mają energię smaku słodkiego, ale wychładzającego. Przyczynią się do budowania esencji w organizmie, ale o odpowiednim poziomie energii – wzmacniają wówczas nerkę jin (patrz – „Filozofia zdrowia"). Osoby będące w depresji lub mające do niej skłonności, nie powinny w ogóle jeść ryb.

Herbata czarna i zielona

Energia tych herbat jest niezbędna w kuchni chińskiej, rozgrzewającej, dobrze przyprawionej, w której w ogóle nie stosuje się mleka i serów, jogurtów, ciasta i słodyczy, surówek i surowych owoców, soków, zimnych napojów, wody. Ściągająca, wysuszająca, skupiająca energia herbaty jest jej właściwym zrównoważeniem.

Herbata czarna i zielona szkodzą, gdy:

- pijemy je w nadmiarze i zbyt mocne
- nasze pożywienie jest wychładzające
- jesteśmy w stresie (herbata potęguje skurcz)
- pijemy ją z cytryną i cukrem.

Herbat tych w ogóle nie powinniśmy podawać niemowlętom, małym dzieciom i ludziom starym. Możemy je traktować wyłącznie jako lekarstwo przy eliminowaniu dolegliwości związanych z zablokowaniem wątroby, nadmiarem smaku słodkiego (nie od cukru) – tzw. nadmiarowe cuchnące biegunki.

Gdy zależy nam na zregenerowaniu ciała, pobudzeniu krążenia, uaktywnieniu pracy narządów, powstrzymaniu procesów starzenia, przy naszych uwarunkowaniach genetycznych i upodobaniach kulinarnych, powinniśmy z niej właściwie zupełnie zrezygnować, wprowadzając w to miejsce herbaty neutralno-rozgrzewające. Jeśli pijemy je okazjonalnie, to posłodzone miodem.

Herbaty owocowe

Ze względu na ich skład – dodatki o intensywnym smaku kwaśnym – zaliczamy je również do napojów w tym smaku. Najczęściej pijemy je posłodzone, co oznacza, że ich kwaśny smak nam nie odpowiada. Słodzenie cukrem czy miodem nie likwiduje energii smaku kwaśnego, a więc pijąc je w przekonaniu o ich większych walorach zdrowotnych, wprowadzamy w organizm nadmiar smaku kwaśnego. Skutki takiego nadmiaru są bardzo groźne.

Alkohol

Kieliszek koniaku, whisky czy czystej wódki może pobudzić krążenie, rozluźnić napięcie spowodowane stresem, przemarznięciem lub nawet rozładować zastój pokarmowy lub zniwelować ból głowy. 2-3 już potęgują dolegliwości.

Wódka szkodzi, gdy:

- pijemy ją w nadmiarze (alkoholizm)
- robimy z niej drinki, czyli mieszanki z sokami, wodą, napojami gazowanymi
- popijamy ją zimną wodą lub innymi zimnymi napojami.

Jeśli chcemy po biesiadzie alkoholowej czuć się dobrze, poprzedźmy ją dobrym gorącym, mięsnym posiłkiem wykluczającym potrawy kwaśne (bigos, śledzik, kiszone ogórki, kurczak) i popijać go wyłącznie gorącą herbatą z cukrem lub miodem. Rano postawi na nogi kawa gotowana z przyprawami i miodem.

Jedno jest pewne: powinniśmy dołożyć wszelkich starań, ażeby alkohol nie stał się wyznacznikiem dobrej zabawy i sposobem na luz. Nasze wnętrze i świadomość mają decydować o tym, czy alkohol będzie koniecznością, czy też naszym małym co nieco.

Nałogi

Czy nałogi same w sobie są złem, czy też stanowią skutek rozregulowania organizmu, niedoborów i zwykły doraźny sposób na wyrównywanie energii? Czy nałóg picia alkoholu jest gorszy od nałogu jedzenia słodyczy? Uważam, że jedno i drugie jest bardzo niebezpieczne, ale mam świadomość, że jest to skutek, a nie przyczyna problemu. Nie widzę również przyczyny, dla której reklama alkoholu ma być większym złem od reklamy słodyczy.

Należałoby zdać sobie sprawę, że reklama słodyczy dociera głównie do dzieci i je uzależnia. Skutki nałogu jedzenia słodyczy są dużo bardziej groźne, gdyż stanowią podłoże dla rozwijającego się w przyszłości alkoholizmu, palenia papierosów, narkomanii i wszelkich patologii społecznych. Nadmiar słodyczy niszczy nasze Centrum (żołądek, śledziona, trzustka) i naszą świadomość.

Alkoholizm to skutek zjadania słodyczy, potraw kwaśnych (kiszona kapusta, ogórki, kurczaki, surówki), słonych (wędliny, schabowe, śledzie) oraz zimnych napojów i wynikających z tego problemów emocjonalnych (smutek, żal, lęk, brak akceptacji, agresja, zamartwianie się). W tym wypadku splot problemów emocjonalnych i błędów żywieniowych jest tak silny i długotrwały, że powinien być postrzegany całościowo. Nie wolno alkoholika traktować przedmiotowo, bez wspomagania właściwym pożywieniem, które jest w stanie wyciszyć jego emocje.

Palenie papierosów (energia ognia) jest namiastką rozgrzania wnętrza, głównie żołądka i płuc. Nikotyna powoduje przykurcz zewnętrza i uaktywnienie metabolizmu w narządach (trzustka, wątroba, płuca, serce). Dzięki temu palacz może usuwać śluz gromadzony w płucach na skutek niewłaściwego odżywiania. Palenie papierosów przy nadmiarze alkoholu daje złudzenie równowagi energetycznej, a więc można łatwo zaobserwować, iż jeśli ktoś zaczyna nadużywać alkoholu (w tym głównie piwa i drinków), zaczyna również palić i odwrotnie.

Narkotyki to ucieczka przed depresją płucną i nerkową (smutek, żal, lęki, beznadziejność), ucieczka przed wdeptaniem w ziemię. To możliwość oderwania się od dna i poszybowania w przestrzeni.

Nie walczmy z nałogami! Nie wypada. Najpierw należy je zrozumieć! Nie piętnujmy tych ludzi! Nie wypada. Potrzebują pomocy. Wyjaśniaj im, o co chodzi, ugotuj zupę.

Kiedy ostatnio świadomie powstrzymałeś się i nie ofiarowałeś dziecku łakocia, tym samym odmawiając sobie ogromnej przyjemności? Nie oceniaj, mamo i tato. Nakarm swoje dzieci, a potem pomóż innym.

Kuchnia śródziemnomorska

Dietetycy wskazują na kuchnię śródziemnomorską jako zdrowszą od naszej, a to głównie za przyczyną oliwy z oliwek i dużej rozmaitości występujących tam owoców. W moim przekonaniu nie rozwiążemy naszych problemów zdrowotnych zjadając większe ilości cytrusów i oliwy z oliwek. Mam wrażenie, że umyka dietetykom – już któryś raz z rzędu – sedno całej sprawy. Nie rozumiejąc, gdzie leży prawdziwa przyczyna naszych chorób, również nie rozumieją istoty kuchni śródziemnomorskiej. Bez właściwej, rzetelnej analizy tego problemu za parę lat może się okazać, że jest to następny ślepy zaułek. A ludzie są już bardzo zmęczeni i niecierpliwi.

Przy tak poważnych sugestiach i zaleceniach niezbędne jest wzięcie pod uwagę wszystkich czynników energetycznych wywierających wpływ na nasze osłabianie lub aktywizowanie. A więc klimat i związane z nim produkty rolne, uwarunkowania genetyczne, mentalność, przyzwyczajenia smakowe. Z pewnością naszym problemem nie są witaminy, ale energia pożywienia, o czym wspominałam w „Filozofii zdrowia". Pamiętamy więc, że zalecenia żywieniowe, wyrwane z kontekstu całego zespołu uwarunkowań rejonu kulturowego, mogą być bardzo niszczące. Inną rolę spełnia bowiem herbata zielona w kuchni chińskiej, a inną u nas. Inaczej działa banan zjedzony w Afryce czy jogurt naturalny w kuchni bułgarskiej lub tureckiej.

Dla Polaków dobra jest polska kuchnia. Należy jednak powrócić do jej rzeczywistych zasad i uzupełnić o czynniki podnoszące energię potraw, czyli sposób przyrządzania i przyprawy. Jednocześnie trzeba wyeliminować złe nawyki, a to wiąże się z rzetelną wiedzą na temat natury (energii) produktów i potraw. Na przykład preferowanie zup kwaśnych jest niewłaściwe, gdyż są one wychładzające. Wieprzowina nie jest szkodliwa pod warunkiem, że wiemy, iż należy do elementu Wody, ma naturę wychładzającą i blokującą krążenie, a zatem należy ją dobrze przyprawiać i umiejętnie łączyć z innymi składnikami posiłku oraz częściej zastępować cielęciną, młodą wołowiną lub indykiem. Musimy zatem zrozumieć, że cały problem dobrego odżywiania to umiejętne manewrowanie energiami produktów i potraw w połączeniu z klimatem, w którym żyjemy.

Kuchnie o długiej i nadal kultywowanej tradycji, a taką jest kuchnia śródziemnomorska, zawierają w sobie umiejętność gromadzenia w potrawach i posiłkach odpowiedniej energii, która pozwala ludziom zachować dobre zdrowie. Kultura kulinarna tych krajów to szacunek dla jedzenia i celebrowanie go, dogadzanie podniebieniu. Ludzie tam mieszkający doceniają wagę pożywienia i jego wpływ na jakość życia. Jedzą z wyczuciem chwili, swych potrzeb, klimatu, z całym szacunkiem dla Natury i jej rytmu. Doceniają znaczenie ognia, a więc gotowania, duszenia, smażenia, choć słońce rozpieszcza ich niemal przez cały rok. Surowych potraw się tam nie jada, podobnie zresztą jak w Chinach, Indiach, Brazylii. Owoców zjada się również niewiele, częściej podaje się je duszone, pieczone czy też gotowane – zawsze z przyprawami.

W kuchniach tych krajów surowce, z których przyrządza się potrawy, są właściwie podobne. Odnosi się to zarówno do przypraw, jak i do warzyw czy mięs. Różnice istnieją jedynie w sposobie przyprawiania i sentymencie do poszczególnych potraw i ich smaków. Podstawowym posiłkiem jest zawsze zupa – długo gotowana i bardzo treściwa. Najczęściej na mięsie lub rybach, gęsta od jarzyn i mocno przyprawiona. Często dodawana jest ciecierzyca, groch czy fasola, zawsze czosnek i cebula. Wiemy, jak cenne składniki energetyczne i odżywcze zawierają te produkty Najczęściej podawanym dodatkiem jest chleb.

Drugą podstawową potrawą kuchni śródziemnomorskiej są duszone na różne sposoby i w różnych zestawieniach warzywa. Najczęściej pomidory, papryka, bakłażany, kabaczki, cukinie, obowiązkowo cebula i czosnek, fasolka szparagowa i wiele innych. Mięsa przyrządza się bardzo dokładnie – mocno przyprawia i dusi w warzywach. Jeśli używa się jogurtu naturalnego, to wyłącznie jako dodatku smakowego (smak kwaśny) do sałatek, zup lub jako jedyny sposób na zneutralizowanie ostrego smaku pozostającego na języku po spożyciu bardzo pikantnej potrawy.

Jaka jest zatem kuchnia śródziemnomorska? Jaką ma naturę? Z pewnością bardzo urozmaicona, zrównoważona i energetyczna. Z należytym szacunkiem traktuje się w niej tzw. produkty ciężkostrawne, czyli czosnek, cebulę, groch, fasolę, ciecierzycę, mięso baranie, wołowe, przyprawy. Szanuje się również starodawną narodową tradycję nakazującą smażenie, pieczenie, duszenie, gotowanie; co wychodzi ludziom wyłącznie na zdrowie. Jest to bowiem kuchnia ciepła, rozgrzewająca, zapewniająca stałe dostarczanie głównych składników budulcowych – białka (mięso w połączeniu z grochem czy fasolą), witaminowych – witamin z grupy B (fasola, groch, ciecierzyca, mięso) i energetycznych – jangizowanie poprzez obróbkę termiczną (gotowanie, smażenie, duszenie), katalizujących – przyprawy, które poprawiają strawność, krążenie i oczyszczenie.

Wykorzystując tylko niektóre jej elementy w naszych – całkowicie odmiennych warunkach – możemy odnieść wiele szkody. Często jedynym powodem zauroczenia jakimś daniem jest jego egzotycznie brzmiąca nazwa. Czyżby górę brały kompleksy? Tajemniczo brzmiąca nazwa risotto to po prostu ryż zapiekany z mięsem i jarzynami. Afelia to wieprzowina duszona z kolendrą, pilaw zaś to *ryż* z mięsem i dodatkiem suszonych orzechów, owoców, przypraw. Moussake to mielone mięso przekładane bakłażanami i zapiekane pod beszamelem, polenta – kasza kukurydziana, a ratatouille to gulasz z warzyw. Tortilla jest zapiekanką z ziemniaków, minnestrone soup najzwyklejszą jarzynówką, natomiast gazpacho sałatką z pomidorów, czosnku, papryki i ogórków.

Z porównania kuchni polskiej i śródziemnomorskiej wynika, że przyczyną naszych problemów zdrowotnych nie jest zbyt mała ilość południowych owoców na naszych stołach czy też fakt, że nie używamy oliwy z oliwek (nasz rodzimy olej rzepakowy jest równie dobry), lecz wyłącznie sposób dobierania produktów, ich przyrządzania i przyprawiania.

Różnice pomiędzy kuchnią śródziemnomorską a polską		
Produkty	**kuchnia śródziemnomorska**	**kuchnia polska**
nabiał	mleko i sery – głównie owcze i kozie, jogurty z miodem i daktylami jogurt z czosnkiem jogurty przyrządza się w domach, z mleka koziego i owczego, służą przede wszystkim do zagęszczania i zakwaszania zup i gulaszów oraz marynat	mleko i sery krowie, głównie chude twarogi i żółte, jogurty owocowe (cukier + kwaśne owoce)
tłuszcze	masło i oliwa z oliwek	głównie smalec, margaryna, olej rzepakowy i słonecznikowy
nasiona strączkowe	dużo i często fasoli, soczewicy, ciecierzycy, grochu, bobu	niewiele grochu, fasoli, bobu
ziemniaki	gównie smażone	głównie z wody, ewentualnie puree
słodzik	miód	cukier
mięso	jagnięcina, baranina, cielęcina, wołowina, mniej wieprzowiny i kurczaków, niewiele wędlin, ale przyprawione na ostro	głównie wieprzowina, kurczaki i wędlina
warzywa	przewaga słodkich, czyli: dyni, bakłażanów, kabaczków, papryki, cukinii – duszone, podsmażane, dużo cebuli, czosnku, kopru włoskiego	głównie kiszona kapusta i ogórki, warzywa w postaci surówek, niewiele cebuli i czosnku
surowce	warzywa świeże, wyraźna sezonowość potraw	mrożonki, konserwy, kompoty, przetwory, surowe warzywa
przyprawy	rozmaitość i obfite przyprawianie, dużo szafranu, kolendry, kminku, imbiru, papryki ostrej, kurkuma	głównie pieprz czarny, ziele angielskie i liść laurowy, bardzo niewiele kminku
zioła	tymianek, bazylia, oregano, rozmaryn, szałwia, anyż, majeranek	głównie majeranek
sposób przyrządzania ciepłych posiłków	gotowanie na żywym ogniu, długi czas, duszenie, obsmażanie, pieczenie	bardzo często kuchnia elektryczna, mikrofala, gotowanie w wodzie, krótki czas gotowania, ostre smażenie
przyrządzanie mięs	obfite przyprawianie, obsmażanie, duszenie z jarzynami, gotowanie w zupach, głównie na oleju, ewentualnie z dodatkiem masła	najczęściej bez przypraw, smażone na margarynie lub na smalcu, z gęstymi sosami
zupy	gęste zupy jarzynowe, zawsze na mięsie lub rybach, z przyprawami, cebula, czosnkiem	zupy narodowe: głównie kwaśne – pomidorowa, ogórkowa, barszcz, żurek, kapuśniak, szczawiowa, polewka, owocowe, ewentualnie rosół z kurczaka
ciasta i desery	tzw. tarty, czyli ciasta kruche, pieczone wraz ze słodkimi owocami, np. daktylami, gruszkami, owoce gotowane w miodzie, winie i przyprawach, powidła i dżemy z przyprawami	ciasta z galaretkami i surowymi owocami, z kremami, drożdżowe
owoce	głównie słodkie – daktyle, figi, melony, granaty, brzoskwinie, morele, gruszki	głównie kwaśne – cytrusy, truskawki, porzeczki, jabłka

Gotowanie

Takie będą Rzeczpospolite, jakie Polaków karmienie...

Wiem, że osoby, które stosują już zasadę równoważenia potraw, również popełniają błędy. Jednym z ważniejszych jest nieumiejętne dodawanie smaku kwaśnego. Jeśli zaleceniem indywidualnym jest całkowite wyeliminowanie potraw o smaku kwaśnym, to wcale nie oznacza wykluczenia z potraw smaku kwaśnego. Dotyczy to także samodzielnego korzystania z książki, na przykład ktoś ma świadomość, że jest bardzo wychłodzony, więc sam eliminuje smak kwaśny. Zdarza się to dość często. Dochodzi wówczas do zaburzeń w pracy środkowego ogrzewacza, co dotyka głównie woreczka żółciowego i żołądka, a również wątroby i śledziony. Objawem tego stanu są wzdęcia, mdłości, bóle głowy i ociężałość.

Równoważącymi potrawy dodatkami w smaku kwaśnym są: cytryna, podduszony na oliwie pomidor, musztarda, ocet winny, może być nim również kwaśna śmietana. Właśnie ten sposób zakwaszania preferowały kiedyś nasze mamy i babki, a stosowany jest również w kuchni śródziemnomorskiej. Znany nam dobrze jogurt służy tam właśnie do zakwaszania lub zagęszczania potraw, a nie do zjadania z owocami. Możemy więc np. zupę dyniową lub jarzynową tak przygotować, aby łyżkę kwaśnej śmietany dodać na talerzu, oczywiście z uwzględnieniem kolejności smaków. Podobnie kwaśnej śmietany lub zamiennie jogurtu naturalnego możemy używać do sałatek z jarzyn gotowanych lub nawet do zakwaszania duszenin mięsno-jarzynowych. Zielone części roślin – pietruszka, koperek, bazylia nie są w stanie zrównoważyć całego garnka potrawy, chyba że dodatek zieleniny jest znaczący, tak jak to się dzieje w letnich zupach, gdy dodajemy liście selera, pietruszki, kalarepy, koperku, botwinki.

Innym ważnym błędem jest dodawanie zbyt małej ilości przypraw. Obserwujemy wówczas bardzo powolne pozytywne zmiany. Przekonanie, że przyprawy mogą szkodzić, jest u wielu osób tak głębokie, że gdy już w trakcie gotowania zrównoważonego pojawi się jakaś niedyspozycja, jedyne pytanie brzmi: „Czy to aby nie od nadmiaru przypraw?" Tłumaczę wówczas, że owa niedyspozycja to albo zaległe problemy emocjonalne, połączone z błędem żywieniowym lub też kroczenie jedną nogą w starym, a drugą w nowym żywieniu.

Np. wypicie zimnej wody lub zjedzenie przed obiadem jabłka wywołuje poważne sensacje związane z niestrawnością.

Dużym błędem jest również przedawkowywanie produktów w jednym smaku z nieodpowiednim zrównoważeniem w pozostałych, np. nadmiar smaku słodkiego w zupie poniżej:

gorzki: niewiele tymianku i kurkumy
słodki: cielęcina, ziemniaki, marchewka, pietruszka, pasternak, dynia, kaszka kukurydziana
ostry: cebula, czosnek, imbir (niewiele)
słony: sól
kwaśny: zielona pietruszka.

Taka zupa może wywołać u dzieci nawet biegunkę, a u dorosłych zastój i wzdęcie.

Niewłaściwe jest również zestawienie produktów w poniższym przykładzie zupy kalafiorowej:

gorzki: kurkuma, tymianek
słodki: marchewka, kminek
ostry: indyk, imbir, ryż, cebula, kalafior
słony: sól
kwaśny: zielona pietruszka, cytryna.

Po takiej zupie może pojawić się ustach smak metalu. Przedawkowanie produktów w smaku ostrym, np. kalarepa, kapusta, seler może wywołać u dzieci wzdęcia, ale przede wszystkim zupa będzie niesmaczna. Podobnie jest z przedawkowaniem smaku kwaśnego cytryną lub zieleniną – taka zupa również jest niesmaczna. Szczególnie na ten nadmiar wrażliwe są małe dzieci.

W czasie przygotowywania posiłków pamiętajmy też o mocy i energii smaków – o ich stwarzaniu i wzajemnym niszczeniu. Już wspomniałam kiedyś, że nie sztuka zupę ugotować, sztuką jest jej dosmakowanie. W pierwszym rzucie dodajemy do garnka bazę przyprawową, np. po 1/2 lub po 1 łyżeczce podstawowych przypraw, takich jak tymianek, kurkuma, kminek, imbir, sól i z nimi gotuje się mięso, a potem warzywa. Przy dosmakowywaniu zauważajmy zmiany, jakie dokonują się w smaku potrawy. Na przykład, gdy dodamy przypraw ostrych, znika łagodność, a wzmaga się słoność, jeśli ją przepieprzymy, dodajmy soli. Jeśli nie zależy nam, aby potrawę dosalać, dodajmy jej odrobinę, wówczas podkreślimy smak kwaśny.

Przy dodaniu smaku kwaśnego znika słoność, a lepiej jest wyczuwalny smak gorzki. Gdy przypadkiem dodamy za dużo cytryny, należy dodać kurkumy i na końcu łyżeczkę masła.

Kończąc gotowanie na którymkolwiek smaku, możemy zawsze dodać smak słodki, czyli masło, miód lub łyżkę słodkiej śmietany, ponieważ smak słodki jest równoważący. Jest to dopuszczalne tylko w przypadku, gdy w pozostałych smakach występuje właściwa ilość przypraw, które zaktywizują trawienie i całą przemianę materii. W przeciwnym wypadku potrawa zakończona smakiem słodkim będzie mdła i wywoła wzdęcia.

Przypominam, że przy prowadzeniu kuchni zrównoważonej nie obowiązują nas już żadne inne teorie żywieniowe. Jeśli tego nie zrozumiemy i nie wprowadzimy, skutkiem może być rozstrój nerwowy. W naszej świadomości musi znaleźć się jedno: im bardziej urozmaicony posiłek, im lepiej przyprawiony, tym lepiej jest trawiony i lepiej wchłaniają się jego składniki odżywcze. Przy doborze składników do potrawy kierujemy się wyłączenie naturą energii smaku każdego produktu. W zrównoważonym pożywieniu nie ma żadnego znaczenia teoria np. o niełączeniu węglowodanów z mięsem. Przypominam, że w przyrodzie nie występują czyste białka, czyste węglowodany ani czyste tłuszcze, zatem tkwienie w przekonaniu, że pożywienie monosmakowe jest lepiej trawione, np. rano owoce, w południe surówki, wieczorem kasze, jest absolutnym nieporozumieniem.

Problemem z innej beczki jest tzw. bywanie u rodziny czy znajomych. Czym wówczas powinniśmy się kierować: własnym dobrem i podziękować za ciasto, owoc lub potrawę, która nam nie będzie służyła, czy też zjeść w obawie, że obrazimy gospodynię, ale z pełną świadomością, że nie wyjdzie nam to na dobre. Czy dołowanie siebie jest mniejszym złem aniżeli odmówienie poczęstunku? Dla mnie sprawa jest oczywista i problemu nie widzę, zaś ty, Czytelniku, jeśli się wahasz, to znak, że powinieneś popracować nad swoimi priorytetami.

Jeszcze jedną rzecz chcę podkreślić, mimo że wspominałam o niej w „Filozofii zdrowia". Zaczynamy gotować w swoim czasie – ani wcześniej, ani później. W związku z tym na nic się zdadzą namawiania, przekonywania innych. Wniosek z tego jeden: jeżeli ty czujesz

– gotuj i nic nie mów. Karm rodzinę i nie słuchaj ich marudzenia, a po pewnym czasie wszystko się zmieni. Podobnie jest ze znajomymi – nie starajmy się niczego im narzucić. Poczęstujmy – jeśli się załapią, ich zysk, jeśli nie – my nie marudźmy.

Wzorem poprzedniej książki przypominam, iż magia smaków i energia potraw działa jedynie wówczas, gdy w pełni i z całą ufnością akceptujemy tę wiedzę. Jeśli ktoś potraktuje rozdział z przepisami instrumentalnie, bez zrozumienia całego Porządku, nie uniknie poważnych błędów i konsekwencji z nimi związanych. Wybiórcze stosowanie moich zaleceń nie jest dobrym rozwiązaniem, gdyż niewiele wówczas pomogą, a oczekiwania są ogromne. Wyciągane są mylne wnioski i rodzi się fałszywy obraz całości.

Nie rokuje niczego dobrego lekceważący stosunek do Porządku ani ironizowanie. Porządek sprzyja tym, którzy go szanują. Działa wówczas potajemnie, prowadzi, chroni. Gotuj więc radośnie, twórczo, ale ze świadomością, że to boski przywilej.

ZUPY

Zupa ryżowa

Przygotowujemy zupę jarzynową na kostce cielęcej, z dużą porcją zieleniny (patrz: „Filozofia zdrowia").

Wypiekamy wg przepisu 1 szklankę ryżu z kurkumą, masłem i imbirem. Ryż po wypieczeniu przekładamy do większego naczynia, zalewamy 2 szklankami zupy bez jarzyn, dodajemy 1 łyżeczkę masła, 1 żółtko, miksujemy, łączymy z zupą – w takiej ilości, aby osiągnąć właściwą gęstość.

Zupa z soczewicy

Ok. 1/2 kg soczewicy zalać zimną wodą, zagotować, wodę odlać i zalewając świeżą gotować 10 minut.

g – do 3 l wrzątku wsypać szczyptę tymianku, włożyć
sł – kostkę cielęcą lub wołową, 1 łyżeczkę kminku i gotować ok. 1,5 godz., dodać 3 duże marchewki pokrojone na ćwiartki, 2 duże pietruszki również pokrojone na ćwiartki
o – 3 duże cebule przekrojone na pół, 4 ząbki czosnku, 1 łyżeczkę imbiru, 1 łyżeczkę kolendry, 1/3 łyżeczki chili
sn – dodać soczewicę wraz z wodą, w której się gotowała, 1/2 łyżeczki vegety, płaską łyżkę soli, gotować do miękkości jarzyn (ok. 30-45 min).

Wyjąć jarzyny, ale zostawić 1 marchewkę, 1 pietruszkę i 1 cebulę, zupę zmiksować i dosmakowywać:

sn – solą
k – 1 łyżeczką cytryny, zieloną pietruszką
g – szczyptą majeranku
sł – łyżeczką masła.

Zupa z soczewicą i ciecierzycą

1/2 kg ciecierzycy namoczyć na noc. 1/2 kg cielęciny lub bardzo młodej wołowiny pokroić w drobną kosteczkę. Może być mięso z kością, które po ugotowaniu odejmujemy z kości, drobniutko kroimy i wkładamy z powrotem do zupy.

g – do ok. 3 l wrzątku, dodajemy szczyptę tymianku
sł – mięso, l łyżeczkę kminku mielonego, gotujemy z kością ok. 1 godziny, a bez kości ok. 30 min. Jeśli cielęcina jest chuda, dodajemy łyżeczkę masła
sł – 1 łyżeczka cynamonu, 2 duże cebule pokrojone drobniutko i zeszklone na 2 łyżkach oleju
o – 1 łyżeczka mielonej kolendry, l łyżeczka imbiru, na czubku łyżeczki pieprzu cayenne
sn – namoczoną ciecierzycę i szklankę soczewicy, sól do smaku (ok. 1-2 łyżeczek), gotujemy 1,5 godz.
k – dodajemy garść zielonej pietruszki, 4 bardzo dojrzałe pomidory, pokrojone, ale bez pestek, podduszone na łyżce oleju
g – 1/2 łyżeczki kurkumy.

Ugotować makaron cienki, rosołowy i dodać w takiej ilości, aby zupa nie była za gęsta. Doprawić pieprzem i solą.

Zupa fasolowa na sposób śródziemnomorski

1/2 kg fasoli perłowej (mała biała) namoczyć na noc, a następnego dnia odlać wodę i ugotować w małej ilości świeżej, lekko osolonej wody.

Dzień wcześniej lub w tym samym dniu przygotować wywar na ok. 1/2 kg wołowiny z kością:

g – do 2-3 l wrzątku wsypać 1 łyżeczkę tymianku, włożyć
sł – mięso, dodać 1/2 łyżeczki kminku mielonego
o – 1 łyżeczkę imbiru
sn – 1/2 łyżeczki vegety i łyżeczkę soli
k – łyżeczkę bazylii
g – 1/2 łyżeczki kurkumy.

Przykryć i gotować minimum 2 godziny na bardzo słabym ogniu. Mięsko możemy zużyć do naleśników, pierogów lub chleba albo podrobić i włożyć do zupy.

Przygotować jarzyny: 3 duże marchewki pokrojone w plastry lub słupki, 3 duże cebule pokrojone w drobną kostkę, 1 fenkuł (koper włoski) pokrojony wzdłuż lub w kostkę, 6 ząbków czosnku, pokroić

3 łodygi selera naciowego, 2 małe kabaczki pokrojone w plastry, 4 świeże, dobrze dojrzałe, sparzone pomidory podduszone na patelni na łyżce oleju.

W głębokim rondlu rozgrzać 6 łyżek oliwy i podsmażać, kolejno dodając wszystkie jarzyny i stale mieszając:

sł – marchewka i kabaczki
o – cebula, czosnek, fenkuł, seler naciowy, posypać 1 łyżeczką imbiru, 1/3 łyżeczki chili, pieprzem czarnym
sn – dodać ugotowaną fasolę wraz z wywarem, zamieszać, dosolić (ok. 1 łyżeczki) i dodać
k – podduszone pomidory
g – zalać rosołem w takiej ilości, aby otrzymać oczekiwaną gęstość zupy, dodać
sł – 1 łyżeczkę kminku mielonego
o – dosmakować czarnym pieprzem
sn – solą.

Podawać z chlebem jako pełnowartościowe danie. Zupę można również posypać tartym serem.

Zupa cytrynowa

Zagotowujemy 3 l rosołu. W większym garnku ubijamy 5 jajek. Ucierając je drewnianą łyżką jednocześnie wlewamy wrzący rosół, uwaga: jajka nie mogą się ściąć. Posypujemy czarnym pieprzem (*o*), solą do smaku (*sn*) i dodajemy sok z 1-1,5 cytryny (do smaku), kurkumy (*g*) na czubku łyżeczki.

Wsypujemy ugotowany wcześniej drobny, rosołowy makaron w takiej ilości, aby zupa nie była zbyt gęsta. Lekko gotować, ale nie zagotowywać.

Rosół na jesienne słoty i smutki

g – do 2,5-3 l wrzątku, dodajemy po pół łyżeczki tymianku, majeranku i rozmarynu
sł – 1 łyżeczkę całego kminku, 60 dag wołowiny z kością (rostbef lub żeberka), kość cielęcą ze szpikiem

o – dwa skrzydła indycze, 2 cebule w całości, 6 dużych ząbków czosnku pokrojonych w drobniutkie słupki, 1 łyżeczkę kolendry mielonej, 1 kopiatą łyżeczkę imbiru, 1/2 łyżeczkę cayenne, 1 łyżeczkę kardamonu, 1 duży liść laurowy, 6 ziaren ziela angielskiego
sn – 1 łyżeczkę vegety, sól do smaku (ok. 1 łyżki)
k – związany pęczek zielonej pietruszki, 1/2 łyżeczki bazylii
g – 1 łyżeczkę kurkumy.

Przykryć i gotować na bardzo małym ogniu ok. 3 godzin, po czym dodać 2 średnie marchewki i 1 pietruszkę. Gotować do miękkości ok. 30 min i zjadać z drobniutkim makaronem 4-jajecznym. Jeśli chcemy rosół zostawić do następnego dnia, należy po ugotowaniu odcedzić go przez sitko.

Po talerzu takiego rosołu wracają chęci do życia. Możemy gotować go i zjadać tak często, jak mamy na to ochotę.

Z mięsa rosołowego robimy pierogi lub zjadamy z marchewką duszoną i chrzanem.

Marchew wspomagająca działanie rosołu, dobra na wszystko

1 kg marchewki pokroić w kostkę, porcjami podsmażać na głębszym oleju przez 2-3 min, odsączać i przekładać do rondla. Do 1/2 l wrzątku dodać 1/3 łyżeczki imbiru, 1/2 łyżeczki kardamonu, zamieszać, posolić do smaku (ok. 1 łyżeczki), pokropić cytryną ok. 1 łyżki, zamieszać, dodać 1 łyżeczkę kurkumy, 1 łyżeczkę masła i 1 łyżeczkę miodu. Dusić do miękkości ok. 30 min i zagęścić mąką ziemniaczaną.

Zupa pomidorowa czysta

Gotujemy typowy rosół wołowy lub cielęcy, ale z dużą ilością cebuli, czosnku i przypraw. Pilnujemy, aby ostatnim dodanym smakiem był smak słony. Następnie wyjmujemy wszystkie jarzyny oraz mięso. Wlewamy przecier pomidorowy swojej roboty w takiej ilości, aby zupa nie była zbyt kwaśna (jest to zależne od słodyczy przecieru).

Podajemy z makaronem, podobnie jak rosół. Zupa jest wykwintna.

Zupa pieczarkowa II

g – do 3-4 l wrzątku dodajemy 1/2 łyżeczki tymianku
sł – gicz cielęcą, l łyżeczkę kminku mielonego, gotujemy ok. 2,5 godz., dodajemy 6 średnich marchewek, l dużą pietruszkę i pasternak
o – 4 duże, pokrojone cebule, l łyżeczkę imbiru, 1/3 łyżeczki chili
sn – 2 łyżeczki soli, l łyżeczkę vegety, gotujemy do miękkości jarzyn, następnie mięso i jarzyny wyjmujemy (można z niego zrobić farsz do naleśników) i dodajemy
k – 1/2 łyżeczki bazylii
g – ewentualnie uzupełniamy wrzątkiem i dodajemy 1/3 łyżeczki kurkumy
sł – 65 dag pieczarek kroimy w plasterki i odparowujemy na małej łyżce masła, a następnie wkładamy do gotującej się zupy
o – posypujemy pieprzem czarnym
sn – miksujemy, ewentualnie solimy i dodajemy
k – 1 łyżeczkę soku z cytryny
g – szczyptę kurkumy
sł – ok. 1/2 kg pokrojonych w kostkę ziemniaków i gotujemy do ich miękkości.

Zupa jest pyszna!

Zupa z dyni

1 kg dyni pokroić w grubą kostkę, porcjami podsmażać na głębokim oleju.

k – do garnka wkładamy 1/2 umytego i pokrojonego na kawałki kurczaka lub 60 dag skrzydełek, zalewamy
g – ok. 3 l wrzątku, dodajemy 1 łyżeczkę tymianku
sł – 1 łyżeczkę kminku, 3 przepołowione marchewki, 2 przepołowione pietruszki
o – 1 łyżeczkę imbiru, 1/4 łyżeczki chili, 4 grube pory w całości (białe części), 6 dużych ząbków czosnku przeciśniętych przez praskę

sn – 1/2 łyżeczki vegety, 2 łyżeczki soli (do smaku), gotujemy do miękkości (ok. 1 godz.), wyjmujemy kurczaka, marchewkę i pietruszkę
k – 1 łyżeczka cytryny
g – 1 łyżeczka kurkumy
sł – 1 kg pokrojonej dyni, gotujemy 30 min
o – posypujemy pieprzem czarnym
sn – miksujemy z pozostawionym w zupie porem, dosalamy i gotujemy jeszcze 10 min.

Można zupę ugotować na kości wołowej, wówczas już na talerzu wlewamy łyżkę kwaśnej śmietany. Zupa jest bardzo zdrowa. Z wyjętych jarzyn można zrobić sałatkę, a z kurczaka panierowane kotleciki, zaś wołowinę użyć do kanapek lub do naleśników.

Zupa czosnkowa niezbędna jesienią i zimą

2 l rosołu wołowego, 4 jajka (po jednym na osobę), 8-10 dużych ząbków czosnku.

sł – rosół zagotować, dodać 1 łyżeczkę kminku mielonego, 1 łyżeczkę papryki słodkiej
o – czosnek w całości podsmażony na małej patelni na 3 łyżkach oleju (trzeba uważać, aby tłuszcz się nie przypalił), a następnie przetarty przez sitko, pieprz czarny do smaku
sn – sól do smaku
k – 1 łyżeczkę cytryny
g – szczyptę kurkumy i tymianku
sł – jajka wbić na głęboki talerz i szybkim ruchem wlać na gotujący się delikatnie rosół, gotować 3 minuty.

Nalewać delikatnie chochlą, aby zachować w całości jajka. Podawać z grzankami podsmażonymi na oleju po czosnku.

Zupa szczawiowa

Przygotowujemy podobnie jak zupę pieczarkową (patrz: „Filozofia zdrowia"). Jarzyny wyjmujemy z wywaru i zużywamy na sałatkę. Dodajemy w zamian maksymalną ilość przypraw oraz cebuli i czosnku.

Około 1/2 kg szczawiu myjemy i przekładamy do garnka, zalewamy niecałą 1/2 litra wrzącej wody, przykrywamy i dusimy około 30 minut, po czym miksujemy i dodajemy do wywaru jarzynowego (oczywiście w smaku kwaśnym) taką ilość, by zadowalała nasze podniebienie, ale by zupa nie była za kwaśna!

Dodajemy 1/2 łyżeczki kurkumy (*g*), 1 łyżeczkę kminku mielonego (*sł*) i łyżeczkę masła, ewentualnie słodką śmietanę. Do zupy podajemy jajka ugotowane na twardo lub ziemniaki, ryżu nie polecam.

Przypominam, że zupę szczawiową gotujemy raz w roku.

DANIA OBIADOWE

Zalewa tradycyjna

(na ok. 40 dag mięsa do duszenin, gulaszy)

Kopiata łyżeczka mąki ziemniaczanej, 1 łyżeczka imbiru, płaska łyżeczka vegety, 1/2 łyżeczki soli.

Zalewa do pieczeni, kotletów schabowych, rumsztyków powinna być bardziej doprawiona i zawierająca wszystkie smaki

Gulasz wołowy do pierogów ruskich

1 kg wołowiny bez kości (pieczeniowa, gulaszowa) pokroić w grubsze plastry (ok. 2 cm), zbić tłuczkiem, a następnie pokroić na mniejsze kawałki (1 x 3 cm), posypać 1/3 łyżeczki czarnego pieprzu (*o*), 1/2 łyżeczki imbiru (*o*), wymieszać, posypać 1 łyżeczką soli (*sn*) i 1/2 łyżeczki vegety (*sn*), wymieszać.

Odstawić na pół godziny i przygotować warzywa: obrać i drobno pokroić 4 średnie cebule, obrać i zetrzeć na grubej tarce 1 dużą marchewkę oraz obrać 3 duże ząbki czosnku.

Do rondla, w którym będziemy przyrządzać gulasz, wlać:

sł – 6 łyżek oleju, mocno rozgrzać, wsypać pokrojoną cebulę i zeszklić, dodać startą marchewkę, chwilę podsmażać

o – czosnek przecisnąć przez praskę, dodać 1 liść laurowy, 1 łyżeczkę kolendry mielonej, 1/3 łyżeczki pieprzu cayenne, mieszając lekko podsmażać

sn – dodać mięso, mieszając dodać soli do smaku

k – łyżkę cytryny, zamieszać

g – wlać 1 szklankę czerwonego wytrawnego wina oraz 3 szklanki wrzątku i 1/2 łyżeczki tymianku, 1/2 łyżeczki rozmarynu.

Zamieszać, przykryć i dusić do miękkości (ok. 2-3 godz.)

sł – dodać miodu na czubku łyżeczki, 1 łyżeczkę kminku mielonego

o – dosmakować pieprzem

sn – solą

k – zagęścić 1 łyżeczką mąki pszennej rozpuszczonej w 1/4 szklanki zimnej wody, jeszcze chwilę dusić *g* – można dodać 1/2 szklanki wina lub wrzątku, gdyby sosu było za mało (sos nie może być zbyt gęsty).

Sos ten jest bardzo energetyczny, więc nadaje się do pierogów ruskich, gdy mamy na nie ochotę zimą. Będzie dobrze smakował również z kluchami na parze, z ryżem lub młodymi ziemniakami.

Pierogi ruskie

Ciasto

k – 1 kg mąki pszennej wysypać na stolnicę, posypać
g – 1 łyżeczką kurkumy, zaparzyć środek mąki około 1/2 litra wrzątku, zagniatając ciasto nożem, dodać
sł – 2 małe jajka, posypać
o – 1 łyżeczką imbiru, zagniatamy ciasto podlewając
sn – zimną wodą.

Ciasto powinno być dobrze wyrobione, sprężyste, ale nie twarde. Rozwałkowujemy placek grubości mniej niż 1/2 cm, wykrawamy szklanką okrągłe placuszki, następnie wypełniamy 1 łyżeczką farszu.

Farsz

sł – 1 kg ugotowanych ziemniaków zmielić lub podusić dokładnie tłuczkiem. Na 1 łyżce masła i 2 łyżkach oleju zeszklić 1 dużą, drobno pokrojoną cebulę, dodać do ziemniaków, doprawiać
sł – 1 kopiatą łyżeczką mielonego kminku, składniki wymieszać
o – 1 łyżeczką imbiru, 1 łyżeczką zmielonej kolendry, 1/3 łyżeczki pieprzu cayenne i 1/2 pieprzu czarnego, wymieszać
sn – posolić do smaku (1 do 2 łyżeczek soli), wymieszać
k – 25 dag białego sera (można więcej), szczyptę bazylii wymieszać
g – 1 łyżeczkę kurkumy.

Pierogi gotować w osolonej wodzie na małym ogniu. Nie wolno ich przegotować, bo robią się płaskie i wodniste. Należy wyjmować je 2-3 minuty po wypłynięciu. Podawać okraszone masłem, skwarkami z boczku z imbirem lub do gulaszu wołowego.

Gdy zostanie nam ciasto, rozwałkowujemy je, podsuszamy, a następnie kroimy w kluseczki dowolnej wielkości. Po całkowitym wyschnięciu przekładamy do słoika i używamy przy innej okazji.

Gdy zostanie nam farsz, można zrobić małe krokieciki, obtaczając je w tartej bułce i obsmażając na maśle z olejem.

Jasiek z wołowiną

1/2 kg fasoli jasiek namoczyć poprzedniego wieczoru w letniej przegotowanej wodzie, na drugi dzień wodę odlać, zalać świeżą, zimną w takiej ilości, aby woda przykrywała fasolę. Gotować do pierwszej miękkości.

1/2 kg młodej wołowiny bez kości pokroić w paski i zalać zalewą (1 łyżeczka mąki ziemniaczanej, 1/2 łyżeczki chili, 1/2 łyżeczki vegety i 1/4 szklanki wody). Wymieszać i odstawić na 30 min.

5 średnich marchewek i 1 dużą pietruszkę obrać i pokroić w plasterki lub słupki i przykryć. 7 średnich cebul, 1 por i 4 ząbki czosnku obrać i pokroić, a czosnek przecisnąć przez praskę, 4-5 średnich pomidorów sparzyć i pokroić.

g – w garnku (ok. 3,5 l) zagotować 1 litr wody, dodać 1/2 łyżeczki tymianku

sł – mięso podsmażyć na 4 łyżkach oleju i przełożyć do garnka z wodą, wsypać 1/2 łyżeczki kminku, zamieszać i zagotować

o – podsmażyć na łyżce oleju cebulę wraz z porem i przeciśniętym przez praskę czosnkiem, przełożyć do mięsa, dodać

o – 1 łyżeczkę całych ziaren czarnego pieprzu, 1 łyżeczkę przyprawy 5 smaków, 1-2 łyżeczki chili, mieszamy i dusimy pod przykryciem do miękkości

sn – posolić do smaku, zamieszać

k – pomidory podsmażyć i odparować na łyżce oleju, przełożyć do mięsa, dodać 1/2 łyżeczki bazylii, zamieszać

g – 1 łyżeczka kurkumy, zamieszać

sł – podsmażamy na łyżce oleju pokrojoną marchewkę i pietruszkę, przekładamy do garnka z mięsem i mieszamy

sł – 1/2 łyżeczki kminku

o – dosmakowujemy przyprawami ostrymi, aby mięso było mocno pikantne

sn – przekładamy fasolę wraz z wodą, w której się gotowała, dosalamy do smaku, gotujemy pod przykryciem – od czasu do czasu mieszając, aby się nie przypaliło – tak długo, aby marchewka była miękka (ok. 30 min).

Podajemy z podsmażonymi na cebuli ziemniakami, ugotowanymi uprzednio w łupinkach.

Sznycle cielęce z jajkami sadzonymi

1 kg cielęciny bez kości (np. łopatka), odżyłować, zmielić. Zmielić również 2 małe namoczone bułki.

sł – do mięsa dodać 1 jajko i na czubku łyżeczki mąki ziemniaczanej, dokładnie wymieszać i dodać

o – 1/2 łyżeczki chili, 1/2 łyżeczki pieprzu czarnego, 1/2 łyżeczki imbiru, zamieszać

sn – 1/2 łyżeczki vegety i 1 łyżeczkę soli

k – namoczoną bułkę i szczyptę bazylii.

Dokładnie wymieszać i formować płaskie (1 cm) kotlety. Maczać je w rozbitym jajku i obtaczać w tartej bułce. Smażyć na średnio rozgrzanym oleju przez ok. 10 min. Przekładać na talerze, posypując grubo zmielonym pieprzem.

Jednocześnie na drugiej patelni smażymy jajka na 1 łyżeczce masła. Po wbiciu jajek na patelnię (po jednym na sznycel) posypujemy je pieprzem czarnym i białym, solimy i przykrywamy, aby ścięły się również na wierzchu, a żółtko pozostało miękkie.

Jajka układamy szpachelką na sznyclach. Do tego jarzyna wg uznania, może być brukselka, buraczki, czerwona kapusta lub sałata z sosem czosnkowym (vinegrette).

Bitki wołowe z czosnkiem

Ok. 1 kg rostbefu (mięso odkroić od kości i zrobić z nich bulion do popijania), mięso zaś pokroić w plastry grubości 1 cm; jeśli będą zbyt duże, należy je przekrawać na pół, lekko zbić tłuczkiem.

Zalewa: kopiata łyżeczka mąki ziemniaczanej (*sł*), 1 łyżeczka imbiru (*o*), 3-4 duże ząbki czosnku (*o*) przeciśnięte przez praskę, płaska łyżeczka vegety i soli (*sn*), zalać 1/2 szklanki zimnej wody, wymieszać, przelać do salaterki i każdy kawałek mięsa zanurzać. Pozostawić w niej mięso na minimum godzinę.

Obrać 1 dużą marchewkę i zetrzeć na grubej tarce, obrać 2 duże cebule i pokroić wzdłuż na półplasterki.

W rondlu, w którym będziemy dusić mięso, zagotować niecały litr wody i dodać 1/2 łyżeczki tymianku *(g)*.

Na patelni rozgrzać 6 łyżek oleju, obsmażać kawałki mięsa *(sł)* i przekładać do gotującej się wody *(g)*.

sł – przełożyć tartą marchewkę, zamieszać i dodać podsmażoną na pozostałym oleju cebulę oraz
o – 1/3 łyżeczki chili, 1 duży liść laurowy, 1 łyżeczkę kolendry mielonej
sn – dosmakować solą i dodać
k – 1 sporą łyżeczkę musztardy
g – 1/2 łyżeczki kurkumy, zamieszać, przykryć i dusić ok. 1 godziny (do miękkości).

Podawać do ziemniaków z wody z jakąkolwiek gotowaną jarzynką sezonową lub sałatką.

Bitki wołowe z zieleniną

1 kg rostbefu lub innej wołowiny pieczeniowej kroimy na grube, ale niewielkie plastry (min. 1 cm), lekko zbijamy, wkładamy do zalewy (1 łyżeczka oliwy, 1 łyżeczka imbiru, 1/2 łyżeczki cayenne, 1 łyżeczka vegety, 1/4 szklanki zimnej wody, łyżeczka soli, 1/2 łyżeczki cytryny, 1/2 łyżeczki kurkumy). Mieszamy i mięso odstawiamy na ok. 1 godzinę.

W międzyczasie kroimy w plasterki 30 dag pieczarek, 1 pietruszkę w słupki, 3 średnie cebule w słupki, obieramy 3-4 ząbki czosnku, przygotowujemy dużą porcję zieleniny, krojąc pęczek koperku, pęczek pietruszki, młode liście z dwóch kalarep.

Mięso obsmażamy szybko na oleju, przekładamy do rondla, następnie podsmażamy pieczarki i cebulę i również przekładamy do mięsa. Dodajemy łyżeczkę kminku mielonego, mieszamy, następnie 1 łyżeczkę kolendry mielonej, 1/2 łyżeczki cayenne, 1/2 łyżeczki imbiru, wciskamy czosnek i mieszamy, solimy do smaku, dodajemy zieleninę i płaską łyżeczkę musztardy delikatesowej lub soku z cytryny, dolewamy wrzątku tak, aby przykrył mięso, dodajemy 1/2 łyżeczki tymianku, może być również rozmaryn, dusimy do miękkości ok.

1 godziny i zagęszczamy mąką ziemniaczaną, dodając odrobinę masła i posypując imbirem.

Podajemy z młodymi ziemniakami i jarzyną z wody (kalafior, kapusta, szparagi).

Wołowina duszona w białym winie – bardzo pyszna

Ok. 1 kg młodej wołowiny bez kości pokroić w plastry grubości 3 cm, zbić, a następnie podzielić na kawałki o boku ok. 5 cm. Popieprzyć pieprzem czarnym, posolić.

Namoczyć paczuszkę grzybków suszonych.

Każdy kawałek mięsa kładziemy na rozgrzaną oliwę, obsmażamy na rumiano, i przekładamy do rondla. Dodajemy

sł – 1 łyżeczka cynamonu, 2 podsmażone średnie cebule pokrojone w półplasterki

o – 6 ząbków czosnku przeciśniętego przez praskę, listek laurowy, posypujemy pieprzem czarnym

sn – dodajemy 10 dag pokrojonego w kosteczkę boczku wędzonego, pokrojone, namoczone grzybki wraz z wodą

k – wlewamy szklankę białego wytrawnego wina, dodajemy

g – 1/2 łyżeczki tymianku i 1/2 łyżeczki rozmarynu.

Przykrywamy, wkładamy do piekarnika i dusimy na małym ogniu ok. 3 godzin. Najlepiej smakuje z grubym makaronem (precle), posypanym startym, żółtym serem, a do tego sałatka brokułowa.

Polędwica wołowa w ostrym pomidorowym sosie

1/2 kg polędwicy wołowej pokroić w kostkę lub w słupki i zaprawić (1 łyżeczka mąki ziemniaczanej, 1 łyżeczka pieprzu czarnego, 1 płaska łyżeczka vegety, 1/2 łyżeczki soli). Odstawić na pół godziny.

Sos: 6 średnich, dobrze dojrzałych pomidorów sparzyć, pokroić i oddzielić pestki

sł – na patelni rozgrzać 3 łyżki oliwy z oliwek (może być olej rzepakowy), dodać 1 łyżeczkę zmielonego kminku

o – 3 duże ząbki czosnku przeciśniętego przez praskę, 1 papryczkę ostrą lub 1/2 łyżeczki chili

sn – 1/2 łyżeczki soli

k – pokrojone pomidory
g – 1/4 łyżeczki kurkumy i 1/2 łyżeczki tymianku, dusić ok. 1 godz. – powinno pyrkać
sł – mięso obsmażyć porcjami na oleju (ok. 4 łyżek) w innej patelni i przekładać do sosu pomidorowego, na tłuszczu podsmażyć 20 dag umytych i osuszonych listków szpinaku, również przełożyć do sosu, zamieszać i dodać
o – chili (danie powinno być bardzo ostre), 2 listki laurowe i dusić jeszcze 10 min
sn – ewentualnie dosmakować solą.

Podawać z ryżem na żółto lub makaronem.

Sznycle wołowe

sł – 1 kg młodej wołowiny bez kości zmielić, dodać
sł – 2 średnie, drobno pokrojone cebule zeszklone na 1 łyżce masła, zamieszać i dodać
o – 1 płaską łyżeczkę pieprzu czarnego, 1/2 łyżeczki pieprzu cayenne
sn – 1 płaską łyżeczkę vegety, sól do smaku
k – 2 namoczone, odciśnięte z wody bułki
g – szczyptę tymianku.

Całość wymieszać, masę ponownie zmielić. Formować sznycle i smażyć na oleju. Podawać z ziemniakami z wody i marchewką duszoną oraz jabłkami posypanymi kardamonem i zapiekanymi w piekarniku.

Zrazy wołowe zawijane

1 kg zrazówki pokroić w plastry, rozbić na cienko, rozłożyć na desce, popieprzyć, posolić, układać farsz, zawijać i związywać sznureczkiem. Obsmażać na oleju z masłem i ciasno układać w rondlu.

A teraz farsz:

sł – na 2 łyżkach masła zeszklić 2 duże, drobno pokrojone cebule, zestawić z ognia, wbić 3 żółtka. Mieszając dodać
o – 1/3 łyżeczki pieprzu czarnego, pieprz cayenne
sn – 1/2 szklanki wody i 1/2 łyżeczki vegety, sól do smaku

k – 2 łyżki tartej bułki i szczyptę bazylii (1/2 łyżeczki)
g – szczyptę tymianku i szczyptę kurkumy, wymieszać.

Sos

Na 2-3 łyżkach oleju i 1/2 łyżki masła zrobić jasną zasmażkę z 2 łyżek mąki pszennej. Przestudzić. Zalać 1/2 litra zimnej wody i zamieszać. Postawić na gazie i podgrzewać mieszając, aż do zagotowania (jeśli sos będzie zbyt gęsty, dolać zimnej wody), dodać

sł – 1/2 łyżeczki vegety i sól do smaku
k – szczyptę bazylii, garść pokrojonej, zielonej pietruszki
g – 1/2 łyżeczki tymianku lub rozmarynu.

Całość zagotować i zalać zrazy, przykryć i dusić w piekarniku 2 godziny. Podawać z kaszą jęczmienną lub gryczaną, do tego sałatka z buraczków lub fasolki szparagowej.

Zrazy wołowe inaczej

Około 1/2 kg mięsa wołowego pokroić i rozbić na cienkie plastry (wychodzi około 5 zrazów), przygotować tyle samo plastrów wędzonego bekonu (nie parzonego).

Każdy plaster mięsa (*sł*) posypujemy pieprzem czarnym (*o*), solimy (*sn*) i przykrywamy bekonem (*sn*). Następnie kładziemy łyżkę nadzienia i zwijamy w rulon oraz związujemy nitką.

Nadzienie

sł – około 20 dag sera żółtego startego mieszamy z 1/2 łyżeczki kminku mielonego oraz 2 jajkami ugotowanymi na miękko i posiekanymi, dodajemy
o – 3 duże ząbki roztartego czosnku i 1/2 łyżeczki pieprzu czarnego
sn – sól do smaku
k – 2 pęczki drobno pokrojonej zielonej pietruszki oraz
g – na czubku łyżeczki kurkumy i tymianku, wszystko mieszamy.

Zrazy obsmażamy ze wszystkich stron na tłuszczu i przekładamy do rondla.

o – na pozostałym tłuszczu szklimy 1 drobno pokrojoną cebulę i dodajemy do mięsa, posypujemy czarnym pieprzem (około 1/2 łyżeczki), dodajemy pokruszony liść laurowy, a następnie

sn – 1/2 łyżeczki vegety, niepełną szklankę zimnej wody, sól do smaku
k – 1 łyżeczkę cytryny,
g – niepełną szklankę czerwonego wytrawnego wina.

Całość przykrywamy i wkładamy do piekarnika, pieczemy około 1 godziny. Sos po zakończeniu doprawiamy (zagęszczamy mąką ziemniaczaną i dosmakowujemy pieprzem i solą). Podajemy z pyzami lub ziemniakami. Jarzynka według uznania.

Gulasz cielęcy z pieczarkami

Ok. 1 kg mięsa cielęcego bez kości pokroić w dowolne kawałki, zalać tradycyjną zalewą, odstawić na pół godziny.

Przygotować jarzyny: umyć i pokroić w plasterki 30 dag pieczarek, 2 duże marchewki, 1 dużą pietruszkę pokroić w słupki, 2 duże cebule w półplasterki wzdłuż, obrać 5 dużych ząbków czosnku, sparzyć, obrać i poddusić na patelni 1 duży, dojrzały pomidor.

sł – mięsko podsmażamy małymi porcjami na dobrze rozgrzanym oleju i przekładamy do rondla, następnie podsmażamy marchewkę, pietruszkę i pieczarki i również przekładamy do rondla
o – podsmażamy cebulę z przeciśniętym przez praskę czosnkiem, dodajemy łyżeczkę imbiru, 1/2 łyżeczki cayenne, pieprz czarny
sn – solimy do smaku, mieszamy i dodajemy
k – podduszony pomidor
g – do patelni, na której smażyliśmy mięso i jarzyny, wlewamy 1 litr wody, zagotowujemy i przelewamy do gulaszu, dodajemy 1/2 łyżeczki kurkumy, 1/2 łyżeczki tymianku, następnie
sł – 1/2 łyżeczki kminku, przykrywamy i dusimy do miękkości, po czym dosmakowujemy
o – przyprawami ostrymi (potrawa powinna być ostra)
sn – solą i zagęszczamy
k – 1 kopiatą łyżeczką mąki pszennej rozpuszczonej w małej ilości zimnej wody
g – posypujemy tymiankiem i kurkumą.

Podajemy z ryżem.

Gulasz cielęco-wieprzowy z białym winem

Ok. 40 dag mięsa cielęcego odkrojonego od kości pokroić w kostkę, zalać tradycyjną zalewą i odstawić na pół godziny. Również ok. 40 dag mięsa wieprzowego (schab lub od szynki) zalać zalewą i odstawić.

4 duże pory (część jasna) pokroić w półplastry

sł – mięso cielęce obsmażyć porcjami na gorącym oleju i przełożyć bez tłuszczu do rondla

o – pory obsmażyć na oleju i przełożyć do mięsa, posypać 1/2 łyżeczki chili, 1 łyżeczką pieprzu czarnego, ewentualnie 1 łyżką pieprzu zielonego, zamieszać

sn – podsmażyć porcjami na oleju mięso wieprzowe i przekładać do rondla z mięsem i porami, posolić do smaku i dodać

k – 1/2 łyżeczki bazylii i wlać 1,5 szklanki białego wytrawnego wina, dusić pod przykryciem w średnio nagrzanym piekarniku ok. 1,5 godziny (do miękkości).

Podawać z ziemniakami lub z preclami (makaron) i gotowaną jarzynką.

Gołąbki (przepis na wiadro gołąbków)

2 duże, białe kapusty (mogą być również włoskie) obieramy z niezdrowych liści i wykrawamy głąb (kaczan). Zagotowujemy w dużym garnku wodę, wkładamy kapustę i po chwili zdejmujemy wierzchnie liście, odkładamy na talerz, po kilku minutach czynność powtórzyć, aż zdejmiemy wszystkie nadające się do gołąbków liście (mają się po prostu we wrzątku przez kilka minut zaparzać, aby były miękkie). Dotyczy to starej kapusty.

Jednocześnie zagotowujemy w drugim dużym garnku ok. 4 litrów wody i wsypujemy 1 kg opłukanego kaszoryżu (1/2 kg ryżu, 1/2 kg kaszy gryczanej). Mieszamy i gotujemy 10 minut, a następnie odcedzamy na dużym durszlaku, po czym przesypujemy do miski, w której będziemy potrawę doprawiać.

Mielimy 1/2 kg mięsa wieprzowego (od łopatki lub od szynki) i 1/2 kg wołowiny (rostbef. Obieramy i kroimy w drobną kostkę 5 dużych cebul i podsmażamy na 1/4 szklanki oleju.

Do miski z kaszoryżem dodajemy zmieloną wołowinę i podsmażoną cebulę, 2 łyżeczki kminku mielonego, ja dodaję jeszcze 2 łyżki roztopionego masła i dokładnie mieszamy. Posypujemy 2 łyżeczkami imbiru, 1 łyżeczką cayenne, 1 łyżeczką kolendry mielonej, mieszamy próbując ostrość, w razie potrzeby posypujemy czarnym pieprzem, dodajemy 1 łyżeczkę vegety i soli do smaku (co najmniej 2-3 łyżeczki, farsz nie może być niedosolony!). Następnie posypujemy 1 łyżeczką bazylii i wlewamy 1 łyżkę soku z cytryny, mieszamy i dodajemy 1 łyżeczkę kurkumy. Próbujemy – jeśli smak farszu nam odpowiada (nie może być mdły) – nakładamy na każdy liść tyle farszu, aby można go było swobodnie zawinąć, a boki wcisnąć do środka, by się nie rozsypał. Gdy kapusta jest stara, należy skrawać nożem zgrubienie na liściu.

Duże naczynie, w którym będziemy wypiekać gołąbki, należy wyłożyć małymi i podartymi liśćmi. Układamy gołąbki jeden przy drugim, dość ciasno, co najmniej dwie warstwy. Posypać delikatnie solą i wierzch również przykryć liśćmi: wlać co najmniej 1/2 litra wrzątku, przykryć i włożyć do nagrzanego (ok. 180 °C) piekarnika i piec 1,5-2 godzin.

Tą porcją wypełnimy 2 czterolitrowe rondle. Gołąbki oczywiście można odgrzewać na maśle z odrobiną wody i pod przykryciem. Można do nich również zrobić czosnkowy sos pomidorowy (patrz: przepis).

Osobiście sos robię wiosną, a jesienią i zimą smakują mi tylko z masłem.

Pieczeń wieprzowa z czosnkiem

1,5 kg mięsa od szynki z tłuszczem (*sn*) rozcinamy tak, aby tworzyło dość płaski kawałek i rozbijamy bardzo dokładnie tłuczkiem. Posolić i posypać 1/2 łyżeczki vegety (*sn*), pokropić 1 łyżeczką cytryny (*k*), posypać 1/2 łyżeczki kurkumy (*g*), posypać 1 łyżeczką kminku mielonego (*sł*). Mięso mocno nacieramy ww. przyprawami. Następnie wcieramy 5 dużych, przeciśniętych przez praskę ząbków czosnku (*o*), 1/3 łyżeczki pieprzu czarnego i tyleż samo chili (*o*). Mięso odstawiamy w chłodne miejsce na kilka godzin.

Następnie mięso szybko obsmażamy na patelni na mocno rozgrzanym oleju i przekładamy do rondla, posypując po wierzchu całym kminkiem. Przykrywamy i wkładamy do średnio nagrzanego piekarnika na co najmniej dwie godziny.

Jest to wspaniałe mięsko do chleba zamiast wędlin, ale nadaje się również jako danie obiadowe.

Gulasz wieprzowy

1/2 kg wieprzowiny od szynki pokroić w cienkie paseczki, zalać typową zalewą (1 łyżeczka mąki ziemniaczanej, 1 łyżeczka imbiru, 1/2 łyżeczki vegety i 1/4 szklanki wody), wymieszać i odstawić na pół godziny.

sł – na rozgrzanym oleju (2-3 łyżki) + łyżka masła zeszklić 2 duże cebule pokrojone w kostkę, dodać

o – 1 łyżeczkę pieprzu zielonego, 1/4 łyżeczkę cayenne, 1 łyżeczkę kolendry

sn – dodać mięso i razem podsmażać na ostrym ogniu ok. 15 min, sól do smaku, zamieszać

k – dwie duże garście posiekanej zieleniny (koper, pietruszka, liście kalarepy), zamieszać

g – 1/2 łyżeczki kurkumy, 1 łyżkę świeżego, pokrojonego majeranku, parę gałązek świeżego rozmarynu lub po łyżeczce suszonych, l szklankę wrzątku

sł – 1 łyżeczka kminku mielonego, dusić ok. 1 godziny do miękkości, można dodatkowo zagęścić mąką ziemniaczaną i dosmakować przyprawami ostrymi i solą.

Podawać z ziemniakami wg przepisów lub z kaszą gryczaną bądź jęczmienną. Jarzyny z wody wg uznania.

Mięsko Pawła

Ok. 20 dag świeżej polędwiczki wieprzowej pokroić w paseczki i zaprawić (1/2 łyżeczki mąki ziemniaczanej, 1/2 łyżeczki imbiru, 1/2 łyżeczki vegety, l/4 szklanki wody), odstawić na pół godziny.

Ok. 15-20 dag boczku surowego wędzonego pokroić w paseczki, 4 duże cebule w cienkie półplasterki, włożyć dla salaterki, posypać imbirem (1/2 łyżeczki), pieprzem czarnym, chili, solą, szczyptą bazylii, majeranku i kminku, pomieszać i odstawić na pół godziny.

sł – na patelni rozgrzać 2 łyżki oleju
o – posypać 1/2 łyżeczki imbiru, włożyć nań boczek i podsmażać ok. 15 min, następnie włożyć mięsko i podsmażając podprawiać
k – posypując bazylią
g – 1/4 łyżeczki kurkumy i szczyptą majeranku
sł – 1/2 łyżeczki kminku
o – dołożyć cebulę, wymieszać, dosmakować pieprzem i podsmażać stale mieszając ok. 10 min.

Podawać z bułką i oliwkami.

Pikantne kotlety schabowe

1/2 kg młodego schabu pokroić, zbić i każdy kawałek zamoczyć w zalewie (1 kopiata łyżeczka mąki ziemniaczanej, 1 łyżeczka imbiru, 1/3 łyżeczki pieprzu cayenne, 1 płaska łyżeczka vegety, 1 łyżeczka soli).

Roztrzepać 2 jajka z 1/2 łyżeczki pieprzu cayenne oraz na drugim talerzu wymieszać szklankę mąki z 1 łyżeczką kurkumy. Panierować w mące – w jajku – w mące. Smażyć na średnio rozgrzanym oleju na rumiano, najwyżej 10 minut (nie przedłużamy smażenia, bo kotlety będą twarde).

Żeberka z kolendrą i winem na słodko

1,5 kg pokrojonych w małe kosteczki żeberek polewamy 1 łyżeczką cytryny, posypujemy 1/2 łyżeczki kurkumy, polewamy 3 łyżkami płynnego miodu, posypujemy 3 łyżeczkami kolendry mielonej, 1 łyżeczką imbiru, 1/2 łyżeczki pieprzu cayenne, 1 łyżeczką soli, mieszamy i zostawiamy na kilka godzin.

Rozgrzewamy na patelni 2 łyżki oleju, każdy kawałek obtaczamy w mące pszennej i obsmażamy, a następnie przekładamy do rondla. Obsmażone kawałki zalewamy 1,5 szklanki czerwonego wytrawnego wina.

Patelnię myjemy i wlewamy 3 łyżki świeżego oleju i obsmażamy 3 duże cebule pokrojone w półplasterki. Przekładamy zeszkloną cebulę na żeberka. Posypujemy jeszcze jedną łyżeczką kolendry mielonej, pieprzem czarnym, ewentualnie solą i mieszamy. Przykrywamy i dusimy ok. 2 godziny na słabym ogniu w piekarniku.

Smakują z sosem śliwkowym, świeżymi bułkami lub pyzami (kluchami) na parze.

W identyczny sposób można przyrządzić mięso wieprzowe od szynki pokrojone w kostkę.

Gulasz barani

1 kg młodej baraniny (może być udziec) oczyszczamy z nadmiaru tłuszczu i tkanki łącznej, kroimy w dowolne kawałki i zaprawiamy (2 kopiate łyżeczki mąki ziemniaczanej, 3 duże ząbki czosnku przeciśniętego przez praskę, 1 łyżeczka imbiru, 1 łyżeczka soli, 1 łyżeczka vegety, 1/2 szklanki wody). Zaprawione mięso wstawiamy do lodówki do następnego dnia.

3 marchewki i 2 pietruszki kroimy w słupki, 3 duże cebule w półtalarki, 30 dag białych pieczarek w plasterki, obieramy 5 ząbków czosnku Na patelni mocno rozgrzewamy 1/2 szklanki oleju i partiami podsmażamy, przekładając łyżką cedzakową do rondla

g – mięso
sł – marchew, pietruszkę, pieczarki, cebulę, mieszamy
o – przeciskamy przez praskę czosnek, dodajemy liść laurowy, posypujemy 1/3 łyżeczki czarnego pieprzu, 1 łyżeczką kolendry, rozkruszonymi 3 ostrymi papryczkami lub 1/2 łyżeczki pieprzu cayenne, mieszamy i dodajemy
sn – sól do smaku (ok. 1 łyżeczki)
k – 1 łyżeczkę bazylii, 1 łyżkę soku z cytryny
g – 1 szklankę czerwonego wytrawnego wina, 1/2 łyżeczki kurkumy, 1/2 łyżeczki tymianku, wrzątku tyle, aby mięso było przykryte.

Dusimy pod przykryciem ok. 2-3 godz., mięso powinno być absolutnie kruche.

Lekko zagęszczamy mąką ziemniaczaną i podajemy do ryżu na sypko lub makaronu (precli). Gdy potrzebujemy wzmocnienia, to oczywiście z ziemniakami.

Kurczak duszony w sosie jarzynowym

Porcjujemy kurczaka, nacieramy 1 łyżeczką kurkumy (*g*), 1 łyżeczką kminku mielonego (*sł*), 1 łyżeczką imbiru (*o*), 1/3 łyżeczki chili (*o*), 1 łyżeczką vegety (*sn*) i solą do smaku (*sn*) – ok. 1 łyżeczki. Zostawiamy na ok. pół godziny. Obieramy 4 średnie marchewki i 4 średnie cebule i kroimy w półplasterki.

Kurczaka podsmażamy na 2-3 łyżkach oleju i przekładamy do rondla, posypujemy.

g – po 1/2 łyżeczki tymianku i rozmarynu, 1 szklanka wrzątku
sł – obsmażamy na oleju pokrojoną marchewkę, cebulę i również przekładamy do rondla
o – posypujemy pieprzem czarnym i łyżeczką kolendry.

Dusimy pod przykryciem na gazie lub w piekarniku ok. 1 godziny. Wyjmujemy kawałki kurczaka i przyprawiamy sos ewentualnie solą, możemy dolać też małą filiżankę roztrzepanego jogurtu, w razie potrzeby uzupełnić wrzącą wodą, można zagęścić mąką ziemniaczaną.

Podawać z ziemniakami lub ryżem przyrządzanym z dodatkiem kurkumy, masła i imbiru. Do tego jarzyny gotowane z wody (fasolka, kalafior), latem może być sałata lub mizeria z sosem czosnkowym.

Kurczak duszony z czosnkiem i cytryną

8 udek kurzych, pałki odciąć i zrobić intensywny, dobrze przyprawiony rosół, z którego 2,5 szklanki używamy do powyższej potrawy.

Udka (*k*) natrzeć kurkumą (*g*), kminkiem mielonym (*sł*), imbirem (*o*) i solą (*sn*) i zostawić na około 1 godzinę.

Obrać 20 dużych ząbków czosnku oraz 1 cytrynę i pokroić ją w cienkie plasterki. Rosół (2,5 szklanki) wlać do garnuszka, dodać czosnek i gotować około 40 minut. Udka obsmażyć na tłuszczu (2 łyżki masła i 2 łyżki oliwy), przełożyć do rondla, obłożyć czosnkiem z wywaru i plastrami cytryny. Z pozostałego na patelni tłuszczu robimy zasmażkę, wsypując 2 łyżki mąki pszennej (*k*) i uważając, by się nie przypaliła, ale jedynie zezłociła. Następnie zdjąć z ognia, przestudzić i zalać rosołem, w którym gotował się czosnek, niepełną szklankę wytrawnego białego wina (*k*) i stale mieszając doprowadzić do wrzenia.

Sos doprawiamy 1/2 łyżeczki tymianku (*g*), 1/2 łyżeczki kminku mielonego (*sł*), pieprzem czarnym (*o*) do smaku, 1/2 łyżeczki vegety oraz solą do smaku.

Udka zalewamy przygotowanym sosem i wkładamy do nagrzanego do 180 °C piekarnika (nie przykrywając) na około 1 godzinę.

Do potrawy podajemy ryż lub ziemniaki z wody oraz jarzynę według uznania.

Wątróbki kurze jako danie obiadowe lub pasztet

Ok. 30-40 dag wątróbek kurzych umyć i podzielić na mniejsze części

st – na patelni rozgrzać ok. 1/2 kostki masła
o – dodać 2 cebule pokrojone w półplasterki, 2 ząbki czosnku przeciśnięte przez praskę, zeszklić, dosypać 1/2 łyżeczki imbiru, 1/2 łyżeczki czarnego pieprzu
sn – odrobinę osolić, wymieszać, cały czas smażąc dodać
k – wątróbkę, posypać
g – 1 łyżeczką szałwi i smażyć ok. 10 min mieszając
sł – posypać 1 łyżeczką kminku mielonego.

Po zmiksowaniu doprawiamy pieprzem oraz solą i otrzymujemy pasztet, który możemy jeść z grzankami lub przyprawiamy bez miksowania i podajemy z ziemniakami jako danie obiadowe.

Wątróbki z indyka

Wątróbkę myjemy, odsączamy, obtaczamy w mące z dodatkiem kurkumy i kminku mielonego, kładziemy na rozgrzany olej, podsmażamy, posypujemy pieprzem czarnym i solą oraz lekko vegetą. Po przewróceniu na drugą stronę przyprawiamy tak samo. Możemy stosować jak wyżej, dodając do wątróbki jedną lub dwie pokrojone i podduszone, przyprawione cebule.

Żołądki indycze

1/2 kg oczyszczonych z tłuszczu żołądków

g – do 2 litrów wrzątku dodać 1/2 łyżeczki tymianku oraz

sł – 1 łyżeczkę kminku mielonego
o – na czubku łyżeczki pieprzu czarnego, 1/2 łyżeczki imbiru, 1 dużą drobno pokrojoną cebulę, 1 listek laurowy i 4 ziarna ziela angielskiego oraz żołądki. Całość gotować około 1 godziny i dodać
sn – 1/2 łyżeczki vegety, posolić do smaku (płaska łyżeczka)
k – 1/2 łyżeczki bazylii, garść pokrojonej zielonej pietruszki
g – 1/2 łyżeczki kurkumy, 1/2 łyżeczki majeranku
sł – 1 średnią marchewkę i pietruszkę pokrojone w plasterki.

Gotować do miękkości około pół godziny. Wyjąć żołądki, pokroić w paseczki i ponownie włożyć do wywaru, całość delikatnie zagęścić mąką ziemniaczaną, dodać łyżeczkę masła, ewentualnie dosmakować pieprzem, podawać z chrupiącymi bułeczkami (z piekarnika).

Indyk z jarzynami

Pierś indyka (ok. 1 kg) natrzeć pieprzem czarnym (*o*), solą i 1/2 łyżeczki vegety (*sn*). Powinien poleżeć, a w tym czasie przygotowujemy jarzyny. Po pół godzinie mięso obsmażyć na oleju i przełożyć do rondla.

k – obłożyć mięso garścią pokrojonej zieleniny (koperku, liści kalarepy, pietruszki)
g – łyżką posiekanego świeżego majeranku lub szczyptą suchego
sł – *1* dużą marchewką pokrojoną w plastry
o – 1/2 kopru włoskiego, 1 cebulą, 1 porem pokrojonymi w plasterki, posypujemy pieprzem czarnym
sn – delikatnie solimy
k – skrapiamy lekko cytryną
g – posypujemy lekko tymiankiem
sł – całość polewamy 3-4 łyżkami roztopionego masła.

Dusimy ok. 1 godz. w minimalnej temperaturze rozgrzanego piekarnika, po czym mięso wyjmujemy, kroimy w grube plastry, a sos wraz z jarzynami miksujemy. Sos jest intensywny, bardzo charakterystyczny w smaku. Kładziemy go po 1 łyżce na każdym plastrze mięsa.

Podajemy z młodymi ziemniakami, szparagami lub inną jarzynką gotowaną lub duszoną.

Udźce indyka z jarzynami

2 duże udźce osuszyć ściereczką, zbić tłuczkiem, ponacinać regularnie skórkę wzdłuż, natrzeć grubo pieprzem czarnym, lekko vegetą i solą. Odstawić na 30 minut. Obrać 8 średnich marchewek, 3 pietruszki i pokroić w podłużne części (ósemki). Mięso podsmażyć na rumiano na mocno rozgrzanym oleju, szczególnie skórę, przełożyć do rondla bez tłuszczu, obłożyć jarzynami, posypać 1/3 łyżeczki cayenne, 1 łyżką zielonego całego pieprzu, delikatnie vegetą i solą, pokropić cytryną, posypać kurkumą, szczyptą estragonu, a następnie każdy kawałek mięsa i jarzynki polać roztopionym masłem (ok. 1/3 kostki). Przykryć, wstawić do średnio nagrzanego piekarnika i piec ok. 1,5 godziny.

Podajemy z ziemniakami z wody, obkładając mięso na talerzu uduszonym jarzynami, dodajemy ewentualnie marynowany czosnek, korniszonki lub sałatkę z buraczków.

Gulasz z piersi indyka

1 kg piersi indyka kroimy w grubą kostkę, zalewamy tradycyjną zalewą. Przygotowujemy jarzyny: 3 papryki (najlepiej w różnych kolorach) kroimy w paseczki szerokości 1 cm, 3 cebule kroimy w półplasterki, obieramy 5 ząbków czosnku, podduszamy na łyżce oleju 2 obrane, dojrzałe pomidory, a następnie na rozgrzanym oleju podsmażamy

sł – pokrojoną paprykę i przekładamy do rondla

o – również przekładamy do rondla cebulę z przeciśniętym przez praskę czosnkiem, mięso i dodajemy 1 łyżeczkę imbiru, 1 łyżeczkę kolendry, 1/2 łyżeczki cayenne, dosmakowujemy

sn – solą, dodajemy

k – podduszone pomidory i 1/2 łyżeczki bazylii

g – wlewamy do patelni ok. 1 litra wody, zagotowujemy i przelewamy do rondla, dodajemy 1/2 łyżeczki kurkumy, dusimy 10 min, po czym dodajemy

sł – puszkę groszku wraz zalewą, 1 łyżeczkę kminku mielonego i zagęszczamy mąką ziemniaczaną oraz dosmakowujemy pieprzem (potrawa ma być ostra). Podajemy z grubym makaronem.

Kaczka na ostro z pomarańczami

Kaczkę myjemy, osuszamy ściereczką i dzielimy na małe kawałki (ok. 4 x 4 cm). Nacinamy delikatnie skórkę w równe paski, a następnie nacieramy przyprawą 5 smaków, cayenne i solą (przypraw nie żałujemy). Odstawiamy na 1 godzinę.

Z 1 kg słodkich pomarańczy wyciskamy sok. Kawałeczki kaczki obsmażamy na łyżce oleju, szczególnie skórkę, a wytopiony tłuszcz zlewamy do rondla, aby się nie przypalał. Kaczkę wkładamy do rondla, posypujemy kurkumą, zalewamy sokiem pomarańczowym, przykrywamy i dusimy w piekarniku do miękkości, od czasu do czasu mieszając i próbując. Kaczka powinna być pikantna, w razie potrzeby dosmakować miodem, przyprawami ostrymi i solą. Najlepiej smakuje z chrupiącymi bułeczkami.

Risotto inaczej

W rondlu (najlepiej żeliwnym lub innym z grubym dnem) roztopić

sł – 1/3 kostki masła z 3 łyżkami oliwy, wrzucić
o – 3 średnie cebule drobno pokrojone, 3 duże ząbki czosnku przeciśnięte przez praskę, mieszając zeszklić i dodać
o – łyżeczkę mielonej kolendry, 1 łyżeczkę imbiru, podsmażyć i wrzucić
o – 1,5 szklanki ryżu, cały czas mieszając prażyć, aż stanie się szklisty, posypać
o – pieprzem czarnym, dodać
sn – 1 łyżeczkę vegety, 1 płaską łyżeczkę soli, cały czas podsmażając dolewamy
k – 1/2 szklanki białego wytrawnego wina, dodajemy
k – kawałeczki upieczonego kurczaka (na przykład pokrojone 1 lub więcej udek)
g – 1 łyżeczkę kurkumy, dolewamy 1/2 litra wrzątku i mieszamy dodając
sł – 1 łyżeczkę kminku mielonego i puszkę groszku wraz z zalewą.

Doprowadzamy do wrzenia, mieszamy, dodajemy 10 dag startego żółtego sera (*sł*), mieszamy i wkładamy do piekarnika na około 30 minut (gaz minimum).

Może to być samodzielne danie na przykład w zestawieniu z gęstą zupą jarzynową.

Makaron (precle) z mięsem

Zmielić mięso z rosołu, może być razem z jarzynami.

sł – na patelni rozgrzać 4 łyżki oleju i 1 łyżkę masła, podsmażyć 2 duże, drobno pokrojone cebule, dodać zmielone mięso, podsmażać mieszając i jednocześnie przyprawiając

sł – 1 łyżeczką kminku mielonego

o – 1/2 łyżeczki chili, 1/2 łyżeczki imbiru, 1 łyżeczką kolendry mielonej, pieprzem czarnym do smaku; mięso powinno być ostre

sn – 1/2 łyżeczki vegety, dosmakować solą, mięso powinno być dobrze doprawione – pikantne i słone

k – 1 łyżeczką bazylii, 1/2 łyżeczki soku z cytryny

g – 1/2 łyżeczki kurkumy, szczyptą tymianku, szczyptą majeranku.

Podsmażać ok. 15-20 min, aby wyparowała wilgoć.

Ugotować makaron precle (gotujemy ok. 15 min). Makaron wymieszać z przygotowanym mięsem, polać masłem i podawać z gotowaną lub duszoną jarzyną.

Łazanki z kapustą

Można już teraz kupić bardzo dobre łazanki, ale jednak najlepsze są swojej roboty. Robimy ciasto jak na makaron rosołowy, a więc jest to ciasto jajeczne.

Na około 1/2 kg mąki (*k*) dodajemy pół łyżeczki kurkumy (*g*), 2 całe jajka (*sł*), szczyptę imbiru (*o*), zagniatamy ciasto dolewając zimnej wody tak, aby ciasto było sprężyste, ale dało się rozwałkować. Rozwałkowujemy na grubość mniejszą niż 2 milimetry i kroimy w kwadraciki (1 cm). Gotujemy w osolonej wodzie z dodatkiem oleju (aby się nie posklejały). Tradycyjne łazanki robimy z dodatkiem podsmażanej kapusty kiszonej, ale można je również podać ze startymi na grubej tarce i podsmażonymi na tłuszczu jarzynami dobranymi według uznania.

k – 1 kg kiszonej kapusty odcisnąć, przełożyć do garnka i zalać
g – 1/2 litra wrzątku, dodać 1 łyżeczkę tymianku
sł – 4 starte na grubej tarce marchewki, 1 łyżeczkę kminku (całego) i 4 ziarna jałowca.

Gotujemy około 1 godziny z lekko uchyloną pokrywką, starając się, by woda się wygotowała. Po ugotowaniu kapustę mielimy, przekładamy na patelnię i podsmażamy.

sł – na 2 łyżkach masła i 4 łyżkach oleju szklimy drobno pokrojone cebule i dodajemy do kapusty, którą cały czas mieszając podsmażamy, dodajemy 1 kopiatą łyżeczkę kminku mielonego
o – 1 łyżeczkę kolendry mielonej, 1 łyżeczkę imbiru, pieprz czarny i inne ostre przyprawy w takiej ilości, by kapusta była ostra.

Smażymy tak długo, aż kapusta stanie się szklista, a woda odparuje, na końcu dosalamy. Po ugotowaniu i odcedzeniu łazanki umieszczamy w szerokim i niskim rondlu i dodajemy kapustę (nie zawsze cała porcja kapusty musi być wykorzystana, dlatego mieszajmy te dwa składniki, pozostawiając sobie rezerwę kapusty na dosmakowanie dania).

Kluski śląskie

Ok. 1 kg ugotowanych ziemniaków zmielić, wyłożyć na stolnicę, dodając

sł – 1 kopiatą łyżkę mąki kukurydzianej, 1 łyżkę mąki ziemniaczanej, 2 małe jajka
o – 1/2 łyżeczki imbiru
sł – szczyptę soli
k – 2 łyżki mąki pszennej.

Zarobić ciasto i formować wałeczki o średnicy 2-3 cm, kroić na kluseczki, gotować w osolonej wodzie ok. 2-3 min.

Podawać polane roztopionym masłem z tartą bułką. Są pyszne do kapusty duszonej z marchewką.

Zapiekanka z ziemniaków

Ok. 1 kg obranych ziemniaków pokroić w ok. 1 cm grubości plastry, 2 duże cebule pokroić w cienkie półplasterki

sł – 6 jajek rozbić i roztrzepać w salaterce, dodając 1 łyżeczkę mielonego kminku
o – 1/2 łyżeczki imbiru, 1/2 łyżeczki kolendry mielonej, 1/2 łyżeczki pieprzu cayenne, ewentualnie pieprz czarny i gałkę muszkatołową
sn – sól do smaku (ok. 1/2 łyżeczki).

Na dużą teflonową patelnię wlać 1,5 szklanki oliwy lub oleju, rozgrzać mocno, wrzucić ziemniaki oraz cebulę, posypać czarnym pieprzem, posolić, wymieszać, przykryć i smażyć na ostrym ogniu ok. 10 min, 1-2 razy mieszając:

Ziemniaki w momencie wyjmowania łyżką cedzakową powinny być twardawe. Przełożyć je do jajek i wymieszać. Olej z patelni zlać do słoiczka do ponownego użycia, zostawić na patelni 2 łyżki. Na rozgrzany tłuszcz wlewamy ziemniaki z jajkami, po chwili zmniejszamy gaz i smażymy do chwili, gdy spód będzie lekko rumiany. Następnie należy przewrócić zawartość patelni – najlepiej za pomocą dużego talerza, większego od patelni, przykładając go i odwracając całą zawartość razem z patelnią. Patelnię kładziemy ponownie na gaz, a zawartość talerza zsuwamy i pieczemy, aż spód będzie również rumiany (2-3 min).

Zapiekankę podajemy z sosem serowym.

Sos serowy do zapiekanki

1/2 kostki twarogu tłustego, 2 małe jogurty naturalne lub gęsta śmietana, 1/2 łyżeczki kurkumy, 1 łyżeczka kminku mielonego, 1/2 łyżeczki cayenne, pieprz czarny, sól do smaku i zmiksować.

Kotlety ziemniaczane

sł – 1 kg ziemniaków ugotować, dobrze odparować, lekko przestudzić i zmielić, dodać
sł – dwie średniej wielkości, drobno pokrojone cebule podsmażone na złoty kolor na jednej łyżce masła
sł – 1 łyżeczkę kminku mielonego

o – 1/2 łyżeczki kolendry
o – 1/3 łyżeczki imbiru, pieprzu białego i pieprzu czarnego do smaku
sn – płaską łyżeczkę soli
k – garść zielonej, drobno pokrojonej pietruszki
g – 1/2 łyżeczki kurkumy, ewentualnie majeranek albo tymianek.

Formować kotleciki, maczać w rozbełtanym jajku i tartej bułce. Smażyć na rumiano na średnio nagrzanym oleju. Podawać z jogurtem doprawionym czosnkiem.

Ziemniaki z jajkami inaczej

Zrobić sos beszamelowy, ale na kwaśnej śmietanie (patrz: „Filozofia zdrowia").

6 jajek ugotować na twardo pokroić w kostkę i wymieszać z 1/2 litra beszamelu.

Ziemniaki przygotować tak jak w powyższym przepisie na kotlety, uformować na dużym talerzu lub półmisku okrąg, a w środek położyć jajka z sosem beszamelowym, polać wszystko masłem i przyrumienioną tartą bułką, posypać tartym serem. Całość zapiec w piekarniku. Podawać z zieloną sałatą polaną sosem vinegrette.

Bliny z ziemniaków

sł – do 1 kg ugotowanych ziemniaków zmielonych (gorących) dodać 10 dag masła, 8 żółtek, 1 łyżeczkę kminku mielonego. Wszystko dobrze wymieszać i dodać
o – 1 łyżeczkę imbiru, 1/2 łyżeczki pieprzu czarnego, 1/2 łyżeczki gałki muszkatołowej
sn – sól do smaku (2 łyżeczki)
k – 20 dag mąki pszennej, dobrze wymieszać
g – 1 łyżeczkę kurkumy
sł – ubitą pianę z 8 białek, delikatnie wymieszać.

Bliny kłaść łyżką na rozgrzany olej i smażyć na jasnozłoty kolor. Podawać z jogurtem przyprawianym czosnkiem.

Kluski z surowych ziemniaków (szaruchy, kopytka)

sł – 1 kg obranych, surowych ziemniaków utrzeć na drobnych oczkach tarki. Najlepiej tarkę ułożyć na dużym sitku lub durszlaku, by odciekał nadmiar soku. Po odlaniu go na dnie naczynia zostanie skrobia, którą należy dodać do startych ziemniaków. Ugotować około 1/2 kg ziemniaków, zmielić i dodać do surowych ziemniaków, wbić 1 jajko i wymieszać, po czym dodać
o – 1 płaską łyżeczkę imbiru
sł – sól do smaku
k – kopiatą łyżkę mąki, całość wymieszać tak, aby ciasto było ścisłe.

Kluski kłaść na wrzącą, osoloną wodę mokrą łyżką. Gotować aż do wypłynięcia (około 3 minut). Kluski podawać z duszoną kiszoną kapustą z marchewką, polane masłem, wytopionym boczkiem lub boczkiem z cebulą.

Wiejskie danie, na które mężczyźni zawsze mają ochotę

1 cebula i ok. 10 dag boczku na każdą osobę

30-40 dag boczku surowego kroimy drobno i podsmażamy na patelni, aż wytopi się tłuszczyk. Przekładamy wraz z tłuszczem do miseczki. Następnie drobno kroimy 4 cebule i podsmażamy na 4-5 łyżkach oleju na lekko złoty kolor, dodajemy 1 łyżeczkę kminku, 1 łyżeczkę imbiru oraz kolendry mielonej, mieszamy cały czas lekko podsmażając, dodajemy podsmażony boczek, 1/2 łyżeczki vegety, ewentualnie sól do smaku, 1 łyżeczkę bazylii, 1 łyżeczkę tymianku, 1/2 łyżeczki kurkumy. Z pewnością należy dodać oleju. Dosmakowujemy wszystkimi smakami – potrawa ma być pikantna. Gotujemy makaron 4-jajeczny (wstążki lub precle). Już na talerzu nakładamy na niego smażeninę w dowolnej ilości, a następnie posypujemy, również w dowolnej ilości, rozkruszonym twarogiem, który możemy delikatnie posolić. Danie jest pyszne.

Pilaw (ryż jako dodatek lub jako danie samodzielne)

Przygotować:
1/2 szklanki uprażonych na patelni orzeszków ziemnych lub 1/2 szklanki posiekanych orzechów włoskich, 1/2 bakłażana pokrojonego w małą kosteczkę i podsmażonego na łyżce oliwy, garść zielonej, drobno pokrojonej pietruszki, 1/3 szklanki rodzynek, 1 dużą, drobno pokrojoną cebulę i 4 duże ząbki czosnku.

sł – w rondlu rozgrzać 4 łyżki oleju
o – dodać pokrojoną cebulę, czosnek przeciśnięty przez praskę, 1/2 łyżeczki imbiru, podsmażyć mieszając, aby cebula się zeszkliła, dodać
o – 1 szklankę ryżu, chwilę wszystko prażyć, dolać
sn – 1,5 szklanki zimnej wody i/lub orzechy ziemne, dosmakować solą, gotować 5 min, dodać
k – pietruszkę, rodzynki, zamieszać
g – 1 płaską łyżeczkę kurkumy i/lub orzechy włoskie
sł – podsmażone bakłażany, podgotować ok. 10 min.

Podawać do mięs lub z jogurtem czosnkowym.

Kuskus z warzywami

Kuskus

g – zagotować 1/2 litra wody, dodać cały czas mieszając
sł – 1 łyżkę oleju
o – 1 łyżeczkę imbiru
sn – płaską łyżeczkę soli, wsypać
k – 2 szklanki kuskus
g – na czubku łyżeczki kurkumy
sł – 2 łyżki masła, zamieszać dokładnie i po chwili wyłączyć gaz, przykryć.

Jarzyny

2 średnie marchewki kroimy w grube plastry, pół małego kalafiora rozdrobnić na różyczki, ok. 25 dag kabaczka pokroić w grube plastry, 1 czerwoną paprykę i 1 dużą cebulę w grubą kostkę, 3 duże ząbki czosnku, 4 duże, dojrzałe pomidory sparzyć i poddusić na łyżce oleju, ciecierzyca z puszki lub świeżo ugotowana.

W rondlu mocno rozgrzać ok. 5 łyżek oliwy, dodawać kolejno podsmażając i stale mieszając

sł – marchewkę, paprykę, kabaczek, 1 łyżeczkę kminku mielonego
o – cebulę, czosnek, kalafior, 1 łyżeczkę kolendry mielonej, 1 łyżeczkę imbiru, 1/2 łyżeczki chili
sn – ciecierzycę, dosmakować solą
k – podduszone pomidory i 1/2 łyżeczki bazylii
g – 1/2 łyżeczki kurkumy, 2 szklanki wrzątku, zamieszać i dusić ok. 15 minut, dosmakować
sł – kminkiem
o – pieprzem cayenne i czarnym (potrawa ma być pikantna)
sn – solą.

Jarzyny kładziemy na kuskus.

Kluski francuskie

Ciasto robimy ręcznie, nie mikserem

sł – roztrzepać 8 jajek (na 4 osoby), dodać 1/2 kostki roztopionego masła
o – 1 łyżeczkę imbiru
sn – szczyptę soli
k – mąki tyle, aby zrobiło się dość gęste ciasto, by można je było kłaść łyżką; ciasto rozcieramy i ubijamy łyżką drewnianą
g – 1 łyżeczkę kurkumy, mieszamy, ciasto możemy wypróbować kładąc 1 kluskę na osolony wrzątek – po ugotowaniu powinna być krucha i delikatna; jeśli jest zbyt twarda, dolewamy
sł – 2-3 łyżki oleju.

Kluski kładziemy łyżką na osolony wrzątek, pamiętając, by nie były zbyt duże i gotujemy delikatnie pod przykryciem 3-4 minuty. Wyjmujemy łyżką cedzakową.

Sos mięsno-ogórkowo-pomidorowy

Specjalna duszenina do klusek francuskich.

Ok. 1 kg cielęciny lub wołowiny pokroić w dowolne (małe) kawałki, zalać tradycyjną zalewą, odstawić na pół godziny.

sł – mięso podsmażać porcjami na dobrze rozgrzanym oleju i przekładać bez tłuszczu do rondla

o – 4 duże, drobno pokrojone cebule poddusić na oleju z 4 dużymi, przeciśniętymi przez praskę ząbkami czosnku, przełożyć do mięsa, posypać pieprzem czarnym, dodać 1 łyżeczkę imbiru, 1/2 łyżeczki pieprzu cayenne, zamieszać i dodać

sn – 1 płaską łyżeczkę soli i 1/2 łyżeczki vegety, zamieszać i dodać

k – 1/2 łyżeczki bazylii, 4 dojrzałe, sparzone i podduszone na oleju pomidory oraz dwa średnie ogórki kiszone, obrane i starte na średniej tarce, zamieszać,

g – dolać tyle wrzątku, aby starczyło na sos (ok. 1,5 litra), dodać łyżeczkę kurkumy, 1/2 łyżeczki tymianku i rozmarynu, dusić do miękkości i w razie potrzeby dolać wrzątku, następnie dodać

sł – 1 łyżeczkę kminku mielonego, sos zagęszczamy mąką ziemniaczaną rozpuszczoną w zimnej wodzie, dodajemy 1/2 łyżeczki masła

o – dosmakowujemy pieprzem Podajemy z kluskami francuskimi.

CIASTA I DESERY

Placek z wiśniami lub morelami

Kruche ciasto:

k – 40 dag mąki pszennej (tortowej)
g – 1/2 łyżeczki kurkumy
sł – 15 dag cukru pudru, kostkę masła z lodówki posiekać z mąką i cukrem i rozetrzeć rękami, wbić 6 żółtek
o – posypać 1/2 łyżeczki kardamonu, 1 łyżeczką imbiru
sn – szczyptą soli.

Ciasto zagnieść i włożyć do lodówki. Ciasto na wierzch

k – 1/2 szklanki mąki tortowej wysypać na stolnicę, dodać
g – szczyptę kurkumy
sł – szklankę cukru, 1/2 szklanki mąki ziemniaczanej, 1/2 kostki masła, posiekać i rozetrzeć, dodać dwa małe jajka
o – 1/2 łyżeczki imbiru
sn – szczyptę soli.

Wiśnie umyć, wydrylować i odsączyć na sitku (morele – bardzo dojrzałe – umyć i przepołowić, usuwając pestki).

Ubić pianę z 6 białek.

Kruche ciasto wyjąć z lodówki, rozwałkować i ułożyć na blaszce wyłożonej pergaminem. Na cieście rozłożyć ubitą pianę. Na pianie układać jeden przy drugim owoce.

Ciasto na wierzch rozwałkowujemy po kawałeczku na grubość ok. 1/2 cm (podsypując mąką) i rozkładamy na całej powierzchni, przykrywając dokładnie owoce.

Wkładamy do nagrzanego do 200 °C piekarnika, po pół godzinie lekko zmniejszamy gaz, pieczemy dobrą godzinę.

Ciastka półfrancuskie Mateusza

W garnuszku zrobić zaczyn z 10 dag drożdży, dodając łyżeczkę cukru, 2 łyżki mąki tortowej, dolać 1/4 szklanki ciepłej wody i zamieszać.

Ciasto

k – na stolnicę wysypujemy 70 dag mąki tortowej i mieszamy z

g – 1 łyżeczką kurkumy, siekamy z
sł – 1 kostką masła, dodajemy 2 łyżki cukru, wbijamy 2 jajka, siekając posypujemy
o – 1 łyżeczką imbiru i 1 łyżeczką kardamonu
sn – szczyptą soli
k – robimy dołek, wlewamy zaczyn drożdżowy i wyrabiamy rękami ciasto.

Ciasto dzielimy na porcje, rozwałkowujemy i kroimy na kwadraty lub prostokąty, następnie nakładamy powidła, zakładamy ciasto, tworząc mniejsze prostokąty, a otwarte brzegi sklejamy widelcem.

Ciastka możemy posmarować roztrzepanym jajkiem. Pieczemy na mocno złoty kolor w temperaturze ok. 200 °C. Ciastka można polukrować.

Gruszki gotowane w winie

k – 2 szklanki białego wytrawnego wina wlać do rondla, dodać
g – kurkumy na czubku łyżeczki
sł – 1/2 szklanki miodu, 5 dag cukru, zagotować, włożyć ok. 1/2 kg dojrzałych, obranych gruszek, przekrojonych na połówki i pozbawionych gniazd nasiennych, dodać
o – 6-8 goździków, laskę cynamonu, 1/3 łyżeczki kardamonu,
sn – szczyptę soli, gotować 10-15 min.

Tarta z owocami

Foremka tradycyjnej wielkości
k – 30 dag mąki pszennej tortowej wymieszać z
g – 1/2 łyżeczki kurkumy, dodać
sł – 1/2 kostki masła, 2 łyżki cukru pudru, posiekać i rozetrzeć, wbić 1 jajko, posypać
o – 1 łyżeczką imbiru i 1/2 łyżeczki kardamonu
sn – szczyptą soli.

Zagnieść ciasto, rozwałkować na cienki placek i wyłożyć nim blaszkę przykrytą wcześniej pergaminem.

Nadzienie

sł – 1/2 kostki masła rozetrzeć w misce z 10 dag cukru pudru, ucierając dodać dwa nieduże jajka (można też dodać 10 dag zmielonych migdałów) oraz

o – 1/2 łyżeczki imbiru, 1/2 łyżeczki kardamonu, 1 kieliszek koniaku, ucierając dodać

sn – szczyptę soli

k – łyżeczkę cytryny oraz 2 łyżki mąki pszennej

g – 1/2 łyżeczki kurkumy.

Wszystkie składniki utrzeć, a następnie masę rozsmarować na cieście. Na wierzchu układać połówki owoców miąższem do dołu (można użyć dojrzałych śliwek, daktyli, gruszek, moreli, brzoskwiń pokrojonych w ćwiartki lub ósemki). Pieczemy najpierw w piekarniku nagrzanym do 220 °C, następnie zmniejszamy do 180 °C. Ciasto jest pyszne!

Babeczki Pawła

Ja robię z jednego kilograma mąki, babeczki idą jak woda, są nawet wykradane bez wypełnienia. Poza tym mogą poleżeć, o ile nikt ich wcześniej nie dopadnie.

1 kg mąki tortowej (*k*) wysypać na stolnicę, posypać 1 kopiatą łyżeczką kurkumy (*g*), wymieszać. Dodać 50 dag masła z lodówki i 5 łyżek cukru pudru (*sł*). Masło posiekać, a następnie rozetrzeć rękami, dodać 10 żółtek (*sł*), 2 łyżeczki imbiru (*o*), 1 łyżeczkę kardamonu (*o*), dużą szczyptę soli (*sn*). Ciasto zarobić, dobrze zagnieść, uformować gruby wałek, podzielić na 6 grubych plastrów i rozwałkować na grubość 1/2 cm. Wykrawać szklanką i wylepiać foremki o średnicy około 7 cm. Nie powinna przeświecać blacha, w tym miejscu będą się kruszyć. Pieczemy na złoty kolor w temperaturze około 200 °C.

Babeczek należy pilnować, ponieważ zdarza się, że niektóre pieką się szybciej.

Po wyjęciu z piekarnika i przestudzeniu babeczki kładziemy jedna na drugą, a foremki ponownie wylepiamy surowym ciastem. Foremki nie wymagają mycia.

Z tej porcji wyjdzie około 120 babeczek – jest to tydzień dobrej zabawy dla około 5 osób.

Ja robię babeczki raz w roku, oczywiście na imieniny Pawła. Wypełniam je galaretką wiśniową na soku wiśniowym własnej roboty.

Do każdej babeczki nakładam dużą łyżkę już zastygniętej galaretki i łyżkę bitej śmietany. Pycha!!!

Babeczki powinno się napełniać galaretką i śmietaną tuż przed podaniem. Są kruche, a nadzienie jeszcze tę kruchość podkreśla.

Placek z makiem

Ciasto

Utrzeć 1 kostkę masła z 25 dag cukru pudru, 6 żółtkami i cukrem waniliowym (*sł*), dodać jedną łyżeczkę imbiru (*o*), szczyptę soli (*sn*), 2 szklanki mąki pszennej zmieszane z 2 łyżeczkami proszku do pieczenia (*k*), następnie dodać 1/2 łyżeczki kurkumy (*g*), 8 łyżek mleka (*sł*), dokładnie wymieszać i delikatnie połączyć z ubitą pianą z 6 białek.

Piecyk nagrzać do temperatury minimum 180 °C. Na blaszkę wyłożoną pergaminem przełożyć połowę ciasta, na to mak, a na mak drugą część ciasta.

Mak

1/2 kg maku (*sł*) opłukać, odsączyć i zalać 1 litrem wrzącego mleka (*sł*). Gotować około 30 minut na słabym gazie, dobrze odcedzić na sicie, zmielić, przełożyć do miski, ubić 4 jajka z 1,5 szklanki cukru (*sł*) i dodać do maku. Dolać kieliszek koniaku lub rumu (*o*), 1 łyżeczkę imbiru (*o*), szczyptę soli (*sn*), łyżeczkę soku z cytryny (*k*), 10 dag pokrojonych orzechów włoskich (*g*) – zamieszać i przełożyć na ciasto.

Piec około 1 godziny, pilnować, by się nie przypaliło. Po wyjęciu z piekarnika i ostudzeniu polać polewą czekoladową.

Polewa

Roztopić 1/2 kostki masła, zdjąć z ognia, dodać 3 łyżki cukru, dokładnie wymieszać, zalać tym wsypane do rondla 2 łyżki kakao, zamieszać i zagotować, następnie dodać ubite jajko, zamieszać, posypać 1/2 łyżeczki imbiru, potrzymać chwilę na ogniu, ale nie gotować!

Po przestudzeniu polewamy placek.

Tort makowy Marii

20 dag maku zaparzyć wrzącym mlekiem (około 1 litra), gotować 1 godzinę, następnie dobrze odsączyć i zmielić.

Ciasto

sł – 6 żółtek utrzeć z 10 dag cukru na puch, dodać zmielony mak, zamieszać i dodać
o – 1/2 łyżeczki imbiru, 1/2 łyżeczki kardamonu, parę kropel olejku migdałowego
sn – szczyptę soli
k – 2 kopiate łyżki bułki tartej
g – szczyptę kawy, dokładnie, ale delikatnie wymieszać, a następnie dodać
sł – pianę z ubitych białek.

Przełożyć do tortownicy i piec w temperaturze „tortowej" (170-180 °C). Po ostudzeniu, najlepiej na następny dzień, tort przekroić na trzy placki.

Krem orzechowy

Zmielić orzechy włoskie (powinna ich być 1 szklanka), następnie zaparzyć je i dolać 1/2 szklanki wrzącego mleka, ostudzić.

sł – ucieramy 1,5 kostki masła z 1 żółtkiem i 10 dag cukru pudru, dodajemy
o – 1/2 łyżeczki imbiru, l kieliszek koniaku
sn – szczyptę soli
k – 1 łyżeczkę cytryny
g – sparzone orzechy i ucieramy.

Smarujemy kremem placki ciasta i układamy w tort. Dekorację tortu pozostawiam Waszej wyobraźni i inwencji twórczej (osobiście boki tortu posypuję pokruszonymi orzechami lub makiem, a. wierzch polewam polewą czekoladową i ozdabiam połówkami orzechów włoskich).

Sernik na zimno Marii

1/2 kg twarogu półtłustego zmielić, a następnie w misce utrzeć 3 żółtka (*sł*) z 15 dag cukru pudru (*sł*) i 1/2 kostki masła (*sł*), dodać 1/2 łyżeczki imbiru (*o*) i 1/2 łyżeczki kardamonu (*o*), parę kropli zapachu rumowego (*o*), ewentualnie kieliszek rumu (*o*). Składniki ucierać, następnie posypać szczyptą soli (*sn*) i nadal ucierając, dodać zmielony ser (*k*), 1/2 łyżeczki kurkumy (*g*).

3 łyżeczki żelatyny zalać 3 łyżkami zimnej wody, zamieszać i odstawić na pół godziny. W rondelku zagotować niepełną szklankę mleka, odstawić i rozpuścić w nim żelatynę, lekko ostudzić i wymieszać z utartym serem. Ser przełożyć do tortownicy z plastikową nadbudówką wyłożonej pergaminem, włożyć do lodówki, aby zastygł.

Ugotować połówki dojrzałych, słodkich gruszek według przepisu:

sn – do 1 litra zimnej wody dodać szczyptę soli
k – łyżeczkę soku z cytryny lub 1/2 szklanki białego wina
g – szczyptę kurkumy
sł – 1-2 łyżki miodu
o – laskę cynamonu (1 łyżeczka), 3-4 goździki, 1/2 łyżeczki kardamonu, gotować około 15 min.

Pozostawić w zalewie do ostygnięcia. Zimne układać na zastygłym serze.

Przygotowujemy galaretkę cytrynową (lub inną w kolorze żółtym) z 2 torebek, uwzględniając kompot, w którym gotowały się gruszki. Galaretkę studzimy i gęstniejącą zalewamy sernik i ułożone na nim gruszki. Wkładamy ponownie do lodówki. Po stężeniu galaretki podajemy z bitą śmietaną. Zamiast gruszek można używać bardzo słodkich brzoskwiń lub moreli.

Rogaliki

Robimy je z ciasta krucho-drożdżowego (patrz przepis: placek z truskawkami, „Filozofia zdrowia"). Ja najczęściej rogaliki wypełniam powidłami swojej roboty, dżemem wiśniowym lub marmoladą daktylową, która przywożę sobie z Francji.

Po wypełnieniu rogaliki zwijamy i smarujemy rozbitym jajkiem. Jeśli nadzienie jest mało słodkie, rogaliki można polukrować.

Pączki

Nie umiem robić dobrych pączków, to znaczy ciasto tak, tylko sama ceremonia sklejania i smażenia coś mi nie wychodzi. Wybaczcie, wolę chrust.

Chrust

k – do 70 dag mąki wysypanej na stolnicę dodać 6 dużych łyżek kwaśnej śmietany (lub więcej)
g – posypać szczyptą kurkumy, dodać
sł – 7 żółtek,
o – 3 łyżki spirytusu,
sł – małą szczyptę soli.

Ciasto wyrabiać bardzo dokładnie i długo, pod koniec uderzając je wałkiem. Powinno być tak elastyczne, by nie używać mąki przy rozwałkowywaniu na placki (grubość około 1 mm). Z placków wykrawać szerokie (2,5 cm) wstążki o dowolnej długości i przecinając na środku wywijać na drugą stronę. Im cieniej będzie rozwałkowane ciasto, tym chrust będzie pulchniejszy i smaczniejszy. Po upieczeniu nie może zawierać warstwy białego ciasta, powinien być w całości w złotym kolorze i bardzo!! kruchy. Po chwyceniu za koniec powinien się ułamać (miara jakości).

Do smażenia używamy ok. 2 kg smalcu. Tłuszcz rozgrzewamy w niewysokim naczyniu, ponieważ inaczej chrust nie będzie kruchy. Sprawdzamy temperaturę tłuszczu, wrzucając jeden, jeśli wypłynie natychmiast i zacznie się złocić, rozpoczynamy smażenie; wówczas możemy ogień lekko przykręcić. Na tłuszcz wrzucamy taką ilość chrustu, by swobodnie można było każdy z nich przewrócić na drugą stronę. Pomagamy sobie drutami od szaszłyków lub robótek (minimalna długość 30 cm).

Najlepiej pracować we dwójkę – jedni osoba wykrawa, druga smaży, bowiem wykrojone chrusty nie mogą obsychać!!

Po upieczeniu chrust wykładamy na bibułę i po wystygnięciu obsypujemy suto cukrem pudrem z dodatkiem zmielonego cukru waniliowego.

Karpatka

Ciasto

g – w rondlu zagotować 1 szklankę wody, dodać
sł – 1/2 kostki masła
o – 1/2 łyżeczki imbiru
sn – szczyptę soli, wsypać
k – 1 szklankę mąki pszennej, dokładnie wymieszać (nie miksować!!!), dodać
g – 1/2 łyżeczki kurkumy, zamieszać, gdy całość ostygnie dodać
sł – 4 całe jajka i dokładnie wymieszać.

Połowę ciasta przełożyć do dużej tortownicy posmarowanej tłuszczem i posypanej tartą bułką. Piec w temperaturze około 170-180 °C przez mniej więcej 40 minut. Drugą część ciasta pieczemy osobno w taki sam sposób. Krem zrobić według przepisu na placek z kokosem (patrz: „Filozofia zdrowia"), ale z 1 kostki masła. Ciasto przełożyć, a wierzch posypać delikatnie cukrem pudrem. Pyszne!

Babeczki z kwaśnej śmietany

k – do miski przełożyć 1/2 litra gęstej kwaśnej śmietany, wsypać 20 dag mąki pszennej, wymieszać i dodać
g – 1/3 łyżeczki kurkumy, wmieszać
sł – 4 żółtka i 1/2 kostki roztopionego masła, dodać 3 łyżki cukru pudru (lub nie – wg uznania) i ucierać, następnie dodać ubitą pianę z 4 białek, delikatnie zamieszać posypując
o – 1 łyżeczką kardamonu lub 1/2 łyżeczki imbiru.

Do foremek wlać po 1 łyżeczce zagotowanego masła, nałożyć do pełna ciasta i piec w temperaturze 180-200 °C.

Tort kakaowy

Do miski włożyć
sł – 1/2 kg miękkiego masła, ucierać, dodając 50 dag cukru pudru oraz 18 żółtek, a następnie ucierając bardzo mocno 30 dag mielonych migdałów. Dodać

o – 2 łyżeczki imbiru, 1 łyżeczkę kardamonu (może być też ok. 50 g spirytusu)
sn – szczyptę soli, ucierać
k – 1 łyżkę soku z cytryny
g – 10 dag ciemnego kakao, zamieszać i dodać
sł – 30 dag mąki ziemniaczanej, a następnie wmieszać pianę z ubitych wszystkich białek. Upiec w temperaturze 160-180 °C dwa placki w dużej tortownicy (ciasto koniecznie przedzielić i piec w dwóch częściach, gdyż pieczone jednorazowo może wyjść z zakalcem). Placki przełożyć marmoladą owocową. Może to być nasz dżem wiśniowy lub powidła morelowe, lub też zmielona konfitura wiśniowa. Wierzch i brzegi również posmarować marmoladą, następnie brzegi posypać łamanymi migdałami. Całość polać polewą czekoladową.

Polewa czekoladowa

Do rondelka wsypać 2 kopiate łyżki kakao, mieszając wlać 1-2 kostki roztopionego masła, dodać 4 łyżki cukru, zamieszać, dodać 1/2 łyżeczki imbiru i 2-3 łyżki wody. Chwilę gotować, studzić mieszając.

Placek pomarańczowy Karoliny

Ciasto

k – 40 dag mąki pszennej wymieszać z
g – 1/2 łyżeczki kurkumy, dodać
sł – 10 dag cukru pudru, rozetrzeć z 1 kostką masła, dodać 3 żółtka
o – 1 łyżeczkę imbiru
sn – szczyptę soli.

Ciasto zagnieść, rozwałkować i upiec cienki placek.

Masa pomarańczowa

Zmielić 40 dag słodkich pomarańczy i 10 dag cytryn sparzonych i wyszorowanych (owoce wypestkować). Obrać 15 dag jabłek słodkowinnych i zetrzeć na grubej tarce. Wszystkie owoce (*k*) przełożyć do rondla z odrobiną zimnej wody (*sn*). Rozparzać pod przykryciem 15 minut, a następnie smażyć, dodając szczyptę kurkumy (*g*), 30 dag cukru (*sł*), 2 łyżeczki imbiru (*o*), łyżeczkę kardamonu (*o*) i szczyptę soli. Smażyć, aż masa będzie gęsta. Wyłożyć na upieczone ciasto i posypać tartymi migdałami.

Kruchy placek z czerwoną porzeczką

k – 40 dag mąki tortowej mieszamy z
g – 1/2 łyżeczki kurkumy i dodajemy
sł – 15 dag cukru pudru, 25 dag masła siekamy i rozcieramy, a następnie dodajemy 6 żółtek
o – 1 łyżeczkę imbiru i 1/2 łyżeczki kardamonu oraz
sn – szczyptę soli.

Ciasto zagniatamy, rozwałkowujemy na placek i podpiekamy w piekarniku na bladozłoty kolor w temperaturze 180-200 °C.

3 szklanki dobrze dojrzałych czerwonych porzeczek obieramy z szypułek, płuczemy i odsączamy z wody na sitku. Białka ubijamy na sztywno z 15 dag cukru, wsypujemy porzeczki, mieszamy, przekładamy na blachę i pieczemy około 30 minut w temperaturze 180 °C stopni, uważając, aby spód się nie przypalił.

Pierwszy sernik Wandy

k – 1,5 szklanki mąki pszennej wsypać na stolnicę, dodać
g – 1/2 łyżeczki kurkumy
sł – 1/2 kostki masła (12,5 dag), 1 szklankę cukru, 1/2 szklanki mąki ziemniaczanej, wszystko posiekać i rozetrzeć, następnie wbić 2 małe jajka i dodać
o – 1 łyżeczkę imbiru
sn – szczyptę soli, 1 łyżeczkę proszku do pieczenia.

Ciasto zagnieść i rozwałkowywać małymi porcjami na grubość 1 cm, układać na blaszce wyłożonej pergaminem.

Ser

Zmielić 1 kg półtłustego sera twarogowego, a następnie ucierać w misce:

sł – 1/4 kostki masła z 30 dag cukru, dodając po jednym 10 żółtek, dodać
o – po 1 łyżeczce imbiru i kardamonu, parę kropli zapachu rumowego i kieliszek rumu lub koniaku

sn – szczyptę soli, 1 płaską łyżeczkę proszku do pieczenia, włożyć
k – zmielony ser i cały czas ucierając
g – 1 paczuszkę uprzednio rozgniecionego (w torebce) wałkiem szafranu
sł – 1 szklankę 18% słodkiej śmietany oraz budyń śmietankowy i pianę z ubitych 10 białek, delikatnie rozmieszać i przełożyć na ciasto w blaszce.

Ciasto przykrywające

Zrobić wg przepisu na ciasto przykrywające placka z wiśniami. Cały sernik pokryć cienkimi płatkami ciasta. Piec w średnio nagrzanym piekarniku (180 °C) przez ok. 1,5 godziny.

Drugi sernik Wandy

Ciasto

k – 40 dag mąki wymieszać z
g – 1 i 1/2 łyżki ciemnego kakao, dodać
sł – 1/4 szklanki cukru, 20 dag masła, całość posiekać i rozetrzeć rękami, dodać 6 żółtek
o – 1 łyżeczkę imbiru, 1/2 łyżeczki kardamonu
sn – szczyptę soli.

Ciasto zagnieść, podzielić na dwie części i włożyć do lodówki na noc.

Ser

Zmielić 1 kg tłustego świeżego twarogu (wcześniej wyjętego z lodówki).

W misce lub makutrze ucierać drewnianą pałką w prawo:

sł – 15 dag masła z 30 dag cukru pudru wrzucając po jednym 6 żółtek
o – łyżeczkę imbiru, parę kropli zapachu rumowego lub/i 50 ml koniaku lub rumu
sn – posypać solą i nadal ucierać dodając
k – zmielony ser
g – zamkniętą torebeczkę szafranu rozwałkować wałkiem na ścierce (dzięki temu pręciki szafranu zyskują postać pyłu), następnie wysypać zawartość torebki na talerzyk i dokładnie rozetrzeć z 1-2 łyżeczkami sera. Całość przełożyć do miski z ucieranym serem, dodać

sł – 1 torebkę śmietankowego budyniu oraz dobrze ubitą pianę z 6 białek i delikatnie zamieszać.

Głęboką blaszkę wyłożyć pergaminem, zetrzeć na grubych oczkach tarki jedną część ciasta, rozłożyć widelcem równomiernie na dnie. Na ciasto przełożyć ser, następnie drugą część ciasta zetrzeć nad serem i rozłożyć równomiernie. Sernik pieczemy około półtorej godziny. Początkowo w temperaturze 180 °C, po pół godzinie temperaturę zmniejszamy do 160 °C.

Makowiec

Ciasto

k – 40 dag mąki pszennej wymieszać z
g – 1 łyżeczką kurkumy, dodać
sł – 15 dag masła, 2 kopiate łyżki cukru. Masło posiekać i rozetrzeć, dodać 2 jajka
o – 1 płaską łyżeczkę imbiru, 1/2 łyżeczki kardamonu
sn – szczyptę soli, następnie
k – 5 dag drożdży rozmieszanych z jedną łyżką wody. Ciasto zarobić, podzielić na dwie części (z tej porcji ciasta wychodzą dwa makowce), rozwałkowywać na długość i szerokość blaszki, następnie rozłożyć połowę maku, zwijać w rulon i układać na blaszce do wyrośnięcia.

Mak

40 dag maku zalać litrem mleka i gotować 30 minut. Następnie odcedzić na gęstym sicie i zmielić.

W rondlu z grubym lub teflonowym dnem rozpuścić

sł – 15 dag masła, 1/4 szklanki miodu, wanilię, dodać 15 dag rodzynek oraz mak i mieszając dodać
o – 1 łyżeczkę imbiru, 1 łyżeczkę kurkumy, kieliszek koniaku
sn – szczyptę soli
k – 1 łyżkę soku z cytryny
g – 10-15 dag posiekanych orzechów włoskich.

Całość podsmażać jeszcze przez chwilę, następnie zdjąć z gazu i lekko przestudzić.

sł – utrzeć 3 żółtka z 1/4 szklanki cukru, dodać do maku i wymieszać. Ubić pianę z pozostałych białek i dodać do maku.

Zwinięte makowce po wyrośnięciu smarować roztrzepanym jajkiem i piec w temperaturze 170 °C na ciemnorumiany kolor.

Babka drożdżowa świąteczna

sł – 10 żółtek utrzeć w misce z 1/4 szklanki cukru i cukrem waniliowym na puch, dodać
o – startą skórkę z połowy cytryny oraz 1 łyżeczkę imbiru
sn – szczyptę soli, całość wymieszać
k – dodać 50 dag mąki pszennej tortowej oraz zaczyn drożdżowy (10 dag drożdży rozetrzeć z 1 łyżeczką cukru i 1/2 szklanki ciepłego mleka oraz 1 łyżeczką mąki – odstawić w ciepłe miejsce, aż ruszy. Wyrabiać rękami na gładkie ciasto, dodać
g – roztarty wałkiem (patrz: drugi sernik Wandy) szafran rozpuścić w łyżce gorącego mleka, dodać
sł – 1/2 szklanki ciepłego mleka, wyrabiać i dodać 1/4 szklanki roztopionego masła.

Następnie dokładnie wyrobić na gładkie, sprężyste ciasto, posypać je mąką, przykryć ściereczką i pozostawić w cieple do wyrośnięcia. Gdy podwoi objętość, przełożyć w dwie foremki lub jedną bardzo dużą (foremki wysmarować masłem i posypać tartą bułką) do połowy wysokości. Ciasto powinno ponownie wyrosnąć i wypełnić foremki, po czym piec w temperaturze 160-170 °C około jednej godziny na bardzo rumiany kolor.

Wyłączyć gaz i trzymać jeszcze jakiś czas w piekarniku. Wyłożyć z foremki, gdy jest jeszcze ciepłe, schłodzone polukrować lub posypać cukrem pudrem.

DANIA ŚNIADANIOWE I KOLACYJNE

Serek śniadaniowy

k – 1 kostkę twarogu rozgnieść w głębokim talerzu, dodać
g – 1/2 łyżeczki kurkumy, zamieszać, dodać
sł – 1/5 litra słodkiej śmietany (może być nawet 30%), 1 łyżeczkę kminku mielonego, zamieszać i dodać
o – przyprawy ostre (pieprz czarny, chili, cayenne) w takiej ilości, aby serek smakował, powinien być ostry. Składniki wymieszać
sn – sól do smaku.

Przełożyć do słoiczka i przechowywać w lodówce, stosując tylko do kanapek śniadaniowych. Serek przechowywać można około 1 tygodnia.

Jarzyny w auszpiku (galarecie)

Do gotującej się 1 szklanki soku pomidorowego własnej roboty (*k*) dodajemy 1/3 łyżeczki kurkumy (*g*) i 1/2 łyżeczki tymianku (*g*), dolewamy 1 szklankę rosołu wołowego (*sł*), dodajemy 1 łyżeczkę kminku mielonego, 3 łyżki namoczonej żelatyny (*sł*) oraz pieprz czarny (*o*) i chili (*o*) do smaku. Zagotowujemy i studzimy.

Przygotowujemy jarzyny: 3 czerwone i 3 żółte papryki kroimy na ćwiartki, oczyszczamy z nasion, myjemy, odsączamy i układamy skórką do góry na blaszce w nagrzanym do 250 °C piekarniku, trzymając tak długo, aż skórka zbrązowieje, po czym wyjmujemy, wkładamy do salaterki, przykrywamy szmatką, czekamy, aż ostygnie i obieramy ze skórki.

Bakłażan i kabaczek kroimy w grube plastry (ok. 1 cm), kładziemy na wysmarowanej olejem blaszce i pieczemy w piekarniku do lekkiego zrumienienia. Wyjmujemy i studzimy.

Na patelni podsmażamy 1 dużą cebulę pokrojoną w półplasterki, dodając pieprz, chili, imbir po 1/3 łyżeczki, sól do smaku. Dodajemy garść rodzynek i 1 szklankę soku pomidorowego, a następnie dusimy, aż składniki stworzą gęstą masę.

Jarzyny układamy warstwami: pokrojoną paprykę czerwoną, żółtą, cebulę, bakłażan, kabaczek, paprykę żółtą, czerwoną. Każdą warstwę polewamy sosem z żelatyną. Jarzyny muszą być zimne, z lodówki.

Podajemy pokrojone w grube plastry jako danie kolacyjne do zimnych mięs.

Studzinina (vel galart, vel zimne nóżki)

Do studzininy używamy golonkę przednią, stópkę i 1/2 giczy cielęcej. Można dodać również pałkę indyczą, ale to zamiennie z golonką. Porcja będzie spora, wystarczy dobrego jedzonka na parę dni dla 4 osób.

sn – do garnka wlewamy 3,5 litra zimnej wody, wkładamy stópkę i golonkę, sypiemy po łyżeczce vegety oraz soli i zaczynamy gotować. Dodajemy
k – 1 łyżeczkę bazylii
g – 1 łyżeczkę tymianku, 1/2 łyżeczki kurkumy
sł – 1 łyżeczkę kminku mielonego, wkładamy gicz cielęcą, 5 ziarenek jałowca
o – 1 kopiatą łyżeczkę imbiru, 6 ziaren ziela angielskiego, 1 duży liść laurowy, 1/2 łyżeczki pieprzu cayenne.

Przykrywamy i gotujemy ok. 3 godzin do momentu, kiedy skóra golonki zmięknie, a mięso delikatnie odchodzi od kości. Nożem rozcinamy mięso na kości, aby dogotowały się również chrzęstne części wewnętrzne. Gotujemy jeszcze ok. 15 minut, po czym dodajemy

o – 1 dużą cebulę i 5 ząbków czosnku przeciętych wzdłuż, 1/4 selera, następnie
sn – odrobinę solimy do smaku, dodajemy
k – 2 łyżki octu winnego lub 1/2 szklanki białego wytrawnego wina
g – 1/2 łyżeczki majeranku
sł – 2 duże marchewki przekrojone wzdłuż i 2 pietruszki.

Gotujemy jarzyny do miękkości (ok. 45 minut, latem oczywiście krócej), po czym je wyjmujemy. Sprawdzamy miękkość przede wszystkim stópek – kości powinny swobodnie wychodzić z tkanki łącznej.

Jeśli pozostało zbyt wiele rosołu, wzmacniamy gaz i gotujemy bez przykrywki.

Następnie wyjmujemy mięso – rosołu powinno być minimum 2 litry. 1 paczkę żelatyny zalewamy paroma łyżkami zimnej wody, odstawiamy na pół godziny, następnie wkładamy do rosołu, rozpuszczamy i zagotowujemy, jednocześnie dosmakowując pieprzem. W międzyczasie przestudzone mięso oczyszczamy z kości i dobrze schładzamy, aby się lepiej kroiło. Schładzamy również jarzyny. Po ostudzeniu mięso (także skórę) i jarzyny kroimy w dowolną kostkę, przekładamy do salaterek, zalewamy rosołem, mieszamy i po ostudzeniu wkładamy do lodówki. Następnego dnia zdejmujemy warstwę tłuszczu.

Jest to pyszne danie na jesienno-zimowe wieczory, oczywiście wyjęte wcześniej z lodówki i doprowadzone do temperatury pokojowej, pokrojone w grube plastry, położone na chleb i posmarowane majonezem.

Zapiekanka z polenty

Przygotować polentę wg przepisu

1/2 kg bardzo dobrze dojrzałych pomidorów sparzyć, obrać, drobno pokroić

sł – 2 duże cebule drobniutko posiekać i zeszklić, dodać
o – 3 ząbki czosnku przeciśniętego przez praskę, 1/3 łyżeczki chili, 1 łyżeczkę kolendry mielonej
sn – 1 łyżeczkę soli
k – pokrojone pomidory, szczyptę bazylii
g – 1/2 łyżeczki kurkumy, szczyptę tymianku
sł – 1 łyżeczkę miodu
o – pieprz czarny
sn – sól do smaku, dusić ok. 1 godziny na małym gazie.

Polentę pokroić w kostkę lub słupki, wysmarować masłem naczynie żaroodporne, ułożyć, polać sosem i posypać tartym żółtym serem (ok. 10 dag) i zapiekać na złocisto.

Soczewica z ryżem

2 szklanki soczewicy namoczyć na noc w przegotowanej, chłodnej wodzie. Na drugi dzień odcedzić. Zalać ponownie zimną wodą

tak, aby przykryła soczewicę i gotować ok. 1 godziny, następnie odcedzić.

sł – w rondlu, w którym będzie się wypiekał ryż, rozgrzać 2 łyżki oliwy, zeszklić dużą, drobniutko pokrojoną cebulę, dodać 2 kopiate łyżeczki mielonego kminku, 1/2 łyżeczki cynamonu
o – 1/2 łyżeczki imbiru, 1/3 łyżeczki pieprzu czarnego i 1 szklankę opłukanego ryżu
sn – dodać soczewicę, szklankę wody, sól do smaku, zamieszać, zagotować, przykryć, wstawić do piekarnika na 30 min.

Potrawę podawać polaną masłem z przyrumienioną cebulką. Do tego można przyrządzić sałatkę.

Kiełbasa smażona

Ok. 40 dag dobrej wiejskiej kiełbasy, np. surowa pieprzowa, pokroić w grube plastry, obsmażyć na gorącym oleju na patelni, po czym odlać nadmiar tłuszczu, pozostawiając 3-4 łyżki. Obsmażyć pokrojone w cienkie półplasterki 2 duże cebule (*sł*), dodać 1 łyżeczkę kminku mielonego (*sł*), 1/2 łyżeczki imbiru (*o*), pieprz czarny (*o*) i 1 łyżeczkę kolendry (*o*), chili (*o*), następnie podsmażoną kiełbasę, zamieszać, chwilkę podusić i podawać z chrupiącymi bułkami podgrzanymi w piekarniku i którąś z sałatek.

Pasta z ciecierzycy

1/2 kg ciecierzycy namoczyć na noc. Na drugi dzień odlać wodę, zalać świeżą i zagotować. Gotować do miękkości przez około 1 godzinę, odcedzić

sn – do ugotowanej ciecierzycy dodać
k – sok z 1 cytryny
g – 1/2 łyżeczki kurkumy
sł – 1 szklankę pasty z nasion sezamowych, około 6 łyżek oliwy z oliwek
o – 4 duże ząbki roztartego czosnku.
Wszystko zmiksować i dosmakować
o – 1/2 łyżeczki pieprzu cayenne, pieprz czarny do smaku
sn – sól do smaku.

Całość wymieszać w jednolitą masę i przełożyć do słoików. Pasta świetnie smakuje do kanapek i gotowanych jarzyn. Pastę możemy również zrobić z puszkowej ciecierzycy.

Grzanki

Wszystkie grzanki przygotowujemy w piekarniku, mają wówczas energię ognia (w przeciwieństwie do grzanek z opiekacza).

SAŁATKI OBIADOWE I KOLACYJNE

Sałatka z fasoli czerwonej

2 puszki fasoli odcedzić z zalewy, przełożyć do salaterki. Ugotować 4 jajka na twardo, ostudzić i pokroić w kostkę. Drobno pokroić 2 średnie cebule i 4 średnie korniszony, obrać 4 ząbki czosnku.

sn – do fasoli dodać
k – pokrojone korniszony, 1 łyżeczkę soku z cytryny, szczyptę bazylii rozkruszonej w palcach, zamieszać
g – 2 szczypty rozkruszonego w palcach tymianku, 1/4 łyżeczki kurkumy, zamieszać
sł – 2 łyżki majonezu, pokrojone jajka, 1 łyżeczkę kminku mielonego, zamieszać
o – pokrojoną cebulę, czosnek przez praskę, 1/3 łyżeczki chili i pieprz czarny do smaku, zamieszać
sn – sól do smaku.

Podawać z chlebem z masłem lub do obiadu jako jarzynę.

Sałatka z fasolki szparagowej i kukurydzy

Puszka fasolki szparagowej bez zalewy, puszka kukurydzy bez zalewy, 1 duża, drobno pokrojona cebula, 2 ząbki czosnku

sł – wsypać kukurydzę do salaterki, dodać 1 łyżkę majonezu, 1/3 łyżeczki kminku mielonego, wymieszać, dodać
o – pokrojoną cebulę, 1/2 łyżeczki kolendry mielonej, pieprz czarny do smaku, zamieszać
sn – fasolkę szparagową i sól do smaku, zamieszać
k – 2 łyżeczki soku z cytryny i szczyptę rozkruszonej w palcach bazylii, wymieszać
g – szczyptę rozkruszonego w palcach tymianku, zamieszać.

Sałatka jabłkowo-cebulowa

k – 3 średnie jabłka obrać, pokroić w plasterki 1/2 cm grubości, a następnie w słupki, przełożyć do salaterki i pokropić cytryną (1 łyżka), dodać

g – szczyptę kurkumy, składniki wymieszać
sł – 2 jajka ugotowane na twardo i pokrojone, 2 łyżki majonezu, 1 łyżeczkę kminku mielonego, dodać
o – 3 średnie cebule pokroić w ćwierćplasterki, posypać pieprzem czarnym do smaku i 1/2 łyżeczki kolendry mielonej, zamieszać
sn – sól do smaku (minimum 1/2 łyżeczki).

Sałatka z tuńczykiem

sł – do miski włożyć 4 ugotowane na twardo i pokrojone jajka, dodać
o – 2 duże roztarte ząbki czosnku, posypać 1/3 łyżeczki pieprzu czarnego
sn – puszkę fasolki szparagowej, 1 puszkę rozdrobnionego tuńczyka bez zalewy, 1 puszkę pokrojonych anchois, zamieszać
k – 4 pokrojone w kostkę bardzo dojrzałe pomidory i 1 pokrojony korniszonek
g – szczyptę rozkruszonego tymianku i szczyptę kurkumy
g – pokrojone liście z 1 cykorii
sł – 1-2 łyżki majonezu lub wg uznania tylko oliwy, zamieszać, dodać
o – garść pokrojonych rzodkiewek, dosmakować pieprzem, zamieszać
sn – 1/2 szklanki przepołowionych czarnych oliwek.

Sałatka z brokułem

1 większy brokuł podzielić na cząstki, ale nie za drobne (ok. 3-4 cm), korzeń obrać z grubej skóry i pokroić w paski, wrzucić do osolonego wrzątku i gotować 5-10 min, odcedzić na sitku

sł – do salaterki wsypać puszkę odcedzonej kukurydzy, posypać 1/2 łyżeczki kminku mielonego, dodać 1 łyżkę majonezu, zamieszać
o – 2 ząbki czosnku przeciśniętego przez praskę; pieprz biały i czarny do smaku

sł – dodać sól do smaku
k – ostudzony brokuł, 3 łyżki jogurtu naturalnego, zamieszać
g – szczyptę lub dwie rozkruszonego w palcach tymianku.
Delikatnie zamieszać i dosmakować.

Szpinak

Jako roślina bardzo zielona powinien być zakwalifikowany do smaku kwaśnego.

k – 1/2 kg umytych i odsączonych liści szpinaku drobno posiekać, przełożyć do garnka i zalać
g – niespełna 1/2 litra wrzącej wody, dodać szczyptę tymianku
sł – 1 łyżeczkę masła
o – 3 ząbki czosnku przeciśniętego przez praskę, 1/3 łyżeczki imbiru, pieprzu czarnego do smaku
sn – sól do smaku (około 1/2 łyżeczki).
Całość dusić pod przykryciem około pół godziny, dodać
k – 1 łyżeczkę cytryny
g – szczyptę kurkumy
sł – jeśli trzeba zagęścić, dodać 1 łyżeczkę mąki ziemniaczanej rozpuszczonej w małej ilości wody.

Kapusta kiszona z marchewką

k – 1 kg kiszonej kapusty odcisnąć, włożyć do garnka, zalać
g – ok. 1/2 l wrzącej wody, dodać 1 łyżeczkę tymianku i 1 łyżeczkę kurkumy
sł – na dwóch łyżkach masła i 3 łyżkach oleju zeszklić 4 średnie drobno pokrojone cebule, przełożyć do kapusty, dodać 1 łyżeczkę kminku mielonego, 5 dużych marchewek startych na grubej tarce, 5 ziaren jałowca, zamieszać, dusić, dodać
o – 1 łyżeczkę imbiru, 1 liść laurowy, 5 ziaren ziela angielskiego, 1/3 łyżeczki chili i pieprz czarny do smaku, zamieszać
sł – sól do smaku, przykryć, dusić ok. 1 godziny. Można ją podawać do klusek śląskich lub pieczeni.

Mizeria tradycyjna

2 ogórki obrać i zetrzeć w plasterki, wymieszać z 1 łyżeczką soli, odstawić na godzinę, odcedzić na sitku, przełożyć do salaterki, dodać 0,2 l kwaśnej śmietany, zamieszać, posypać 1/3 łyżeczki kurkumy, zamieszać, dodać 1/2 łyżeczki kminku mielonego, zamieszać, dodać 1 dużą cebulę pokrojoną w ćwierćplasterki, posypać pieprzem czarnym i pieprzem cayenne do smaku, zamieszać.

Mizeria inaczej

Ogórek obrany, starty na średniej tarce, posolony (*sn*), odstawiony na pół godziny, następnie przepłukany na sitku przełożyć do naczynia, dodać garść pokrojonego zielonego kopru (*k*), pokrojonego i 1 szklankę jogurtu naturalnego (*k*), szczyptę kurkumy (*g*) oraz szczyptę kminku (*sł*), a następnie 3 ząbki roztartego czosnku (*o*) i pieprzu czarnego (*o*).

Kukurydza z puszki

Na patelni roztopić łyżeczkę masła i dodać zawartość puszki wraz z zalewą. Podsmażać, aż wygotuje się cała zalewa. Można na końcu dodać łyżeczkę masła i posypać pieprzem cayenne. Dobra jako małe co nieco do chleba na kolację.

DODATKI

Młode ziemniaki smażone

Młode ziemniaki umyć, włożyć do osolonego wrzątku, gotować 10 min. Odcedzić, przelać zimną wodą i ostudzić. Jeśli ziemniaki są bardzo młode i mają delikatną skórkę, możemy ich nie obierać. Smażymy je wówczas na chrupiące, w głębokim oleju. W przeciwnym wypadku obieramy, a większe ziemniaki przekrawamy i również smażymy na głębokim oleju na chrupiące, wyjmujemy łyżką cedzakową i układamy na talerzu z serwetką papierową, aby odsączyć tłuszcz.

Podajemy z sosem czosnkowym z zieleniną lub szafranem (patrz przepis).

Smażone ziemniaki

Ok. 1/2 kg ugotowanych w łupinkach ziemniaków.

Na dwóch łyżkach oleju i 1 łyżce masła podsmażamy 2 średnie, drobniutko pokrojone cebule. Powinny się zezłocić. Dodać 1/2 łyżeczki kminku mielonego lub całego, dodać ziemniaki, zamieszać, posypać pieprzem białym, posolić. Mieszając dodajemy 1/2 łyżeczki bazylii i posypujemy szczyptą kurkumy. Chwilę podsmażać mieszając. Można je również podawać do barszczu ukraińskiego lub do jajka sadzonego, z jarzynkami.

Młode ziemniaki

Ziemniaki (1,5 kg) gotujemy w łupinkach, przelewamy zimną wodą i studzimy, po czym obieramy i kroimy w bardzo grubą kostkę (na ćwiartki). Na patelni rozgrzewamy kilka łyżek oliwy lub oleju, przekładamy ziemniaki (*sł*), posypujemy 1 łyżeczką kminku mielonego (*sł*), 1 łyżeczką kolendry mielonej (*o*), solimy. Można też użyć mniej kminku i kolendry, ale za to dodać zieleninę, czyli pietruszkę lub koperek (*k*), można również zielony majeranek (*g*).

Innym sposobem jest podgrzanie ziemniaków na zeszklonej cebuli (*sł*) z dodatkiem 1/4 łyżeczki imbiru (*o*) i 1/2 łyżeczki kolendry mielonej (*o*).

Do podgrzania ziemniaków gotowanych w łupinkach możemy użyć również czosnku (o) przeciśniętego przez praskę z dodatkiem pieprzu cayenne (*o*) i soli (*sn*).

Tak przyrządzamy ziemniaki przez całe lato do wszystkich potraw, aby maksymalnie zachować ich cenne składniki. Ziemniaki w łupinkach można również gotować jesienią i zimą, pod warunkiem, że ziemniaki są zdrowe.

Ziemniaki Figaro

1 kg ziemniaków ugotować w łupinkach, tak aby nie były zbyt miękkie, obrać, pokroić w talarki. Posiekać 20 dag szynki lub bekonu. Do

k – 1/2 litra kwaśnej śmietany dodać
g – 1 łyżeczkę kurkumy
sł – 1 łyżeczkę kminku mielonego, 4 żółtka, 10 dag startego żółtego sera, składniki mieszamy, dodajemy
o – 1 łyżeczkę mielonej kolendry, 1/2 łyżeczki imbiru, 1/3 łyżeczki pieprzu cayenne
sn – sól do smaku (około 1 łyżeczki).

Połowę ziemniaków układamy w wysmarowanym masłem żaroodpornym naczyniu, posypujemy szynką, przykrywamy drugą częścią ziemniaków i zalewamy przyprawioną kwaśną śmietaną. Całość zapiekamy w piekarniku około 45 minut. Można doprawić również czosnkiem.

Krokiety z ziemniaków

Ugotować 1 kg obranych ziemniaków (latem lub wczesną jesienią gdy są zdrowe – gotujemy w łupinach). Ziemniaki dusimy i dodajemy

k – roztarty ser feta (25 dag)
g – 1/2 łyżeczki kurkumy, zamieszać i dodać
sł – poduszone ziemniaki oraz 2 ubite jajka, 1 łyżeczkę kminku mielonego, zamieszać i dodać
o – dużą cebulę pokrojoną drobniutko, pieprz czarny i biały do smaku – powinno być ostre

sn – sól do smaku.

Mieszamy, formujemy małe kulki, obtaczamy w bułce tartej i smażymy na oleju.

Podajemy do gulaszu wołowego lub wieprzowego.

Ryż do potrawki inaczej

Rozwałkować torebeczkę szafranu, a następnie zalać zawartość 1 łyżką wrzątku. W rondlu teflonowym lub innym z grubym dnem rozgrzać

sł – 3 łyżki masła, dodać
o – 2 duże, drobno pokrojone cebule, zeszklić, dodać
o – 1/2 łyżeczki imbiru, 1/3 łyżeczki pieprzu czarnego mielonego, 3 ząbki czosnku przeciśniętego przez praskę, 1/2 litra ryżu, prażyć tak długo, aż ryż zrobi się szklisty, dolać
sł – 1/2 litra rosołu lub wody, płaską łyżeczkę vegety, dosmakować solą, dodać
k – 1/2 szklanki białego wytrawnego wina
g – szafran lub 1 łyżeczkę kurkumy, zamieszać, zagotować
sł – można dodać 10 dkg startego sera parmezan, wstawić na 30 minut do piekarnika.

Podawać z potrawką lub innymi sosami.

Ryż z kurkumą (żółty)

1/2 litra ryżu opłukać na sitku i odsączyć, zagotować 1 litr wody (*g*), dodać 1/2 łyżeczki kurkumy (*g*), 1 łyżkę masła (*sł*), 1/2 łyżeczki imbiru (*o*), ryż (*o*), ok. 2 płaskich łyżeczek soli (*sn*), do smaku, zamieszać, chwilę pogotować i wstawić na 1 godzinę do minimalnie nagrzanego piekarnika lub pod pierzynę.

Kasza

Do kaszy gryczanej nie dodajemy nic oprócz masła i soli.

g – 1 szklankę kaszy opłukać i odsączyć, wrzucić do 1,5 szklanki wrzątku, dodać
sł – 1 łyżeczkę masła oraz

o – szczyptę imbiru
sn – sól do smaku (około 1 łyżeczki), zagotować, przykryć i włożyć do minimalnie nagrzanego piekarnika lub pod pierzynę.

Kaszoryż

Postępujemy jak wyżej, tylko dodajemy 1/2 kaszy gryczanej i w smaku ostrym 1/2 szklanki ryżu.

Ryż

g – do 1 litr wrzątku dodać 1/2 łyżeczki kurkumy
sł – 1 łyżkę masła
o – 1 łyżeczkę imbiru oraz 2 szklanki *ryżu*, sól do smaku (około płaskiej łyżki). Całość zagotować, włożyć do minimalnie nagrzanego piekarnika lub pod pierzynę.

Kasza jęczmienna

Gotujemy jak wyżej, dodając ją do wrzątku z masłem w smaku ostrym. Możemy posypać imbirem i dosalamy do smaku. Gdy kasza jest gruba (pęczak), wody musi być więcej niż dwie części i trzymamy ją w słabo nagrzanym piekarniku nieco dłużej niż kaszę drobną.

Polenta (kaszka kukurydziana)

Do 1 szklanki wrzątku (*g*) wsypać 2 szklanki kaszki kukurydzianej (*sł*), 1 łyżeczkę papryki słodkiej (*sł*), 1/2 łyżeczki gałki muszkatołowej (*o*) lub 1/4 łyżeczki imbiru (*o*), sól do smaku (*sn*), gotować 5 minut stale mieszając, następnie przełożyć na dużą blaszkę wyłożoną pergaminem, wyrównać powierzchnię i pozostawić do zastygnięcia.

Kroić w dowolne kawałki i podawać do sosów bądź podsmażać na maśle.

Kluchy na łachu

Zaczyn

Do garnka włożyć 10 dag drożdży, 2 łyżki mąki, 1 łyżkę miodu, 1/4 szklanki wody, zamieszać i odstawić w ciepłe miejsce, by podrósł.

k – 1 kg mąki pszennej tortowej wsypać do miski, dodać
g – 2 kopiate łyżeczki kurkumy, zamieszać
sł – wbić 3 całe jajka, 2 żółtka i 1/2 kostki roztopionego masła, posypać
o – 1 kopiatą łyżeczką imbiru
sn – posolić
k – wlać zaczyn, wyrobić ciasto dolewając wody po przepłukaniu garnka po zaczynie.

Ciasto powinno być typowo drożdżowe, nie za gęste (rzadsze od pierogowego), ma być gładkie i odchodzić od ręki. Następnie przykryć je ściereczką i odstawić w ciepłe miejsce, by podwoiło swoją objętość.

Gdy wyrośnie, wyłożyć je na grubo posypaną mąką stolnicę, uformować placek o grubości 3 cm i wykrawać kluski małą szklanką. Układać na stolnicy, aby jeszcze raz podrosły.

Kluski parujemy w dużym garnku z wrzącą wodą, na specjalnym rozkładanym sitku przez ok. 7 minut.

Kluski potrzebują sosu i tłuszczu i nadają się do każdej mięsno-jarzynowej potrawy przygotowanej z sosem. Najwłaściwszym dodatkiem są buraczki lub czerwona kapusta.

SOSY

Jogurt czosnkowy

Do roztartych 2 ząbków czosnku (*o*) dodać szczyptę soli (*sn*), a następnie wlać 2/3 szklanki gęstego naturalnego jogurtu lub kwaśnej śmietany (*k*), zamieszać i dodać dużą szczyptę kurkumy (*g*) i tyle samo kminku mielonego (*sł*).

Stosować do placków ziemniaczanych, ziemniaków smażonych lub do zapiekanki ziemniaczanej.

Sos jogurtowy do fondue z polędwicy

k – do szklanki naturalnego jogurtu dodać
g – 1/4 łyżeczki kurkumy
sł – 1/2 łyżeczki kminku mielonego
o – 1 startą dużą cebulę, 1 łyżeczkę kolendry mielonej
sn – odrobinę soli.
Składniki wymieszać.

Sos czosnkowy z zieleniną

Do naczynia włożyć 1 łyżeczkę musztardy (*k*), 2 łyżeczki octu winnego (*k*), szczyptę kurkumy (*g*), 2 żółtka (*sł*), roztrzepując trzepaczką ręczną wlewać 1 szklankę oliwy (*sł*), dodać 5 ząbków roztartego czosnku (*o*), 2 łyżki szczypioru (*o*), 2 łyżki rzeżuchy (*o*), pieprz cayenne (*o*), pieprz czarny (*o*) do smaku, sól (*sn*) do smaku, 2 łyżki zielonej pietruszki (*k*).

Zamieszać, podawać do jajek na twardo i jarzyn gotowanych, np. marchewki, szparagów, fasolki szparagowej, ziemniaków.

Szafranowy sos czosnkowy

Do naczynia włożyć 1 i 1/2 łyżeczki musztardy (*k*) i roztrzepując trzepaczką dodać stale mieszając 2 żółtka (*sł*), 1 i 1/4 szklanki oliwy, 1-2 roztarte ząbki czosnku, sól do smaku, 1-2 łyżeczki soku z cytryny, następnie 1 torebeczkę szafranu – rozwałkowaną i rozpuszczoną w 2 łyżeczkach gorącej wody.

Podajemy ze smażonymi na chrupko młodymi ziemniakami lub do jarzyn gotowanych w wodzie.

Sos śliwkowy

sn – 1/2 litra naszych powideł (patrz: „Filozofia zdrowia") przełożyć do rondla z grubym dnem i podgrzewać dodając
k – ok. 10 łyżek octu winnego
g – 1 łyżeczkę kurkumy
sł – 8 łyżek rzadkiego miodu, zamieszać i dodać
o – po 1 łyżeczce cynamonu, imbiru, goździków mielonych, 2 łyżeczki chili i 4 duże ząbki roztartego czosnku, całość smażyć mieszając
sn – szczyptę soli do smaku.

Podajemy do żeberek, zimnych mięs, naleśników z mięsem. Przełożony do słoika i przechowywany w lodówce może być wykorzystywany nawet przez kilka miesięcy.

Typowy sos pomidorowy

1 kg mocno dojrzałych pomidorów sparzyć, obrać, przekrawać na ćwiartki, nasiona wyrzucić, a resztę pokroić w kosteczkę
sł – na patelni rozgrzać 6 łyżek oliwy, dodać 1 kopiatą łyżeczkę kminku mielonego
o – zeszklić na nim 3 duże drobno pokrojone cebule, dodać 4 ząbki czosnku przeciśniętego przez praskę, 1 łyżeczkę imbiru, 1 łyżeczkę pieprzu cayenne
sn – 1 łyżeczkę soli
k – pokrojone pomidory
g – 1 łyżeczkę tymianku i 1 łyżeczkę kurkumy.

Całość dusić bez przykrycia około 1,5 godziny. Powinna powstać gęsta masa (w czasie duszenia w razie potrzeby można dodać wrzątku).

Sos stosujemy do kiełbasek zapiekanych z boczkiem i serem w piekarniku, do fondue z polędwicy wołowej, do zimnych mięs, jako dodatek w smaku kwaśnym do drugich dań (na przykład do pieczeni) lub rozcieńczając robimy sos do makaronów, gołąbków.

Sos chrzanowy

Typowy sos beszamelowy – potrawkowy (patrz: „Filozofia zdrowia") z dodatkiem w smaku ostrym chrzanu. Używamy do mięs lub jajek na twardo.

Sos vinegrette

Do małej miseczki włożyć 2 łyżeczki miodu, 2 duże ząbki czosnku przeciśniętego przez praskę, szczyptę pieprzu białego lub czarnego, sól, co najmniej łyżkę cytryny, szczyptę kurkumy lub roztartego w palcach tymianku, zamieszać i cały czas mieszając wlewać ok. 1/3 szklanki oleju.

Zamiast cytryny można dodawać 1 łyżeczkę musztardy.

Sosem tym polewamy sałatę. Możemy również z zimnych ziemniaków zrobić sałatkę, krojąc je w grubą kostkę, polewając sosem i podając do mięsa z grilla.

PRZEPISY SPECJALNE

Uszlachetnianie wędlin (robimy to na co dzień)

Do ok. 3 l wrzątku (ilość wrzątku zależy od wielkości wędliny, ale raczej więcej niż mniej) dodajemy po 1/2 łyżeczki tymianku, rozmarynu, kurkumy, majeranku, 1 łyżeczkę kminku, 1 łyżeczkę imbiru, 1 łyżeczkę chili, a następnie wkładamy kilogramową szynkę lub ogonówkę surową, wędzoną, boczek lub bekon, również surowe, wędzone. Gotujemy na wolnym ogniu pod przykryciem ok. 1,5 godz., po czym wyjmujemy, studzimy, osuszamy i wkładamy do pojemnika w lodówce. Wędlina tak przygotowana wytrzymuje w lodówce do 2 tygodni w doskonałej świeżości.

Podobnie podgrzewamy wędliny drobne (np. kiełbaski), gdy mamy na nie ochotę. Oczywiście krócej.

Mieszanka Pana Paprzęckiego

Pomaga w regeneracji i odbudowie krwi w każdym przypadku. Szczególnie jest wskazana w chorobach nowotworowych, przy chemii: 50 g suszonej pokrzywy, 50 g ziela bukwicy, 50 g ziela rzepiku, 50 g kozieradki zmielić, wymieszać i zażywać „na sucho" 2 razy dziennie po pół łyżeczki (ostrożnie, bo można się zachłysnąć), popijając ciepłą herbatą tymiankowo-lukrecjowo-imbirową.

Wyciąg mięsny dla chorych (rekonwalescentów)

1/2 kg młodej wołowiny bez kości drobno pokroić, włożyć do słoika, zakręcić, a następnie umieścić go w łaźni wodnej (tak samo jak robimy zaprawy), gotować na wolnym ogniu przez godzinę. Powstały w słoiku rosołek odcedzamy i podajemy choremu. Wzmacniamy nim głównie Centrum (żołądek, śledzionę, trzustkę), tym samym regenerujemy cały organizm. W stanach dużego wycieńczenia możemy podawać dwa razy dziennie kieliszek, dzieciom oczywiście po pół porcji.

Kaszka rozmaźna (dla chorych)

1 szklankę kaszki częstochowskiej gryczanej (drobna, nie palona) (*g*) rozetrzeć z 1 żółtkiem (*sł*), wsypać do 1/2 litra wrzącego rosołu (*sł*), dodać 1/2 łyżeczki masła (*sł*) i gotować 20 minut, przełożyć do większego rondla, zalać szklanką rosołu wołowego, dodać 1 łyżeczkę masła i ucierać. Jest to potrawa silnie rozgrzewająca, energetyczna, pobudzająca pracę zimnej śledzony.

DANIA ŚWIĄTECZNE

Kapusta świąteczna

k – 1 kg dobrze ukiszonej, lekko odciśniętej kapusty wkładamy do garnka i zalewamy

g – 1/2 1 wrzątku, dodajemy po 1 łyżeczce tymianku i kurkumy, mieszamy i dodajemy

sł – 4 duże, pokrojone, zeszklone na oleju cebule, 4 duże starte marchewki (ok. 1/2 kg), 3 ziarna jałowca, 1 łyżeczkę kminku mielonego, 2 kopiate łyżki odparowanych i zmielonych pieczarek, mieszamy, podduszamy i dodajemy

o – 1 łyżeczkę imbiru, 4 ziarna ziela angielskiego, liść laurowy, pieprz czarny do smaku,

sn – 1 łyżkę ugotowanych i zmielonych grzybów leśnych, najlepiej borowików (tylko wówczas kapusta będzie miała właściwą konsystencję i smak), sól do smaku.

Dusimy ok. 1,5 godz. często mieszając, aby się nie przypaliła.

Groch świąteczny (do kapusty)

1/2 kg całego niełuskanego grochu moczyć przez noc, a następnie odlać wodę

g – zagotować 1 litr wody, dodać 1/2 łyżeczki tymianku, 1 łyżeczkę kurkumy oraz

sł – 1 łyżkę masła, groch, 1 łyżeczkę kminku mielonego

o – 1 łyżeczkę imbiru, 1 łyżeczkę kolendry mielonej, 1/2 łyżeczki pieprzu cayenne

sn – 1/2 łyżeczki vegety i sól do smaku.

Gotować do miękkości, ale tak, by groch się nie rozsypał (niecałą godzinę).

Uszka świąteczne

Ciasto

1/2 kg mąki, szczypta kurkumy, 3 całe jajka, szczypta imbiru, 1/4 szklanki wody.

Ciasto powinno być sprężyste. Należy je rozwałkowywać bardzo cienko (1-2 mm), wykrawać kółeczka kieliszkiem i nakładać ok. 1/3 łyżeczki farszu grzybowego. Sklejać jak pierogi i połączyć brzegi, formując uszka.

Farsz

1-1,5 odparowanych i zmielonych pieczarek, ok. 20 dag ugotowanych i zmielonych grzybów leśnych (suszonych).

Na patelnię wlewamy

sł – 5 łyżek oleju i dusimy 1 dużą, drobno pokrojoną cebulę, dodajemy zmielone pieczarki, 1 łyżeczkę kminku mielonego, mieszamy i podsmażamy dodając

o – 1 łyżeczkę imbiru, 1/3 łyżeczki pieprzu czarnego, pieprz cayenne do smaku (farsz powinien być pikantny)

sn – grzyby leśne, sól do smaku, mieszamy, podsmażamy odparowując

k – 1 łyżkę bułki tartej

g – kurkumy na czubku łyżeczki

Najlepsze są jednak prawdziwki, a nie podgrzybki.

Z takiej porcji wychodzi ok. 150 uszek. Ponieważ potrawę tę przygotowuję raz w roku, mniejsza porcja nie wchodzi w rachubę.

Uszka podajemy oczywiście do czystego barszczu.

Karp w galarecie

Ja karpia zawsze odzieram ze skóry. Do galarety wybieram kawałki proste, robię wywar jarzynowy (typowy), czyli:

g – do 2 litrów wrzątku dodać 1/2 łyżeczki tymianku, szczyptę kurkumy

sł – 2 średnie, przekrojone marchewki, 1 dużą pietruszkę, 1 płaską łyżeczkę kminku (całego)

o – 1 łyżeczkę imbiru, 1 łyżeczkę cayenne, 1 dużą cebulę przekrojoną na pół

sn – sól do smaku.

Gotować do miękkości, czyli około 40 minut, po czym wyjąć na talerz. Wywar dosmakować solą i włożyć 8 kawałków karpia. Gotować na słabym gazie około 20 minut, następnie delikatnie wyjąć i ułożyć na płaskich talerzach, aby zastygł.

Marchewkę i pietruszkę pokroić w kostkę o boku 1/2 cm i przełożyć w osobne miseczki.

k – do wywaru dodać nie więcej niż 1/3 szklanki białego wina, następnie

g – uzupełnić wrzątkiem do ilości 1,5 litra.

Przestudzić i do letniego dodać 6 namoczonych łyżeczek żelatyny, rozmieszać, a następnie dodać 1 roztrzepane białko. Na wolnym gazie doprowadzić do wrzenia, ale nie gotować przez ok. 15 min. Odstawić do ostygnięcia, następnie delikatnie odcedzić przez lnianą ściereczkę. Z kawałków karpia wyciągnąć ości tak, by nie uszkodzić kawałka. Ułożyć karpia na półmisku z wysokim brzegiem (najmniej 1 cm). Między kawałkami włożyć marchewkę i pietruszkę zalane wcześniej galaretą (patrz: przepis na golonkę w galarecie „Filozofia zdrowia"). Karpia w galarecie podajemy z sosem tatarskim.

POTRAWY DLA NIEMOWLĄT MAŁYCH DZIECI

Zmielić wszystkie kasze i przechowywać w osobnych słoiczkach (gryczana, jaglana, jęczmienna, płatki owsiane). Kaszki kukurydzianej mielić nie trzeba.

Marchwianka

g – 1/2 litra wrzątku, szczypta kurkumy
sł – ok. 1/2 kg dobrej, słodkiej, pokrojonej w grubą kostkę marchewki
o – 1 ząbek czosnku, szczypta imbiru.
Gotować 1 godzinę i zmiksować.
Podawać dziecku, gdy ma problemy jelitowe: zaparcia, biegunkę kolkę, wzdęcie oraz katarek, kaszelek. Można rozcieńczyć i podawać butelką, ale raczej łyżeczką przy jednoczesnym karmieniu piersią.
Marchwianka może być dodawana do owsianki – zarówno maluszki, jak i starsze dzieci cenią sobie tę kompozycję.

Kaszka dla dziecka karmionego piersią

g – 1/2 litra wrzącej wody, kurkuma na czubku łyżeczki
sł – 1 łyżka kaszki kukurydzianej lub jaglanej
o – 2 łyżki płatków owsianych, szczypta imbiru i szczypta kardamonu
sn – szczypta soli, gotujemy ok. 40 min, następnie miksujemy i dodajemy
k – parę kropli cytryny
g – trochę wrzątku, jeśli kaszka zrobiła się za gęsta lub szczyptę kurkumy
sł – troszkę miodu do smaku, 3 krople oliwy z oliwek lub odrobinę masła.

Kasza wychodzi bardzo gęsta, ale później możemy ją rozrzedzać wrzątkiem (dodając ją do wrzątku!).

Gdy dziecko jest karmione sztucznie, nie rozcieńczamy wrzątkiem, lecz dolewamy 1/3 ilości kaszki pełnego mleka krowiego lub koziego (mleka w proszku nie stosujemy).

Kaszkę tę można mieszać z marchwianką lub zupą jarzynową i podawać jako dodatkowy pełny posiłek.

Co parę dni dodajemy do kaszy 1-2 łyżeczki żółtka, już nie gotując. Owsiankę gotujemy na zmianę z różnych kombinacji kaszkowych, pamiętając, że najważniejsze są kasze jaglana i kukurydziana oraz płatki owsiane. Nie zapominajmy również o kaszy gryczanej, najlepiej niepalonej.

Poniższe przepisy na zupy przewidują z jednej porcji 3-4 posiłki (na dwa dni) dla dziecka 6-7 miesięcznego

Zupa I

g – 1/2 litra wrzącej wody
sł – 3 marchewki, 1 duży ziemniak, szczypta kminku, 2 łyżeczki kaszki kukurydzianej, po tygodniu można dodać 1/3 pietruszki
o – 1 por (biała część), 1 ząbek czosnku, szczyptę imbiru, 1 łyżkę płatków owsianych
sn – szczypta soli.

Gotować do miękkości (latem krócej, zimą dłużej), zmiksować

k – parę kropli cytryny
g – szczypta kurkumy
sł – masła na czubku łyżeczki
o – szczypta imbiru – zupa ma być dosmakowana!

Zupy zagęszczamy na zmianę rożnymi kaszkami lub ziemniakami, a po miesiącu możemy dodawać żółtko, rozpoczynając od 1 łyżeczki.

Zupa II

sn – do 1/2 l do zimnej wody włożyć gałązkę zielonej pietruszki, doprowadzić do wrzenia i dodać
g – odrobinę kurkumy

sł – 3 marchewki, 1 średni ziemniak, 1/3 pasternaka lub pietruszki, 1 łyżka kaszy jaglanej
o – plasterek młodej kalarepki, mała cebula, 1 ząbek czosnku, szczypta imbiru, 2 łyżeczki zmielonych płatków owsianych
sn – sól, gotować do miękkości, zmiksować i dodać gotując
k – parę kropli cytryny
g – szczyptę kurkumy
sł – odrobinę masła.

Zupa III

g – 1/2 litra wrzątku, szczypta kurkumy
sł – kawałeczek cielęciny z kością (ok. 7 dag), na czubku łyżeczki kminku, gotować ok. 1,5 godz., po czym dodać 3 średnie marchewki, 1/2 średniej pietruszki, 1 duży ziemniak, 1 dużą łyżkę kaszki kukurydzianej
o – 1 por (biała część), kawałeczek selera i kalarepy, 2 ząbki czosnku, szczyptę imbiru
sn – sól do smaku, gotować do miękkości i zmiksować
k – parę kropel cytryny
g – kurkumy na czubku łyżeczki
sł – odrobinę masła
o – szczypta imbiru.

Po dwóch-trzech tygodniach mięsko pozostawiamy w zupie i razem miksujemy, stosujemy na przemian cielęcinę i indycze skrzydła (1/4 na zupę), co parę dni zamiast mięska do zupy dodajemy 1-2 łyżeczki żółtka.

Do zup dodajemy na zmianę poniższe produkty, zważając, by smaki były wyważone wg podanych przykładów. Będą to: w smaku słodkim marchewka, pietruszka, pasternak, dynia, ziemniaki, ziemniaki słodkie, kabaczki, patisony, buraczki (ale niewiele), masło, żółtko, cielęcina, polędwica z młodej wołowiny, miód wielokwiatowy; w smaku ostrym – zawsze cebula, czosnek, ewentualnie por, koper włoski (fenkuł), listeczek kapusty włoskiej lub pekińskiej, różyczka kalafiora lub brokuła; w smaku kwaśnym – zielone części roślin, czyli młode listki pietruszki, kalarepy, selera, botwinki, łyżeczka podduszonego na oliwie pomidora, parę kropli cytryny; w smaku gorzkim liście świeżego majeranku.

Bardzo ważne: do zup nie musimy dodawać bezpośrednio węglowodanów (kasz). Możemy je ugotować osobno, a potem mieszać z zupą w proporcjach 1:1 lub 2:1 (2 części kaszy). Jest to wygodniejsze dla matki, ponieważ gotując oddzielenie kaszę i zupę ma na dwa dni kilka wariantów posiłków:

- sama owsianka
- owsianka z mniejszą ilością zupy
- owsianka z połową zupy
- sama zupa.

Niemowlęta, które w ogóle nie są karmione piersią, powinny mieć gotowane posiłki na podobnych zasadach, tzn. gotujemy kaszkę rzadszą na wrzątku, z przyprawami, po czym dodajemy mleko i słodzimy miodem. Początkowo używamy wyłącznie kaszki jaglanej i kukurydzianej, z dodatkiem większej części płatków owsianych.

Zupka IV dla dziecka 7-8 miesięcznego (z mięskiem)

Zupy gotujemy tylko na skrzydełku indyka, gołąbku, cielęcinie lub bardzo młodym mięsku wołowym. Początkowo porcyjki mięsa powinny mieć wagę ok. 5-7 dag. Po dwóch-trzech tygodniach dodajemy do miksowania łyżeczkę pokrojonego mięska.

g – 1/2 litra wrzącej wody, szczypta tymianku
sł – kawałeczek cielęciny, szczypta kminku, gotujemy ok. 1-1,5 godziny, następnie dodajemy 3 marchewki, kawałeczek pietruszki, 2 większe ziemniaki, 1 malutki buraczek
o – średnią cebulę, 2 ząbki czosnku, 1/2 listka włoskiej kapusty, na czubku łyżeczki imbiru
sn – sól do smaku, miksujemy
k – zamiast cytryny zagęszczamy 1 łyżeczką mąki pszennej rozmieszanej w zimnej wodzie
g – kurkumy na czubku łyżeczki
sł – odrobina masła, gdy zupa jest zbyt rzadka, można zagęścić ją dokładnie roztartym ziemniakiem.

Wszystkie zupki podajemy łyżeczką, a więc powinny być bardzo gęste.

Zupka V

g – 1/4 litra wrzątku, szczypta tymianku
sł – szczypta kminku
o – szczypta imbiru, 1/4 skrzydła indyczego
sn – sól do smaku
k – gałązkę zielonej pietruszki, 1 młody listek kalarepy
g – kurkumy na czubek łyżeczki, gotować min. 1,5 godz., dodać
sł – 1 kopiatą łyżkę kaszy jaglanej, 3 średnie marchewki, kawałeczek kabaczka lub patisona, 10 ziarenek zielonego groszku, 1 średni ziemniak
o – mała różyczka kalafiora, 1 średnia cebula, gotować do miękkości ok. 30 min
sn – następnie zmiksować i dosmakować solą
k – paroma kroplami cytryny
g – kurkumą
sł – dodać odrobinę masełka.

Gdy zupa będzie na cielęcinie i z ziemniakiem, możemy zagęścić ją również ryżem. Dziecku powyżej roczku zamiast kaszy jaglanej możemy zrobić lane kluseczki z 1 żółtka i łyżeczki mąki:

Rozkład posiłków dla dziecka 7-9 miesięcznego karmionego jeszcze piersią

Mleko z piersi rano po przebudzeniu, wieczorem przed zaśnięciem, w nocy lub w ciągu dnia w dowolnej ilości.

8. 00 śniadanie – kaszka
12.00 obiad – gęsta zupa
16.00 II danie – początkowo ta sama zupa, po 2-3 miesiącach wprowadzamy specjalnie przygotowane II danie
19.00 kolacja – kaszka

Wszystkie posiłki dziecka powinny być treściwe i gęste. Między posiłkami nie podajemy dziecku nic oprócz odrobiny herbatki lub kawałeczka czerstwego chleba.

Gulaszyk dla dziecka ok. roczku

Przyrządzamy go dopiero wówczas, gdy dziecko potrafi już trochę gryźć i przeżuwać.

g – 1 szklanka wrzątku, szczypta tymianku

sł – plasterek (1 cm) polędwicy wołowej, 1/2 małej marchewki startej na grubej tarce, kminku na czubku łyżeczki

o – 1 mała, drobno pokrojona cebula, 1 ząbek czosnku przeciśniętego przez praskę, na czubku łyżeczki kolendry mielonej, szczypta imbiru

sn – sól do smaku

k – łyżkę bardzo drobno pokrojonej zieleniny (liście pietruszki, koperku, botwinki, kalarepy lub tylko pietruszki), szczyptę bazylii

g – kurkuma na czubku łyżeczki, gotować na słabym gazie pod przykryciem godzinę.

Jarzynki możemy dodatkowo rozetrzeć widelcem, mięso siekamy drobniutko, następnie zagęszczamy odrobiną mąki ziemniaczanej. Gulaszyk powinien być smakowity. Podajemy do poduszonych ziemniaków, lanych kluseczek, drobniutkiego makaronu lub kaszy. Dodatkowo możemy podać rozdrobnioną jarzynkę z wody, np. różyczkę kalafiora, brokuła, łepek szparaga.

Gulaszyk możemy też przygotować z kawałka mięsa indyczego lub polędwiczki cielęcej, dodając po parę kawałeczków kabaczka, patisona, kalarepki, kapusty włoskiej. Od czasu do czasu (rzadko) możemy zrobić go na polędwiczce wieprzowej.

Herbatki

Herbatka I podawana przy zastojach, kolkach, temperaturze

g – 1/2 litra wody, szczypta tymianku (w dwa palce)
sł – jeszcze mniejsza szczypta lukrecji, większa szczypta nasion koperku
o – szczypta kardamonu, 1/4 łyżeczki imbiru
gotować 2-3 minuty.

Podawać dziecku specjalną pipetką lub łyżeczką (3-4 łyżeczki). Maluch się krzywi, ale bardzo dobrze się po niej poczuje.

Herbatka II do popijania

g – 1/2 litra wrzątku, szczypta tymianku
sł – szczypta lukrecji
o – szczypta imbiru

Przy karmieniu sztucznym podajemy tę herbatkę jako jedyny napój w dowolnej ilości (można ją ewentualnie lekko posłodzić miodem), natomiast dziecko karmione piersią (do 4 miesięcy) nie potrzebuje dodatkowych napojów.

Szkodliwe nadmiary

kwaśny	kurczaki	sery twarogowe	jogurty naturalne i owocowe	owoce	soki	kiszona kapusta i ogórki	marynaty octowe, np. śledzie grzyby korniszony	surówki
gorzki	piwo	kawa zaparzana, rozpuszcz., ekspresowa	herbata czarna	herbata zielona	kasza gryczana	chleb ciemny żytni	majeranek	tymianek
słodki	słodycze czekolada batony	ciasta i ciastka	cukier	miód	śmietana słodka i mleko	ser żółty	sok z marchwi lub surówka	surowe ogórki
ostry	cebula	czosnek	pory	kapustne	rzodkiewki	mięta	przyprawy ostre, np. pieprz imbir, chili	wódka
słony	mięso wieprzowe	wszystkie wędliny	wszystkie ryby morskie i owoce morza	soja	tofu miso	fasola	soczewica	sól
zimno	przemarzanie	lody	zimna woda	zimne napoje	piwo	drinki z lodem	zimne potrawy	

Zakreśl te produkty, które zjadasz regularnie, i sprawdź, jakie

herbata z cytryną	herbaty owocowe kwaśne	kwaśne zupy, np. pomidorowa, ogórkowa, żurek	pieczywo pszenne, drożdże, makarony	alergia, astma, kaszle, anginy, katary, przeziębienia, zimno wewnętrzne, celiakia, biegunki, zaparcia, złe krążenie, osteoporoza, zakwaszenie organizmu, wrzody, cukrzyca, cholesterol, nadciśnienie, guzy, bóle głowy, nadkwasota, porażenie mózgowe, epilepsja, autyzm i inne choroby umysłowe, nadwrażliwość emocjonalna, nadczynność tarczycy, zaburzenia hormonalne, anemia, gościec, reumatyzm, cellulitis, krwawienia jelita grubego, choroby zębów, paradentoza, choroby oczu, choroby płuc, alkoholizm, łaknienie słodkiego, trądzik, wzdęcia, niestrawność, liszaje, łuszczyca i inne choroby skóry, nowotwory, zawały, ataki serca, wylewy, zatory, zakrzepica, kamica, marskość wątroby, kamienie nerkowe, choroby kręgosłupa, mukowiscydoza, niewłaściwy rozwój umysłowy i fizyczny dziecka, choroba Alzheimera
kurkuma	rozmaryn			wysuszenie skóry, niedobór wilgoci, sztywność ciała, bezsenność, choroby umysłowe, lęki, pobudzenie emocjonalne, choroby serca, wątroby, stawowe
ziemniaki	masło i tłuste potrawy	gotowane warzywa, np. marchewka pietruszka dynia	lody	cukrzyca, nadmiar cholesterolu, choroby krążeniowe, płuc, astma, anemia, alergia, trądzik, otyłość, żółtaczka, zawał, bóle głowy, nóg, otłuszczenie wątroby, zimno wewnętrzne, ociężałość, zaparcia, gościec stawowy, wypadanie narządów, puszczanie wiązadeł i stawów, spuchnięte nogi, żylaki, brak perystaltyki jelit, ciało ciastowate, niekształtne, otępiałość umysłowa, biegunki, nadciśnienie, choroba Alzheimera, reumatyzm
				alkoholizm - zniszczenie całego organizmu zarówno ciała, jak i świadomości mięta - choroby oczu i mięśni kapusta - choroby tarczycowe
vegeta	chipsy			problemy krążeniowe, zimno w organizmie, zawały, choroby nowotworowe, cukrzycowe, alergie, astma, reumatyzm, gorączka reumatyczna, artretyzm, biegunki, zaparcia, otyłość, bóle głowy, przeziębienia, choroby nerek, kręgosłupa, kamienie nerkowe, choroby wątroby, marskość, serca, miażdżyca
				choroby krążeniowo-sercowe, niedobór energii jang, zimno, zawały, choroby nowotworowe, cukrzycowe, alergie, astma, zaparcia, otyłość, bóle głowy, przeziębienia, zaburzenia całej przemiany materii, choroby nerek, problemy jelitowe, fałszywy ogień, choroby płuc, problemy emocjonalne, depresja

Myśli dające do myślenia

- nie gotuj wściekła, bo potrujesz rodzinę
- nie liczy się, co robisz, ale jakie masz intencje
- jeśli, zaczynasz naprawiać swoje życie, nie bój się, dostaniesz to, czego potrzebujesz
- jeśli nie masz tego, czego tak bardzo pragniesz, widocznie nie jest ci to potrzebne, przynajmniej w tej chwili – zajmij się czymś innym
- wyprostuj się, patrz śmiało przed siebie – wkraczasz przecież w nowe życie
- gdy funkcjonujesz na agresji, złości, nienawiści, frustracji (Ego), spalasz swoje płyny wewnętrzne (jin)
- w przyrodzie nie ma pojęcia „dobra" i „zła" – tu zawsze jedno rodzi drugie, nie ma zwalczania; te pojęcia to wytwór intelektualny
- nie obawiaj się niczego prócz swoich lęków
- strach wbija w ziemię, a ufność uskrzydla
- na świat można patrzeć oczami nieszczęsnej ofiary kradzieży bądź śmiałka wyruszającego na poszukiwanie skarbu[13]
- nic w świecie zewnętrznym nie jest tak błahe, aby nie mogło nas czegoś nauczyć[14]
- nie ma takiego dnia, w którym nie moglibyśmy być lepsi niż wczoraj
- zdrowie nas nie opuszcza sami je wypędzamy[15]
- każdy ma „przetarte" w innym miejscu, dlatego te same przyczyny mogą wywoływać u każdego człowieka inne dolegliwości
- każdy nosi ciało na swój sposób i zużywa je również na swój sposób
- silny, długo trwający stres może całkowicie zablokować naszą świadomość
- możesz wybierać wszystko i to jest dobre, ale czy twoje wybory ci służą – to już zupełnie inna sprawa
- cierpienie jest punktem widzenia, czyli naszą świadomością

- radość życia to radość ciała, którą widać
- chandra, złe samopoczucie, ból – to znaki ciała, prośba o zatrzymanie i wsłuchanie się w siebie
- martwiąc się niczego nie zyskujesz, tracisz natomiast zdrowie i radość życia
- uwolnij swoje dzieci od siebie, one przyszły uczyć się życia po swojemu i uwolnij siebie od dorosłych już dzieci – masz jeszcze dużo do zrobienia z uporządkowaniem swojego życia
- gdy człowiek jest odpowiedzialny za swoje życie, znaczy, że idzie drogą cnoty, że jest otwarty i zna swoje przeznaczenie; według Coelho „idzie drogą Własnej Legendy"
- człowiek czystego serca to taki, który nie ma w sobie przesądów, stereotypów, obsesji, lęków; takie serce to Centrum Wszechświata
- gdy serce jest czyste, wolne, to nie ma granic dla tego, co człowiek może osiągnąć
- nasz umysł jest spokojny (pusty) w kontakcie z Nadświadomością, intuicją, gdy wątroba (podświadomość), stwarzająca umysł, jest wyciszona, silna, powstrzymująca wszelkie lęki, stresy, obsesje
- śledziona tworzy myśl, gdy jest silna, myśli nie biegną do tego, co było lub będzie – jesteśmy skoncentrowani na teraźniejszości
- świadomość to wypadkowa emocji, czyli równowagi narządów
- dusza to nasze ciało, podświadomość
- patrząc w oczy, widzimy duszę człowieka i to, co zamierza
- nasze postawa, reakcje, intencje są limitowane stanem naszej podświadomości (wątroby)
- energia idzie za naszą myślą
- potrzebne są uczucia, aby energia poszła w górę
- emocja to ruch narządu, żywioł
- emocje oddziałujące przez dłuższy czas niszczą Centrum zarządzania procesami życiowymi – niszczą naszą świadomość (śledziona)

- wola życia to ukryty w nerkach zamysł
- nasze życie (Drzewo) rodzi się z głębokiego zakorzenienia w nerkach, w maksymalnym skupieniu powstającego tam zamysłu
- bez silnych nerek (zakorzenienia) życie jest chaosem
- przez esencję, krew i ciało przejawia się nasz Duch; dobra jakość esencji przyciąga do nas Ducha. Jeśli esencje są złe, nieodpowiednie – wtedy Duch nie może się wyrażać
- jeśli serce nie jest dobrze odżywiane przez esencję (krew), to Duch nie jest obecny, a świadomość zakłócona
- ideałem życia człowieka jest łączność z Duchem
- niepewność, lęk to brak zakorzenienia, słabe nerki
- strach to oddzielenie płynów i energii – płyny idą w dół (mocz, spuchnięte nogi, ociężałość), a energia w górę (uderzenia gorąca, palpitacje serca). Tracimy właściwą świadomość
- będąc w żalu, pretensjach, w tym, co było, blokujemy naszą wyobraźnię i tworzenie
- jeśli tkwimy w przeszłości, twórczość jest smutna, jest udręką i cierpieniem
- rozumiejąc i uporządkowując przeszłość przenosimy się w teraźniejszość i dajemy przyzwolenie radosnej twórczości
- jeśli zbyt dużo tworzymy, niszczymy równowagę, jeśli za dużo jest w nas kontemplacji, myślenia, niszczymy siłę woli, zapał do pracy, odwagę, powstaje lęk i strach, gdy jest za dużo strachu, nie ma w nas radości życia
- wątpliwości mogą zniszczyć subtelną moc nowej myśli
- pułapką jest twoja niecierpliwość!
- pracując nad sobą zawsze przynosisz zmiany na Ziemi

LITERATURA

Bo Yin Ra, *Księga o żywym Bogu,* Wydawnictwo VIA AD ALTUM, Poznań 1994, Wyd. I

Bo Yin Ra, *Droga do Boga,* Wydawnictwo VIA AD ALTUM, Poznań 2000, Wyd. I

Bo Yin Ra, *Księga miłości,* Wydawnictwo VIA AD ALTUM, Poznań 2001, Wyd. I

Bo Yin Ra, *Księga sztuki królewskiej,* Wydawnictwo VIA AD ALTUM, Poznań 1997, Wyd. I

Canfield Jack, Hansen Mark V., Rutte Martin, Rogerson Maida, Clauss Tim, *Balsam dla duszy pracującej,* Dom Wydawniczy REBIS, Poznań 1998, Wyd. I

Canfield Jack, Hansen Mark V., Diana von Welanetz Wentworth, *Balsam dla duszy – Książka kucharska,* Dom Wydawniczy REBIS, Poznań 1998, Wyd. I

Canfield Jack, Hansen Mark V., Hawthorne Jennifer R., Shimoff Marci, *Balsam dla duszy kobiety,* Dom Wydawniczy REBIS, Poznań 1998, Wyd. I

Castaneda Carlos, *Aktywna strona nieskończoności,* Dom Wydawniczy REBIS, Poznań 2000, Wyd. I

Castaneda Carlos, *Magiczne kroki,* Dom Wydawniczy REBIS, Poznań 1999, Wyd. I

Castaneda Carlos, *Nauki Don Juana,* Dom Wydawniczy REBIS, Poznań 2000, Wyd. II

Castaneda Carlos, *Podróż do Ixtlan,* Dom Wydawniczy REBIS, Poznań 1996, Wyd. I

Chia Mantak i Maneewan, *Miłosny potencjał kobiety,* Wydawnictwo Jacek Santorski, Warszawa 1998, Wyd. II

Chia Mantak i Michael Winn, *Miłosny potencjał mężczyzny,* Wydawnictwo Jacek Santorski, Warszawa 1998, Wyd. I

Clark Jacqueline i Farrow Joanna, *Kuchnia śródziemnomorska,* Wydawnictwo ARKADY, Warszawa 1999

Coelho Paulo, *Alchemik,* Drzewo Babel, Warszawa 1995, Wyd. II

Coelho Paulo, *Na brzegu rzeki Piedry usiadłam i płakałam,* Drzewo Babel, Warszawa 1996, Wyd. I

Coelho Paulo, *Piąta góra,* Drzewo Babel, Warszawa 1998

Czuang – Tsy, *Prawdziwa księga południowego kwiatu,* Państwowe Wydawnictwo Naukowe, Warszawa 1953

Dr D'Adamo Peter J. i Whitney Catherine, *Jedz zgodnie ze swoją grupą krwi,* MADA, Warszawa 1998

Elaine St. James, *Zatrzymaj świat i wysiądź,* Dom Wydawniczy LIMBUS, Bydgoszcz 1997

Foley Ewa, *Zakochaj się w życiu,* Wydawnictwo RAVI, Łódź 2000, Wyd. I

Hawking Stephen W., *Krótka historia czasu,* Wydawnictwo ZYSK i S-ka, Poznań 2000

Jung C.G., *Psychologia przeniesienia,* Wydawnictwo SEN, Warszawa 1993

Kryg Jacek, *Siła symboli i talizmanów Wschodu,* Dom Wydawniczy REBIS, Poznań 1997, Wyd. II

Marciniak Barbara, *Zwiastuni świtu,* Dom Wydawniczy LIMBUS, Bydgoszcz 1997

Marciniak Barbara, *Zwiastuni świtu – Świetlana rodzina,* Dom Wydawniczy LIMBUS, Bydgoszcz 2000

Maciocia Giovanni, *Diagnoza z języka w medycynie chińskiej,* Wydawnictwo Naukowe PWN, Warszawa 1999

Mayle Peter, *Rok w Prowansji,* Prószyński i S-ka, Warszawa 2001

Mayle Peter, *Jeszcze raz Prowansja,* Prószyński i S-ka, Warszawa 2001

Mayle Peter, *Zawsze Prowansja,* Prószyński i S-ka, Warszawa 2000

Miles Jack, *Bóg – Biografia,* Wydawnictwo AL. FINE, Warszawa 1998, Wyd. I

Nowalska Elżbieta, *Ziemia w oczach zaświatów,* Wydawnictwo MW, Warszawa 1997, Wyd. II

Nowalska Elżbieta, *Zanim przyjdzie Jutro,* Wydawnictwo MW, Warszawa 1998

Phyllis V. Schlemmer, *Jedyną planetą ziemia – najważniejsze nauki z głębi wszechświata,* Dom Wydawniczy LIMBUS, Bydgoszcz 1998

van Rijckenborgh J. – Catharose de Petri, *Powszechna Gnoza,* Rozekruis Pers-Haarlem – Holandia

Smolin Lee, *Życie wszechświata,* Wydawnictwo AMBER, Warszawa 1997

Spiller Gene, Hubbard Rowena, *Tajemnice kuchni naszych przodków,* Wydawnictwo KSIĄŻKA I WIEDZA, Warszawa 1998, Wyd. I

Przypisy

1. P Coelho: „Alchemik"
2. Cytat z nieznanego źródła
3. Z. Garnuszewski: „Renesans akupunktury"
4. E. Miętkiewski: „Zarys fizjologii lekarskiej"
5. J.F. Thie: „Dotyk dla zdrowia"
6. op. cit.
7. op. cit.
8. op. cit.
9. op. cit.
10. op. cit.
11. op. cit.
12. Bo Yin Ra
13. P Coelho: „Alchemik"
14. N.D. Walsch: „Rozmowy z Bogiem"
15. J.F. Thie: „Dotyk dla zdrowia"

SPIS TREŚCI

Tabela – Szkodliwe nadmiary ... 304
Myśli dające do myślenia ... 307
Literatura ... 310
Przypisy ... 313

Notatki

mgr Anna Ciesielska
Poznań, ul. Święty Marcin 29/6
tel. /fax (0 61) 855 32 94, tel. kom. 0 604 215 386